LA CAGE DORÉE

"Actes noirs"

DU MÊME AUTEUR

LA PRINCESSE DES GLACES, Actes Sud, 2008 ; Babel noir n° 61.
LE PRÉDICATEUR, Actes Sud, 2009 ; Babel noir n° 85.
LE TAILLEUR DE PIERRE, Actes Sud, 2009 ; Babel noir n° 92.
L'OISEAU DE MAUVAIS AUGURE, Actes Sud, 2010 ; Babel noir n° 111.
L'ENFANT ALLEMAND, Actes Sud, 2011 ; Babel noir n° 121.
CYANURE, Actes Sud, 2011 ; Babel noir n° 71.
LA SIRÈNE, Actes Sud, 2012 ; Babel noir n° 133.
LE GARDIEN DE PHARE, Actes Sud, 2013 ; Babel noir n° 158.
LA FAISEUSE D'ANGES, Actes Sud, 2014 ; Babel noir n° 175.
LE DOMPTEUR DE LIONS, Actes Sud, 2016 ; Babel noir n° 206.
LA SORCIÈRE, Actes Sud, 2017.

Jeunesse
SUPER-CHARLIE, Actes Sud Junior, 2012.
SUPER-CHARLIE ET LE VOLEUR DE DOUDOU, Actes Sud Junior, 2013.
LES AVENTURES DE SUPER-CHARLIE. MAMIE MYSTÈRE, Actes Sud Junior, 2015.

Cuisine
À TABLE AVEC CAMILLA LÄCKBERG, Actes Sud, 2012.

Titre original :
En bur av guld
Éditeur original :
Bokförlaget Forum, Stockholm
© Camilla Läckberg, 2019
publié avec l'accord de Nordin Agency, Suède

© ACTES SUD, 2019
pour la traduction française
ISBN 978-2-330-12109-9

CAMILLA LÄCKBERG

La cage dorée

La vengeance d'une femme
est douce et impitoyable

roman traduit du suédois
par Rémi Cassaigne

ACTES SUD

pour Christina

I

"Et si elle était juste blessée ?" demanda Faye.

Elle fixait la table, incapable de soutenir leurs regards.

Une brève hésitation. Puis une voix désolée :

"Il y a énormément de sang. Pour un si petit corps. Mais je ne veux pas spéculer avant qu'un médecin légiste ait pu se prononcer."

Faye hocha la tête. On lui donna de l'eau dans un gobelet en plastique transparent, elle le porta à sa bouche, mais tremblait si violemment que quelques gouttes coulèrent le long de son menton sur son chemisier. La policière blonde aux gentils yeux bleus se pencha et lui tendit une serviette en papier pour s'essuyer.

Elle s'épongea lentement. L'eau allait laisser de vilaines taches sur son chemisier en soie. Mais ça n'avait plus aucune importance.

"Il n'y a aucun doute ? Plus aucun ?"

La policière lorgna vers son collègue, puis secoua la tête en pesant soigneusement ses mots :

"Encore une fois : un médecin doit se prononcer sur ce que nous avons trouvé sur la scène de crime. Mais, pour le moment, tout pointe dans la même direction : votre ex-mari Jack a tué votre fille."

Faye ferma les yeux en étouffant un sanglot.

Julienne dormait enfin. Ses cheveux étalés sur l'oreiller rose. La respiration calme. Faye lui caressa la joue doucement pour ne pas la réveiller.

Jack devait rentrer ce soir de son voyage d'affaires à Londres. Ou Hambourg ? Faye ne se souvenait plus. Il rentrerait fatigué et stressé, mais elle veillerait à ce qu'il se détende comme il faut.

Elle referma précautionneusement la porte de la chambre de Julienne, se glissa dans l'entrée pour vérifier si la porte était verrouillée. Dans la cuisine, elle passa la main sur la surface du plan de travail. Trois mètres de marbre veiné de vert. Carrare, bien sûr. Malheureusement très peu pratique : la surface poreuse du marbre absorbait tout comme une éponge, et présentait déjà quelques vilaines taches. Mais pour Jack, il n'avait pas été question de choisir plus fonctionnel. La cuisine de l'appartement de Narvavägen avait coûté presque un million, et on n'avait mégoté sur rien.

Faye attrapa une bouteille d'amarone et posa un verre sur le plan de travail. Bruit du verre sur le marbre, glouglou du vin – un concentré de ses soirées à la maison, quand Jack n'était pas là. Elle versa le vin précautionneusement, pour qu'il n'y ait pas de nouvelles taches à la surface blanche du marbre, et ferma les yeux en portant le verre à sa bouche.

Elle baissa la lumière et gagna l'entrée, où trônaient les portraits en noir et blanc de Jack, Julienne et elle. Pris par Kate Gabor, la photographe officieuse de la cour, qui, chaque année, faisait de fabuleuses images des enfants de la famille royale jouant dans les feuilles mortes en habits blancs amidonnés. Jack et elle avaient choisi des photos estivales. Ils étaient gais et détendus, au bord de l'eau. Julienne entre eux, ses cheveux blonds au vent. Vêtements blancs, bien sûr. Elle une simple robe en coton Armani, Jack chemise et pantalon retroussé Hugo Boss, Julienne une robe en dentelle de la collection enfants de Stella McCartney. Ils s'étaient disputés juste avant de prendre ces photos. Elle ne se rappelait pas à quel sujet, juste que c'était sa faute. Mais rien de leur mésentente ne transparaissait sur le portrait.

Faye monta l'escalier. Hésita devant la porte du bureau de Jack, puis l'ouvrit. La pièce était située dans une tour, avec vue panoramique. Un agencement unique pour un bien unique, comme l'avait dit l'agent immobilier en leur faisant visiter l'appartement, cinq ans plus tôt. Elle avait alors Julienne dans le ventre et la tête pleine d'espoirs lumineux pour l'avenir.

Elle aimait cette tour. L'espace et la lumière qui se déversait par les fenêtres donnaient l'impression de voler. Et à présent, dans l'obscurité compacte, les parois voûtées tout autour d'elle lui faisaient l'impression d'un cocon douillet.

Elle avait elle-même aménagé la pièce, comme le reste de l'appartement. Choisi les papiers peints, les bibliothèques, le bureau, les photographies et les tableaux au mur. Et Jack adorait. Il ne remettait jamais son goût en question, et sa fierté n'avait pas de bornes quand des invités leur demandaient le numéro de leur décorateur.

Dans ces moments-là, il la laissait briller.

Alors que toutes les autres pièces étaient modernes, lumineuses et spacieuses, le bureau de Jack avait une touche plus masculine. Plus grave. Elle avait consacré plus d'énergie à cette pièce qu'à la chambre de Julienne et tout le reste de l'appartement. Jack devait y passer beaucoup de temps et y prendre des décisions importantes engageant l'avenir de la famille. Lui aménager là ce havre de paix, juste au-dessous des nuages, c'était bien le moins qu'elle puisse faire.

Faye caressa avec satisfaction le bureau rustique de Jack qu'elle avait acheté aux enchères chez Bukowski et qui avait autrefois appartenu à Ingmar Bergman. Jack n'était pas spécialement féru de Bergman, il préférait les films d'action avec Jackie Chan ou les comédies avec Ben Stiller mais, comme elle, il aimait les meubles avec une histoire.

Lorsqu'il faisait visiter l'appartement à des hôtes, il ne manquait pas de frapper deux fois ce bureau du plat de la main en indiquant, comme en passant, que ce beau meuble avait jadis appartenu au réalisateur mondialement connu. Chaque fois, Faye souriait, car au moment où il prononçait ces mots, leurs regards se croisaient. C'était là encore une des mille choses qu'ils avaient partagées et partageaient encore. Ces regards complices, ces petits riens qui construisaient une relation.

Elle se laissa tomber dans le fauteuil, devant l'ordinateur, pivota d'un demi-tour et se retrouva face à la fenêtre. La neige tombait, avant de se transformer en bouillasse dans la rue, tout en bas. En se penchant, elle aperçut une voiture qui peinait à avancer dans cette sombre soirée de février. Au niveau de Banérgatan, le conducteur tourna le volant et disparut en direction du centre-ville. Un instant, elle oublia ce qu'elle était venue faire dans le bureau de Jack. Qu'il était facile de se perdre dans la nuit en se laissant hypnotiser par les flocons qui crevaient le noir.

Faye cligna des yeux, se redressa, fit pivoter le fauteuil pour revenir face au grand écran Apple et bougea la souris pour le rallumer. Elle se demanda ce que Jack avait fait du tapis à souris qu'elle lui avait offert à Noël, avec une photo de Julienne et elle. À la place il en avait un bleu, laid, avec le logo Nordea. Le cadeau annuel fait aux clients de la banque privée.

Elle connaissait son mot de passe. *Julienne2010*. Au moins, il n'avait pas Nordea en économiseur d'écran, mais toujours la photo de Julienne et elle prise à Marbella. Elles étaient à la frange des vagues, Faye tenait sa fille à bout de bras, levée vers le ciel. Elles riaient toutes les deux, mais le rire de Faye se sentait plus qu'il ne se voyait, étant couchée de dos, les cheveux dans l'eau. En revanche, les yeux bleu clair de Julienne regardaient vers l'appareil, droit dans l'objectif. Dans les yeux tout aussi bleus de Jack.

Faye se pencha plus près, laissant son regard glisser sur son corps bronzé luisant de sel et d'eau. Cela avait beau être juste quelques mois après son accouchement, elle était en meilleure forme qu'aujourd'hui. Son ventre était plat. Ses bras minces. Ses cuisses fines et fermes. Aujourd'hui, presque trois ans plus tard, elle avait pris au moins dix kilos. Peut-être quinze. Voilà longtemps qu'elle n'avait pas osé se peser.

Elle arracha son regard de son corps à l'écran et ouvrit le moteur de recherche, cliqua sur l'historique et entra *porn*. Les liens s'affichèrent, classés par date. Elle pouvait facilement suivre les fantasmes sexuels de Jack, ces derniers mois. Comme un répertoire de ce qui l'excitait. *Fantasmes pour les nuls*.

Le 26 octobre, il avait visionné deux clips. *Russian Teen Gets Slammed by Big Cock* et *Skinny Teen Brutally Hammered*. On pouvait dire ce qu'on voulait de l'industrie du porno, mais au moins, les titres des films étaient concrets. Pas de périphrases. Aucune tentative d'enjoliver, de faire mousser, de mentir sur la marchandise et sur ce que désirait le client face à son écran. Un dialogue direct, une communication ouverte et franche.

Depuis qu'elle le connaissait, Jack avait toujours regardé du porno, et elle en regardait parfois elle aussi quand elle était seule. Elle méprisait ses amies qui prétendaient qu'il ne viendrait jamais à l'idée de leurs maris d'en mater. Comme déni, ça se posait là.

Autrefois, Jack n'avait jamais laissé sa consommation de porno empiéter sur leur vie sexuelle. Ça n'avait jamais été l'un ou l'autre. Mais désormais, il ne venait plus vers elle, alors qu'il continuait à chercher à se satisfaire avec *Skinny Teen Brutally Hammered*.

La boule qu'elle avait au ventre ne faisait que grossir à mesure que défilaient les clips. Les filles y étaient jeunes, maigres et soumises. Jack avait toujours aimé les filles minces et jeunes. Lui, il n'avait pas changé, elle, oui. Et n'était-ce pas ainsi que la plupart des hommes voulaient leurs femmes ? À Öster-malm, pas question de vieillir ou de prendre du poids. Du moins pour la gent féminine.

Ce dernier mois, Jack avait regardé le même film sept ou huit fois. *Young Petite Schoolgirl Brutally Fucked by Her Tea-cher*. Faye cliqua sur *play*. Une jeune fille en jupe courte à car-reaux, chemise blanche, cravate et bas, avec des couettes à la

Fifi Brindacier, a des problèmes à l'école. Surtout en biologie. Ses parents inquiets et responsables lui font donner des cours de soutien et la laissent seule à la maison. On sonne à la porte. Un homme d'une quarantaine d'années, avec une veste renforcée aux coudes et un cartable à la main. Ils vont dans une cuisine lumineuse. La fille va chercher ses manuels et ouvre la leçon du jour. L'anatomie musculaire.

"Je te nomme un muscle, et tu dois me le montrer sur ton corps, ça ira ?" demande le professeur d'une voix grave.

La fille fait de grands yeux ronds, la bouche en cul-de-poule. Elle réussit à trouver les deux premiers. Quand il demande *gluteus maximus*, ou grand muscle fessier, elle remonte un peu sa jupe, faisant voir le bas de sa culotte à l'écran, et montre le bord externe de son aine. Le professeur secoue la tête en souriant :

"Lève-toi, je vais te montrer."

Elle repousse sa chaise et se met debout. Il avance sa grosse main, suit lentement l'intérieur du genou vers le haut, sous la jupe. Il la remonte encore davantage et écarte la culotte. Enfonce un doigt. La fille gémit. Un parfait gémissement porno. Avec malgré tout une nuance d'innocence surprise et de mauvaise conscience. Un aveu pour le spectateur qu'elle sait qu'elle ne devrait pas. Que c'est mal. Mais qu'elle n'y résiste pas. Que la tentation est trop forte.

Il fait entrer et sortir son doigt plusieurs fois. Puis la plaque contre la table et la baise. Elle crie, gémit, griffe la table. Supplie qu'il continue. À la fin, il lui demande de remettre ses lunettes – qui étaient tombées pendant ce rodéo – avant de lui gicler au visage. Révulsée de jouissance, la bouche entrouverte, l'écolière reçoit le sperme.

Nulle part aussi clairement que dans les films pornos n'apparaît l'importance que les hommes accordent à leur sperme. Il y est distribué à des femmes pantelantes et recueillies, bouches entrouvertes, comme si c'était un cadeau.

Faye éteignit l'ordinateur d'un clic de souris sur l'affreux tapis Nordea. Voilà ce que Jack voulait, et voilà ce qu'il allait avoir.

Elle recula le fauteuil, qui grinça de mauvais gré, et se leva. Il faisait à présent nuit noire. La légère chute de neige avait cessé. Elle quitta la pièce en emportant son verre de vin.

Dans son dressing, Faye avait tout ce qu'il fallait. Elle regarda l'heure. Neuf heures et demie. L'avion de Jack allait bientôt atterrir, il serait bientôt dans un taxi. Il avait bien entendu la carte VIP, il n'attendrait pas, ne mettrait pas longtemps à rentrer de l'aéroport.

Elle prit une douche rapide, se savonna tout le corps et rasa la petite touffe qui s'était formée sur son pubis. Elle se maquilla, mais pas comme d'habitude, d'une manière un peu bâclée, juvénile. En tartinant beaucoup de rouge, en mettant trop de mascara, et, cerise sur le gâteau, elle dégota un rouge à lèvres rose chewing-gum au fond de sa trousse à maquillage, sans doute un échantillon reçu lors d'un quelconque événement.

Ce n'est pas elle qu'aurait Jack – pas Faye, sa femme, la mère de son enfant – mais quelqu'un de plus jeune, de plus innocent, intact. C'était ce dont il avait besoin.

Elle choisit une des plus légères cravates grises de Jack, la noua à la va-vite. Chaussa une paire de lunettes de lecture qu'elle avait honte d'utiliser et cachait donc quand elle avait de la visite. Rectangulaires, noires, Dolce & Gabbana. Faye contempla le résultat dans le miroir. Elle faisait dix ans de moins. Presque comme elle était en quittant Fjällbacka.

La femme de personne. La mère de personne. C'était parfait.

Faye se glissa dans la chambre de Julienne pour prendre un de ses cahiers et un crayon à gomme rose. Elle s'arrêta en entendant sa fille murmurer dans son sommeil. Allait-elle se réveiller ? Non, sa respiration redevint calme.

Elle retourna à la cuisine remplir à nouveau son verre de vin, mais se ravisa et sortit d'un tiroir une des timbales en plastique de Julienne – une grande, à l'effigie d'Hello Kitty, avec un couvercle et une paille. Elle y versa du vin rouge. Parfait.

Quand la clé tourna dans la serrure, elle était en train de feuilleter *The Economist*, que Jack s'obstinait à toujours placer en évidence. Elle était la seule à vraiment le lire.

Jack posa sa valise par terre, se déchaussa et glissa des embauchoirs en cèdre dans ses souliers italiens cousus main en cuir léger. Faye resta immobile. À la différence du discret gloss Lancôme qu'elle utilisait d'habitude, le rouge à lèvres rose poissait et dégageait un parfum vaguement synthétique.

Jack ouvrit doucement le réfrigérateur. Toujours sans la voir. Il marchait sur la pointe des pieds, pensant sans doute qu'elle et Julienne dormaient toutes les deux.

Elle le regardait, cachée dans l'ombre du séjour. Comme une étrangère épiant par une fenêtre, elle pouvait l'observer à son insu. En temps normal, Jack était toujours sur le qui-vive. Là, pensant n'être vu de personne, il avait des mouvements différents. Détendus, presque négligés. Son corps d'habitude si élancé était légèrement tassé, pas beaucoup, mais assez pour qu'elle, qui le connaissait bien, remarque la différence. Son visage était plus lisse, sans cette ride soucieuse qu'il arborait désormais si souvent, même dans les mondanités qui étaient si intimement liées à sa carrière, à leur vie, où des rires et des verres entrechoqués pouvaient, dès le lendemain, se traduire en affaires brassant des millions.

Elle se souvenait de Jack jeune, quand ils s'étaient rencontrés. Son regard malicieux, ses rires gais, ses mains qui ne pouvaient s'empêcher de la toucher à tout bout de champ, qui n'en avaient jamais assez d'elle.

La lueur du réfrigérateur éclairait son visage, et elle n'arrivait pas à en détacher ses yeux. Elle l'aimait. Aimait ses larges épaules. Aimait ses grandes mains qui saisissaient à présent le pack de jus de fruits pour le porter à ses lèvres. Il serait bientôt sur elle, en elle. Dieu, qu'elle le désirait.

Le désir la fit peut-être bouger car, soudain, il tourna le visage vers la porte lisse du four et y vit son reflet. Il sursauta et fit volte-face. Le pack de jus toujours à la main, à mi-chemin de sa bouche.

Il le posa sur l'îlot central.

"Tu es réveillée ?" s'étonna-t-il. La ride avait réapparu entre ses deux sourcils bien dessinés.

Faye ne répondit pas, se contenta de se lever et fit quelques pas vers lui. Il la déshabilla des yeux. Cela faisait longtemps qu'il ne l'avait pas regardée ainsi.

"Viens", dit-elle doucement, d'une voix claire.

Jack referma le réfrigérateur, et la cuisine fut replongée dans le noir. Mais la lumière de la ville suffisait pour qu'ils se voient. Il contourna l'îlot central, s'essuya la bouche du revers de la main et se pencha pour l'embrasser. Mais elle détourna le visage et le fit asseoir sur une chaise. Maintenant, c'était elle qui décidait. Quand il tendit la main vers sa jupe, elle la repoussa. Pour, une seconde plus tard, la guider vers le creux de son genou. Elle remonta sa jupe pour lui faire voir sa culotte en dentelle, en espérant qu'il la reconnaisse, qu'il voie que c'était la même. Que celle de la fille. La jeune. L'innocente.

Sa main remonta, et elle ne put s'empêcher de gémir. Au lieu d'écarter la culotte, comme dans le film, il l'arracha. Elle gémit à nouveau, plus fort, se pencha sur la table, se cambra tandis qu'il déboutonnait son pantalon et le baissait avec son caleçon d'un seul mouvement. Il l'attrapa par les cheveux et la plaqua davantage contre la table. Se pencha sur elle de tout son poids, lui flaira le cou en la mordant fort, et elle sentit l'odeur du jus d'orange se mêler à celle du whisky du voyage en avion. D'un geste décidé, il lui écarta les pieds, se plaça derrière et entra en elle.

Jack la baisa fort, avec agressivité : à chaque coup de boutoir, le plateau de la table lui entrait dans le diaphragme. Il lui faisait un peu mal, mais la douleur était une libération, lui faisait oublier tout le reste pour se concentrer sur sa jouissance.

Elle était à lui. Sa jouissance lui appartenait. Son corps était à lui.

"Dis-moi quand tu jouis, gémit-elle, la joue collée à la surface de la table, où son rouge à lèvres laissait des traces poisseuses.

— Maintenant", haleta Jack.

Elle s'agenouilla devant lui. La respiration lourde, il enfonça sa bite dans sa bouche ouverte. Saisit à deux mains l'arrière de sa tête et poussa plus profond. Elle lutta contre le réflexe de vomir, essaya de ne pas se détourner. Juste recevoir. Toujours recevoir, et rien d'autre.

Faye revit la scène du film porno et, quand Jack s'épancha, elle jouit de voir chez lui la même expression qu'avait le professeur du film en ravissant la jeune innocence.

"Bienvenue à la maison, chéri", dit-elle avec un sourire forcé.
C'était une des dernières fois qu'ils couchaient ensemble durant leur mariage.

STOCKHOLM, ÉTÉ 2001

Mes premières semaines à Stockholm ont été solitaires. Deux ans après le bac, je quittais Fjällbacka. Mentalement et physiquement. Je n'avais de cesse d'échapper à cette petite localité claustrophobique. Elle m'étouffait, avec ses ruelles pittoresques et ses habitants curieux dont les regards ne me laissaient jamais en paix. J'avais quinze mille couronnes en poche et les meilleures notes dans toutes les matières.

J'aurais préféré m'en aller plus tôt. Mais il m'avait fallu plus de temps que je ne pensais pour régler les questions pratiques : vendre la maison, nettoyer, repousser tous les fantômes qui se pressaient au portillon.

Les souvenirs faisaient si mal. Dans la maison de mon enfance, je les avais sans arrêt devant moi. Sebastian. Maman. Et surtout papa. Il n'y avait plus rien pour moi à Fjällbacka. Que des ragots. Et la mort.

Personne n'avait été là pour moi à l'époque. Et maintenant non plus. Alors j'avais fait ma valise et pris le train pour Stockholm, sans regarder en arrière.

Et en jurant de ne jamais revenir.

À la gare centrale de Stockholm, je me suis arrêtée devant une poubelle, j'ai ouvert mon portable et jeté la carte SIM. Désormais, aucune ombre du passé ne pourrait plus m'atteindre. Personne ne pourrait me menacer et me poursuivre.

J'ai loué une chambre pour l'été, dans un appartement situé au-dessus de Fältöversten, cet affreux centre commercial qui fait secouer la tête aux habitants du quartier huppé, en murmurant "C'est encore un coup des socialos, il fallait qu'ils abîment notre bel Östermalm". Mais ça, je n'en savais rien à l'époque. Habituée au supermarché ICA Hedemyrs de Tanumshede, je trouvais Fältöversten charmant.

J'ai aimé Stockholm dès le premier instant. De ma fenêtre au septième étage, j'avais vue sur les belles façades des environs, les parcs verdoyants, les jolies voitures, en pensant qu'un jour moi aussi j'habiterais un de ces immeubles cossus du XIXᵉ siècle, avec un mari, trois enfants parfaits et un chien.

Mon mari serait peintre. Ou écrivain. Ou musicien. Aussi différent que possible de papa. Sophistiqué, intellectuel, mondain. Il sentirait bon et s'habillerait bien. Serait un peu dur avec les autres, mais pas avec moi, car je serais la seule à le comprendre.

Durant ces longues nuits lumineuses, je me promenais dans les rues de Stockholm. Je voyais les bagarres dans les ruelles, à la fermeture des cafés. J'entendais les cris, les pleurs, les rires. Les hurlements des véhicules d'urgence qui se précipitaient pour repousser le danger ou sauver des vies. Étonnée, je regardais les prostituées du centre-ville, avec leur maquillage des années 1980 et leurs talons hauts, leur teint blafard et les marques d'aiguilles à leurs bras qu'elles cherchaient à cacher sous les manches longues de leurs chemisiers ou de leurs pulls. Je leur demandais des cigarettes et fantasmais sur leur vie. La liberté d'être tout au fond du trou. Aucun risque de tomber plus bas dans la merde. Je jouais avec l'idée d'y aller moi aussi, juste pour comprendre ce que ça voulait dire, qui étaient ces hommes qui se payaient un moment d'intimité sale dans leur Volvo avec siège enfant à l'arrière et réserve de couches et de lingettes dans la boîte à gants.

C'est à cette période que ma vie a commencé pour de bon. Le passé était comme un boulet que je traînais au pied. Il me pesait, me gênait, m'entravait. Mais la moindre cellule de mon corps vibrait de curiosité. C'était moi face au reste du monde. Loin de chez moi, dans une ville dont j'avais rêvé toute ma vie. Je n'avais pas seulement désiré partir, j'avais désiré *y aller*. Lentement, je me suis approprié Stockholm. Cette ville m'a donné l'espoir de guérir et d'oublier.

Début juillet, ma propriétaire, une enseignante à la retraite, est partie rendre visite à ses petits-enfants dans le Norrland.

"Pas de visites", m'a-t-elle gravement recommandé en fermant la porte.

"Pas de visites", ai-je répété d'un air obéissant.

Le soir venu, je me suis maquillée et j'ai bu ses alcools. Gin, whisky. Kirsch et Amarula. C'était dégoûtant, mais peu importait, c'était l'ivresse que je recherchais, l'ivresse promettant l'oubli et dont la chaleur se répandait dans tout mon corps.

Après avoir assez bu pour me donner du courage, j'ai enfilé une robe en coton et me suis dirigée vers Stureplan. Après quelques hésitations, je me suis installée à une terrasse qui semblait sympathique. Des visages connus passaient, que je n'avais jusqu'alors vus qu'à la télévision. Riants, enivrés. D'alcool et d'été.

Vers minuit, je me suis mise dans la queue devant une boîte de nuit, de l'autre côté de la rue. L'ambiance était à l'impatience, je n'étais pas sûre qu'on me laisserait entrer. Je me suis efforcée d'imiter les autres. De me comporter comme eux, même si j'ai par la suite compris qu'il devait s'agir de touristes. Aussi perdus que moi, mais avec une assurance de façade.

J'ai entendu rire derrière mon dos. Deux garçons de mon âge ont doublé tout le monde et se sont présentés aux vigiles. Un signe de tête et une poignée de main. Tous les regards étaient sur eux, jaloux et fascinés. Des heures à se préparer, en pouffant derrière un verre de rosé, pour ensuite se geler les jambes derrière une corde. Quand tout aurait pu être aussi simple. Si seulement on avait pu être quelqu'un.

Contrairement à moi, ces deux garçons étaient des personnes qu'on voyait, respectait et écoutait. Ils étaient *quelqu'un*. J'ai alors résolu que moi aussi, un jour...

À ce moment précis, un des garçons s'est retourné pour toiser avec curiosité la foule qu'il venait de doubler. Nos regards se sont croisés.

J'ai regardé ailleurs, fouillé mon sac, à la recherche d'une cigarette. Je ne voulais pas avoir l'air bête, l'air de ce que j'étais – la fille de la campagne allant pour la première fois en boîte de nuit dans la capitale. Ivre de gin et d'Amarula volés. Mais l'instant suivant il était devant moi. Cheveux rasés, gentils yeux bleus. Oreilles légèrement décollées. Il portait une chemise beige et un jean sombre.

"Comment tu t'appelles ?

— Matilda", ai-je répondu.

Le prénom que je haïssais. Le prénom qui appartenait à une autre vie, à une autre personne. Quelqu'un qui n'était plus moi. Que j'avais laissé derrière moi en montant dans le train pour Stockholm.

"Moi, c'est Viktor. T'es seule ?"

Je n'ai pas répondu.

"Va te présenter au vigile.

— Mais je ne suis pas sur la liste, ai-je murmuré.

— Moi non plus."

Un sourire étincelant. J'ai quitté la queue, sous les regards jaloux et envieux de filles trop légèrement vêtues et de garçons trop gominés.

"Elle est avec moi."

L'armoire à glace qui gardait l'entrée a soulevé la corde en disant : "Bienvenus."

Au milieu de la foule, Viktor m'a pris la main pour m'entraîner dans l'obscurité. Des silhouettes, de fragiles lumières multicolores, des basses rebondissantes, des corps enlacés, la danse. Nous nous sommes installés au bout d'un long comptoir, et Viktor a salué le barman.

"Qu'est-ce que tu bois ?" a-t-il demandé.

Avec encore dans la bouche un goût sucré et écœurant de liqueurs, j'ai répondu : "Une bière.

— Bien, j'aime les filles qui boivent de la bière. C'est classe.

— Classe ?

— Oui. Bien, quoi. Cool."

Il m'a tendu une Heineken. A levé sa bouteille pour trinquer. Je lui ai souri et j'ai bu une gorgée.

"De quoi rêves-tu dans la vie, Matilda ?

— D'être quelqu'un." J'avais répondu sans réfléchir.

"Mais tu es déjà quelqu'un, non ?

— Quelqu'un d'autre.

— Je trouve que tu es déjà pas mal comme ça."

Viktor a esquissé quelques pas de danse de côté, en balançant la tête au rythme de la musique.

"Et toi, tu rêves de quoi ?

— Moi ? Je veux juste jouer de la musique.

— Tu es musicien ?"

J'étais obligée de me pencher vers lui et de hausser la voix pour qu'il m'entende.

"DJ. Mais ce soir, j'ai congé. Demain, c'est moi qui serai là-haut."

J'ai suivi son doigt. Sur une petite scène, contre le mur, derrière des platines, le type qui était avec Viktor se trémoussait au rythme de la musique. Un moment après, il est venu se présenter. Axel. Il semblait gentil et inoffensif.

"Sympa de te rencontrer, Matilda", a-t-il dit en tendant la main.

J'ai songé combien ils étaient différents des garçons de ma ville natale. Polis. S'exprimant bien. Axel a commandé à boire et a disparu. Viktor et moi avons trinqué à nouveau. Ma bière était bientôt finie.

"Avant le concert, demain, on va faire une fête en début de soirée avec des potes. Tu veux passer ?

— Peut-être, ai-je dit en le regardant d'un air pensif. Au fait, pourquoi tu voulais me faire entrer avec toi ?"

J'ai démonstrativement bu le fond de ma bouteille. En espérant qu'il en commanderait une autre. Ce qu'il a fait, une pour moi et une pour lui. Puis il a répondu à ma question. Ses yeux bleus luisaient dans le noir.

"Parce que tu es jolie. Et tu avais l'air seule. Tu regrettes ?

— Non, pas du tout."

Il a pêché un paquet de Marlboro dans sa poche arrière, m'a tendu une cigarette. Je n'avais rien contre m'en faire offrir, j'avais fumé les miennes. Il ne me restait plus grand-chose des quinze mille couronnes du surplus de la vente de la maison, une fois remboursé le prêt et tout ce qu'il fallait payer.

Nos mains se sont touchées quand il a allumé ma cigarette. La sienne était chaude et bronzée. Aussitôt disparu, son contact m'a manqué.

"Tu as des yeux tristes. Tu le sais ? a-t-il dit en tirant une profonde bouffée.

— Qu'est-ce que tu veux dire ?

— Que tu as l'air de porter un chagrin. Je trouve ça beau. Les gens toujours gais m'ennuient. La vie est belle. Mais pas tout le temps. Les gens toujours contents m'ennuient. Nous ne sommes pas faits pour être heureux en permanence, le monde s'arrêterait."

Je n'ai rien répondu. Je le soupçonnais de se moquer de moi.

Soudain, l'ivresse m'a fait tourner la tête. J'ai décidé de m'offrir un souvenir, je me suis penchée en saisissant sa tête entre mes mains et j'ai approché son visage du mien. Un geste qui a dû me faire passer pour plus sûre de moi que je ne l'étais en réalité. Nos lèvres se sont rencontrées. Il avait goût de bière et de Marlboro et embrassait bien. Avec douceur, mais intensité.

"On va chez moi ?" a-t-il demandé.

En peignoir bleu marine, Jack lisait *Dagens Industri* à la table de la cuisine. Il ne leva même pas les yeux quand Faye entra, mais elle y était habituée, quand il était stressé. Et vu toutes ses responsabilités et les heures qu'il passait au bureau, il méritait bien qu'on le laisse tranquille le matin en week-end.

L'appartement de quatre cents mètres carrés, fruit de la réunion de quatre appartements, rendait claustrophobe quand Jack voulait être tranquille. Faye ne savait toujours pas comment se comporter ces jours-là.

Dans la voiture, en rentrant de Lidingö, où Julienne était invitée à jouer avec une copine de maternelle, Faye s'était fait une joie de passer la matinée avec Jack. Rien que tous les deux. Se blottir au lit, regarder une quelconque émission télévisée dont ils condamneraient ensemble l'idiotie et la vulgarité. Elle voulait que Jack lui raconte sa semaine. Aller se promener main dans la main à Djurgården.

Parler, comme autrefois.

Elle nettoya les restes du petit-déjeuner de Julienne. Les flocons s'étaient ramollis dans le lait. Elle détestait toucher les céréales molles, l'odeur aigre, et ravala un haut-le-cœur en passant un torchon pour essuyer.

Des miettes parsemaient l'îlot central et une tartine à demi mangée défiait les lois de la gravité, en équilibre sur le bord. Elle ne tenait que parce qu'elle était retournée côté beurre.

"Tu ne pourrais pas essayer de ranger, avant de partir ? dit Jack, sans lever le nez de son journal. On ne va quand même pas faire venir la femme de ménage le week-end ?

— Pardon." Faye avala la boule qu'elle avait dans la gorge, tout en essuyant le plan de travail. "Julienne voulait partir. Elle criait tellement."

Jack lâcha un "Mmm" et continua sa lecture. Il sortait de la douche, après son jogging. Il sentait bon l'Armani Code, le parfum qu'il portait déjà quand ils s'étaient rencontrés. Julienne était déçue de ne pas voir son papa, mais il était parti courir avant qu'elle se lève, et n'était pas revenu avant que Faye aille la déposer. La matinée avait été mouvementée. Aucune des quatre choix de petit-déjeuner proposées à Julienne n'avait fait l'affaire, et l'habillage avait été un pénible marathon qui l'avait mise en sueur.

Mais au moins, la cuisine était propre, à présent. Les traces de la bataille nettoyées.

Faye posa la lavette dans l'évier et regarda Jack, assis à la table de la cuisine. Il avait beau être grand, athlétique, avoir des responsabilités et du succès, tous les attributs d'un homme heureux, il était encore un petit garçon, à bien des égards. Elle était la seule à le voir tel qu'il était vraiment.

Faye l'aimerait toujours, quoi qu'il arrive.

"Il commence à être temps de te couper les cheveux, mon chéri."

Elle tendit la main, parvint à toucher quelques mèches humides avant qu'il n'esquive.

"Pas le temps. Cette expansion est compliquée, je dois rester entièrement concentré. Je ne peux pas aller chez le coiffeur pour un oui ou pour un non, comme toi."

Faye s'assit sur la chaise à côté de lui, les mains sur les genoux, en essayant de se rappeler quand il s'était coupé les cheveux pour la dernière fois.

"Tu veux en parler ?

— De quoi ?

— De Compare."

Lentement, ses yeux passèrent du journal à Faye. Il secoua la tête en soupirant. Elle regrettait d'avoir ouvert la bouche. Regrettait de ne pas s'être contentée d'essuyer les miettes de pain sur le plan de travail. Elle prit pourtant son élan :

"Autrefois, tu voulais bien…"

Jack sursauta et baissa son journal. Sa frange trop longue de quelques millimètres lui tomba sur le visage et il agita la tête avec agacement. Pourquoi ne pouvait-elle pas le laisser tranquille ? Juste essuyer la cuisine. Être mince, belle et soumise. Il avait travaillé toute la semaine. Tel qu'elle le connaissait, il allait s'enfermer dans son bureau, dans sa tour, et continuer à travailler. Pour elle et Julienne. Pour qu'elles ne manquent de rien. Car c'était là leur but. Pas le sien. Le leur.

"À quoi ça servirait d'en parler ? Tu n'y connais plus rien, en affaires, non ? C'est tout neuf, il faut être dans le coup."

Faye tripotait son alliance. La tournait, encore, et encore.

Si elle n'avait rien dit, ils auraient pu passer cette matinée dont elle rêvait. Mais elle avait tout gâché avec sa question stupide. Alors qu'elle savait bien à quoi s'en tenir.

"Connais-tu seulement le nom du ministre de l'Économie ?

— Mikael Damberg", répondit-elle instinctivement. Instinctivement et correctement.

En voyant le regard de Jack, elle le regretta. Pourquoi ne pouvait-elle pas juste fermer sa gueule ?

"OK. Une nouvelle loi va bientôt entrer en vigueur. Sais-tu laquelle ?"

Elle savait. Mais secoua lentement la tête.

"Non, bien sûr, continua Jack. Elle stipule que nous, les entreprises, devons désormais avertir nos clients un mois avant le terme de leur abonnement. Avant, pas besoin, le compteur continuait à tourner. Tu piges ce que ça implique ?"

Bien entendu, elle savait. Elle aurait pu lui donner les chiffres exacts de l'impact de cette loi sur Compare. Mais elle l'aimait. Elle était là, dans sa cuisine à un million de couronnes, avec son mari qui était un petit garçon dans un corps d'homme, un homme qu'elle était seule à connaître et qu'elle aimait plus que tout. Aussi, au lieu de dire que Leasando AB, une petite compagnie d'électricité qui appartenait à Compare, perdrait environ 20 % de ses clients, dont autrefois l'abonnement aurait simplement couru, que son chiffre d'affaires diminuerait en gros de cinq cents millions dans l'année et son bénéfice de deux cents, elle se contenta de secouer la tête.

Tritura son alliance.

"Tu ne sais pas, finit par dire Jack. Tu peux me laisser lire, maintenant ?"

Il remonta son journal. Retourna dans ce monde de chiffres, de cours d'actions, de nouvelles émissions et d'achats d'entreprises auquel elle avait consacré trois ans à l'école de commerce, avant d'abandonner ses études. Pour Jack. Pour la compagnie. Pour la famille.

Elle rinça la lavette sous le robinet, ramassa du bout des doigts les flocons humides au fond de l'évier et les jeta à la poubelle. Dans son dos, elle entendit le froissement du journal de Jack. Elle referma la poubelle en silence pour ne pas le déranger.

STOCKHOLM, ÉTÉ 2001

Viktor Blom avait un grain de beauté brun clair dans le cou et un large dos bronzé. Il dormait profondément, j'ai eu tout le temps de l'observer, ainsi que la chambre où nous étions. La fenêtre n'avait pas de rideaux et, à part le lit double, il n'y avait qu'une chaise où s'entassait du linge sale. Les reflets du soleil dansaient sur les murs blancs.

Mes jambes nues étaient entourées d'un drap malpropre et humide. Je m'en suis débarrassée d'un coup de pied et m'en suis drapée comme d'une serviette, avant d'ouvrir précaution-neusement la porte de la chambre. Le meublé spartiate que Viktor et Axel louaient pour l'été dans Brantingsgatan, dans le quartier Gärdet, avait un étage et un rez-de-chaussée don-nant sur un petit jardin avec une table, des chaises en bois et un barbecue sphérique noir. Sur la table, une canette de Fanta bourrée de mégots faisait office de cendrier.

On entendait de lourds ronflements dans la chambre d'Axel. Au rez-de-chaussée, il y avait un séjour et la cuisine. J'y suis descendue, j'ai fait du café et fouillé dans mon sac jeté par terre dans l'entrée, à la recherche de clopes. J'ai pris ensuite le café, mon paquet de cigarettes et je me suis affalée sur une chaise dans le jardin.

Le parc Tessin s'étendait sous mes yeux. Le soleil encore bas m'obligeait à plisser les yeux.

Je ne voulais être ni pénible ni collante. Cette histoire de Viktor qui voulait que je vienne à leur fête, ce n'était sûre-ment que des mots. Pour coucher. J'avais déjà entendu des promesses autrement mirifiques, autour d'un verre. Viktor avait l'air de s'être bien amusé avec moi. Et moi avec lui. Mais mieux valait en rester là. J'ai écrasé ma cigarette dans la canette de Fanta et je me suis levée pour récupérer mes vêtements. Au même moment, la porte s'est ouverte derrière moi.

"Ah, tu es là, a fait Viktor, encore endormi. Tu as une cigarette ?"

Je lui en ai tendu une. Clignant des yeux dans le soleil, il s'est installé sur la chaise que je venais de quitter. Je me suis assise à côté de lui.

"J'allais partir."

J'ai guetté l'expression de soulagement sur son visage. La gratitude que je ne sois pas une de ces nanas collantes qui ne comprennent pas quand il faut s'en aller.

Mais Viktor m'a surprise.

"Partir ? s'est-il exclamé. Mais pourquoi ?

— Mais je n'habite pas ici.

— Et alors ?

— Axel et toi, vous ne voulez pas m'avoir dans les pattes. J'ai bien compris que c'était un truc d'un soir, et que tu es bien élevé. Je ne veux juste pas être la fille pénible qui s'incruste."

Viktor a détourné les yeux vers le parc Tessin. J'ai réprimé l'envie de passer la main sur le court duvet de son crâne rasé. Une photo au mur de sa chambre montrait qu'il avait les cheveux épais et bouclés. Il a continué à se taire et, un instant, j'ai cru l'avoir percé à jour. Qu'il était aussi transparent que les autres mecs.

Il a fini par dire :

"Je ne sais pas comment les garçons te traitent, d'habitude, comment ça se passe là d'où tu viens, mais moi, je te trouve belle. Tu es différente, vraie. Si tu veux t'en aller, tu peux, bien sûr, mais moi, je trouverais ça sympa si tu restais un peu. Je pensais descendre au 7-Eleven nous chercher du jus et des croissants, puis lézarder au soleil, et plus tard commander une pizza.

— OK." J'ai répondu sans prendre le temps de réfléchir.

Une guêpe est passée devant mon visage. Je l'ai chassée, je n'ai jamais eu peur des guêpes. Il y avait tellement plus effrayant.

"*OK ?* Sérieux, c'est quoi, ces types que tu fréquentes ?

— Chez moi, les mecs… Je ne sais pas. D'habitude, ils veulent coucher, et puis qu'on s'en aille, tu vois le plan. Ils ont prévu d'autres trucs pour la journée, quoi."

Je n'ai rien dit des regards. Des mots. De la honte que je devais porter même si c'était celle d'un autre. Donner mon corps à celui qui le voulait n'était rien comparé à tout le reste.

Viktor s'est protégé les yeux du soleil.

"Depuis quand t'es à Stockholm ?

— Un mois.

— Bienvenue.

— Merci."

Vers sept heures, ce soir-là, les gens ont afflué dans l'appartement. La plupart avaient quelques années de plus que moi et, au début, je me suis sentie un peu perdue. Viktor a disparu dans la foule et je me suis retrouvée à la table du jardin avec Axel. Je sirotais un cocktail en fumant des cigarettes et m'étouffais de rire en l'écoutant raconter son périple en train avec Viktor l'été précédent. Deux filles se sont présentées : Julia et Sara. Julia avait de longs cheveux bruns, des yeux verts, et portait une belle robe bleu sombre. Sara avait une jupe en jean, un débardeur blanc et ses cheveux blonds négligemment attachés.

"Je stresse tellement pour cet automne, a dit Julia en se penchant en avant. Je voudrais trop laisser tomber, ou au moins prendre une année sabbatique, mais papa refuse. Il suffit que j'aborde le sujet pour qu'il se fâche. Putain, ce que je déteste Lund !

— Ma pauvre, a compati Sara en lâchant des ronds de fumée.

— Ah, si j'avais d'assez bonnes notes pour entrer à Sup de Co. Mais on s'en fout. Ce soir, on se marre."

Julia s'est redressée et m'a regardée, comme si elle venait seulement de s'apercevoir de ma présence.

"Et toi, qu'est-ce que tu fais ?"

Je me suis raclé la gorge. J'ai soufflé un peu de fumée. Je n'avais aucune envie de raconter mes projets à une personne que je venais de rencontrer.

"Je ne fais pas grand-chose en ce moment.

— Cool. Mais tu comptes faire des études ?"

Comme j'avais envoyé ma candidature à plusieurs formations à Stockholm, j'ai hoché la tête. J'ai songé à mon compte en banque qui se vidait à une vitesse alarmante.

"Oui. Mais il faut encore attendre un moment avant d'avoir des réponses.

— D'où tu connais Axel ?"

C'était l'autre, Sara, qui avait posé la question, en le montrant de la tête.

"J'ai rencontré Viktor, je ne sais pas si vous le connaissez, hier, au Buddha Bar.

— Tu as dormi ici ?"

J'ai hoché la tête.

Elles ont terminé leurs cigarettes en silence avant de se lever.

"Julia et Viktor étaient ensemble, avant, a dit Axel quand elles ont été parties.

— Avant ?

— Jusqu'il y a trois mois, à peu près. C'est la première fois qu'ils se revoient depuis qu'elle est rentrée de Lund."

Julia et Sara nous ont accompagnés au Buddha Bar. Elles collaient Viktor et n'arrêtaient pas de me jeter des regards noirs. Plus je buvais, plus ça m'énervait.

Viktor a quitté un instant ses platines pour venir nous voir, Axel et moi. Je l'ai enlacé en regardant Julia plisser les yeux. Il m'a embrassée et je lui ai un peu mordu la lèvre inférieure. Au moment de retourner mixer, il m'a demandé si je voulais lui tenir compagnie. Il m'a prise par la taille tandis que nous traversions la foule. Ça a mis du temps, car tout le monde l'arrêtait pour bavarder. Une fois dans sa cabine, Viktor a mis ses écouteurs, ajusté quelques réglages et commencé à se balancer au rythme de la musique.

J'ai fait comme lui. Puis je lui ai pris la main, l'ai glissée sous ma robe, entre mes jambes. Je n'avais pas de culotte.

"Tu rentres avec moi, ce soir ? m'a-t-il demandé.

— Oui – si tu veux ?"

Son regard intense rendait toute réponse superflue.

"Qu'est-ce qu'on va faire ?" l'ai-je taquiné.

Viktor a ri et changé de chanson.

Cette sensation était tellement merveilleuse. J'étais libre à présent. Libre de faire ce que je voulais. D'être qui je voulais. Sans ce passé qui faisait tout merder autour de moi, en moi. Lentement, peu à peu, je devenais quelqu'un d'autre.

J'ai regardé les gens sur la piste, fermé les yeux en songeant à Fjällbacka. À la curiosité, aux regards qui me suivaient où que j'aille, au mélange de fascination et de pitié, poisseux, lourd, étouffant. Ici, personne ne savait. Ici, personne ne me regardait. Ma place était ici. À Stockholm.

"Je vais au petit coin, ai-je crié.

— OK. Je finis dans dix minutes. On se retrouve à la sortie ?"

J'ai hoché la tête avant de me diriger vers les toilettes des dames. Je me suis mise dans la queue en souriant à l'idée que Viktor était à moi et à personne d'autre. La musique résonnait au loin, faisant vibrer en rythme le miroir du mur.

J'y ai regardé mon reflet. Mes cheveux étaient plus blonds que d'habitude, je me sentais bronzée et fraîche. Je me suis trouvé l'air plus âgée que quelques semaines plus tôt seulement. Au lavabo, une fille a dirigé une bombe rose de laque vers ses cheveux. Le parfum sucré m'a piqué le nez, mais produisait un contraste bienvenu avec les odeurs de sueur, d'alcool et de tabac.

La porte s'est ouverte derrière moi et, l'espace d'un instant, le volume de la musique a augmenté.

J'ai senti qu'on me tapait sur l'épaule et je me suis retournée. J'ai eu le temps d'apercevoir Julia avant d'être aspergée par le contenu de son verre. Un glaçon m'a touché le front avant de rebondir par terre. Ça m'a brûlée, j'ai cligné les yeux de surprise et de douleur.

"Mais bordel, qu'est-ce qui te prend ? ai-je crié en reculant d'un pas.

— Petite pute de bouseuse !" a lâché Julia avant de tourner les talons et de disparaître.

Quelques autres filles ont ri. Je me suis essuyée avec une serviette. L'humiliation fourmillait sur tout mon corps. Mon ancien moi était de retour. Celui qui s'accroupissait, se cachait dans l'ombre. Celui qui ployait sous le poids de trop de secrets.

Alors, je me suis redressée et je me suis regardée dans la glace. Plus jamais.

Une semaine plus tard, j'ai reçu une lettre. J'étais admise à Sup de Co. J'ai copié ce courrier, j'ai cherché l'adresse de Julia, j'ai acheté une enveloppe, j'y ai fourré cette preuve de mon admission avec une photo, prise par Viktor avec le déclencheur automatique, où on me voyait à quatre pattes, Viktor me prenant par-derrière, le visage déformé par la jouissance. En glissant l'enveloppe dans la boîte aux lettres de la famille de Julia, je n'avais qu'une idée en tête : jamais plus je ne laisserai quelqu'un m'humilier.

Un mois plus tard, je me suis inscrite à Sup de Co avec mon deuxième prénom, Faye, choisi par maman d'après l'auteur de son livre préféré. Matilda n'existait plus.

Un serveur passa en hâte dans le dos de Faye, sûrement appelé par un des hommes bedonnants assis quelques tables plus loin. Les hommes de ce genre étaient toujours pressés. Ce qui n'était pas étonnant : ils étaient tous à un bifteck Rydberg de l'infarctus.

Elle regarda Alice, qui venait de s'installer en face d'elle. Quand Faye avait fait sa connaissance, ainsi que celle des femmes de la haute société gravitant dans le même cercle, elle les avait baptisées *les oies*, puisque leur rôle principal était de pondre pour leurs maris. Elles devaient se consacrer à mettre au monde des héritiers, puis couver leur progéniture surprotégée sous leurs ailes drapées en Gucci. Quand les gosses entraient dans leurs maternelles triées sur le volet, le temps était venu de se trouver des occupations convenables. Faire du yoga. Se faire manucurer. Organiser des dîners. Veiller à ce que la femme de ménage tienne la maison. Gérer une armada de nounous. Contrôler son poids. Ou de préférence son absence de poids. Être *bonne*. Et le plus important : apprendre à fermer les yeux quand leurs maris revenaient tard d'un "dîner d'affaires" avec la chemise mal rentrée dans le pantalon.

Au début, elle les avait méprisées. Leur manque de culture générale, leur désintérêt pour les vraies valeurs de la vie, leurs ambitions limitées au dernier modèle de sac Rockstud de Valentino ou au choix entre Saint-Moritz et les Maldives pour les vacances d'hiver. Mais Jack lui avait demandé "d'entretenir de bonnes relations" avec elles. En particulier avec Alice, la femme d'Henrik. Et ainsi, elle fréquentait régulièrement les oies.

Ni Faye ni Alice ne nourrissaient des sentiments particulièrement chaleureux l'une pour l'autre. Mais qu'elles le veuillent
ou non, elles étaient liées, à travers l'entreprise de leurs maris.
À travers *l'incroyable amitié* de leurs maris, comme l'avait un
jour écrit un journal d'affaires.

Alice Bergendahl avait vingt-neuf ans, trois de moins que
Faye. Elle avait des pommettes hautes et saillantes, la taille
d'une fillette de dix ans, les putains de jambes d'une Heidi
Klum montée sur échasses. Et par-dessus le marché, elle avait
mis au monde deux beaux enfants parfaitement démoulés. Sans
doute en gardant le sourire aux lèvres pendant tout l'accouchement. Et entre les contractions, elle avait sûrement occupé
le temps à tricoter un joli bonnet à la merveille qui était en
train de fendre sa motte parfumée en deux parties parfaitement égales. Car Alice Bergendahl n'était pas seulement belle,
juvénile, mince et parfumée. Elle était aussi créative et sociale,
organisait de charmantes petites réceptions où toutes les oies
étaient censées venir en compagnie de leurs maris, sous peine
de se retrouver sur la liste noire d'Alice. Ce qui, pour la haute
société de Stockholm, était l'équivalent de Guantánamo.

Au Café Riche, Alice était accompagnée d'une autre femme
à longues jambes, Iris, mariée au trader Jesper. Un crève-la-
faim, en comparaison, mais potentiellement prometteur : Iris
était en quelque sorte à l'essai dans l'entourage d'Alice, en
attendant que le succès de Jesper soit constaté. Son sort serait
probablement tranché d'ici quelques mois.

"Jesper s'est libéré pour les vacances de Pâques, dit Iris.
Vous imaginez ? Nous sommes mariés depuis quatre ans, et il
n'a jamais eu plus d'une semaine de congé par an. Mais voilà
que l'autre jour, en rentrant à la maison, il me fait la surprise
d'un voyage aux Seychelles !"

Faye sentit une pointe de jalousie. Qu'elle ravala avec une
gorgée de *cava*.

"Formidable !" s'extasia-t-elle.

Mais en silence, elle se demanda ce qu'avait bien pu faire Jesper pour avoir besoin de calmer ainsi sa mauvaise conscience.

Le restaurant était bondé. Des touristes attablés près des
fenêtres, ravis d'avoir eu une place. Leurs sacs de shopping sous

les pieds. Ils s'efforçaient d'avoir l'air détaché, mais, entre chaque bouchée, ils regardaient autour d'eux, les yeux exorbités. Quand ils apercevaient quelque personne connue, ils se penchaient au-dessus de leurs assiettes pour chuchoter – impressionnés par les présentateurs télé, les artistes et les politiciens qui fréquentaient l'établissement. Les vrais hommes de pouvoir, en revanche, ils ne les repéraient pas. Ceux qui tiraient les ficelles et restaient dans les coulisses. Mais Faye savait exactement qui ils étaient.

"Les Seychelles, c'est vraiment merveilleux, dit Alice. Tellement exotique, d'une certaine façon. Mais la sécurité ? Il y a eu pas mal… de problèmes, là-bas.

— Les Seychelles, ce n'est pas au Moyen-Orient ?" hésita Iris en faisant tourner un morceau d'avocat dans son assiette.

Faye but une gorgée de *cava* pour ne pas éclater de rire.

"Euh, oui, quelque chose comme ça ? Mais là-bas, il y a bien Daech et tout ça, non ?"

Alice fronça le nez en entendant le gargouillis qui sortait de la gorge de Faye.

"C'est sûrement calme, dit Iris en faisant à présent tourner une moitié d'œuf au bout de sa fourchette. Jesper ne nous exposerait jamais à aucun risque, mon petit Orvar et moi."

Mon petit Orvar ? Pourquoi donner à son enfant un nom qui conviendrait à un pirate syphilitique du XVIIIᵉ siècle ? À vrai dire, Faye était forcée d'admettre que Julienne était aussi un prénom assez snob. Mais c'était l'idée de Jack. Ça sonnait bien et marcherait à l'international. Et il était important d'assurer dès l'utérus la compatibilité globale de sa progéniture. Pour ça, Orvar, c'était raté, mais il serait toujours temps de changer. Le mois précédent, un certain Sixten de la maternelle de Julienne était du jour au lendemain devenu Henri. La confusion du gamin de trois ans avait dû être totale, mais on ne s'arrêtait pas à ça, s'agissant de donner au garçon la possibilité de percer dans un contexte international.

Faye finit son verre et fit discrètement signe au serveur de la resservir.

"Non, c'est clair, il ne vous ferait prendre aucun risque", dit Alice en mâchant une feuille de salade à la manière d'une actrice porno. Mais comme elle avait lu dans un magazine de santé qu'il fallait mâcher au moins trente fois avant d'avaler, son air sexy tourna vite à la vache qui rumine.

Faye regarda le fond de son assiette, maussade. Elle avait avalé sa demi-salade et avait toujours aussi faim. Elle vit avec envie arriver la commande de la table voisine. Bifteck Rydberg. Boulettes de viande. *Pasta*. Les assiettes furent placées devant les hommes corpulents en costume. Ceux-là avaient les moyens d'avoir du bide. Les pauvres sont gras, les riches ont de l'embonpoint. Elle arracha son regard des boulettes de viande. En compagnie d'Alice, on ne mangeait pas de boulettes-purée sauce à la crème.

"Une semaine de kidnapping, ça ne te ferait pas du bien, Iris ? dit Faye. Une authentique super-diète. Et si tu le demandais vraiment gentiment, ils pourraient sûrement aussi te trouver des tapis de yoga."

Elle regarda la salade intacte d'Iris.

"On ne plaisante pas avec ça. C'est affreux !"

Alice secoua la tête et Faye soupira :

"Les Seychelles sont un groupe d'îles de l'océan Indien. Nous sommes plus proches ici du Moyen-Orient."

Le silence se fit. Iris et Alice se concentrèrent sur leur salade. Faye sur son *cava*, dont elle voyait à nouveau le fond.

"Vous voyez qui c'est ?" chuchota Iris en se penchant, le regard tourné vers l'entrée.

Faye essaya de comprendre de qui elle parlait.

"Là. Celui qui vient d'entrer. En train de parler au barman."

À présent, Faye le voyait. Le chanteur John Descentis. L'artiste favori de Jack. Depuis plusieurs années, il était sur le retour, et n'apparaissait plus désormais que dans la presse people, à propos de fiascos sentimentaux, de faillites ou d'embarrassants raouts où se rassemblaient des célébrités de second choix. Accompagné d'une jolie fille de vingt-cinq ans, teinte en noir, il fut placé à une table juste en face d'elles.

"Deux bières, dit-il au serveur. Pour commencer."

Alice et Iris levèrent les yeux au ciel.

"Dire qu'on le laisse entrer ici, murmura Alice. Cet endroit commence vraiment à battre de l'aile."

Iris se détourna avec un tel dégoût que ses gros bracelets Cartier s'entrechoquèrent bruyamment.

Faye regarda John Descentis. Depuis quelque temps, elle préparait la fête d'anniversaire de Jack, et il adorerait que John Descentis y chante. Elle se leva. Sous les regards effarés d'Alice et d'Iris, elle gagna la table de l'artiste.

"Excusez-moi de vous déranger. Je m'appelle Faye."

John Descentis la toisa de la tête aux pieds.

"Bonjour Faye, dit-il avec un sourire en coin. Ne vous inquiétez pas, vous ne me dérangez pas du tout.

— C'est l'anniversaire de mon mari Jack en avril, et je lui organise une fête à Hasselbacken. Il vous vénère. J'aurais voulu savoir si vous seriez libre ce jour-là, et si vous accepteriez de venir chanter quelques titres.

— Jack Adelheim ? L'entrepreneur ?"

La fille aux cheveux sombres faisait la moue, mais John s'était redressé sur son siège.

Faye lui sourit.

"Oui, c'est bien ça, il possède une entreprise, Compare.

— Bien entendu, je sais qui c'est. OK, pas de problème. Je ne savais pas qu'il aimait mes trucs.

— Depuis qu'il est ado. Il a tous vos disques à la maison. Oui, des disques physiques !"

Faye rit.

"Ce n'est peut-être pas la première chose dont on se vante dans les interviews pour la presse d'affaires", dit John.

La fille poussa un grand soupir, se leva et déclara d'une voix monocorde qu'elle allait aux toilettes.

Faye s'assit à sa place. Elle était tentée de faucher la bière que le serveur avait posée sur la table, mais se maîtrisa. Du coin de l'œil elle vit qu'Alice et Iris la dévisageaient.

Elle avait hâte de raconter ça à Jack. Il aurait fallu garder le secret, que ce soit une surprise, mais elle se connaissait, et savait que ce ne serait jamais possible.

"Est-ce que… vous voulez bien que je prenne votre numéro ? Comme ça, je pourrai vous contacter pour régler les détails. Et nous pourrons discuter du prix, tout ça.

— Bien sûr, donnez-moi le vôtre, je vous envoie un SMS."

Il lui tapa un SMS, puis forma un sourire qui avait encore une sorte de charme décati. La rumeur prétendait que l'alcool n'était pas la seule cause de ses séjours successifs en désintox, mais pour l'heure, il semblait sobre.

Son portable bipa. Faye consulta le message, un smiley qui faisait un clin d'œil, avant de regagner sa table.

"Qu'est-ce que tu lui as dit ?" chuchota Alice, qui avait pourtant probablement tout entendu.

Si Faye ne savait pas qu'elle se faisait injecter du botox dans le front, elle aurait presque pu jurer y avoir vu une ride d'inquiétude.

"Il va jouer à l'anniversaire de Jack.

— Lui ? s'étrangla Alice.

— Oui, lui. John Descentis. Jack l'adore.

— Jack ne va pas aimer ça, dit Alice. Il y aura ses relations d'affaires. Ce n'est juste pas assez classe.

— Écoute, je sais ce qui plaît et ce qui déplaît à mon mari, Alice. Alors occupe-toi de ta famille, je m'occupe de la mienne !"

Faye resserra son manteau quand enfin elle sortit du Café Riche. Des vents glacés remontaient de la baie de Nybroviken. Le ciel était gris. Les gens marchaient courbés, à grandes enjambées. Les soldes de 70 % chez Shuterman tiraient à leur fin, la boutique semblait dévalisée et vide.

Elle avait encore une heure avant de devoir rentrer relayer la baby-sitter. Elle se dirigeait vers Stureplan quand une Porsche Boxster rouge vif pila à sa hauteur, s'attirant le klaxon rageur du taxi qui la suivait.

La vitre descendit, et Chris Nydahl se pencha au-dessus de la place passager, le bras reposé sur le volant.

"Je te dépose, trésor ?" fit-elle en contrefaisant une voix de dragueur.

Jack détestait Chris et Faye regarda autour d'elle avec inquiétude. Mais les fantoches en Gucci étaient toujours au Café Riche, certainement encore choqués par son attitude et, aussitôt, Faye réalisa combien Chris lui avait manqué. Son humour cru, son rire, et ses anecdotes fantastiques sur ses coucheries absurdes et ses nuits de fêtes déjantées. Autrefois, elles avaient été inséparables.

Faye ouvrit la portière et sauta à bord. Les fauteuils en cuir à motif léopard craquèrent quand elle s'y installa.

"Jolie voiture, dit-elle. Très discret."

Chris rassembla les sacs de shopping entassés devant le siège passager et les jeta sans précaution dans l'espace minimaliste derrière elles. Une voiture klaxonna.

"Tête de nœud !" lâcha Chris en faisant un doigt au conducteur dans le rétroviseur, avant de démarrer.

Faye secoua la tête en riant. En compagnie de Chris, elle se sentait toujours rajeunir de dix ans.

"À quoi bon avoir assez de pognon pour les faire taire, si on ne leur dit jamais de fermer leur gueule ? marmonna Chris en lorgnant dans le rétroviseur.

— D'où ça sort, ça ?

— Juste une réplique que j'ai entendue dans une série télé."

Elle se tourna vers Faye, qui aurait préféré qu'elle garde les yeux sur la route.

"De combien de temps disposons-nous, avant que tu doives rentrer t'occuper de trivialités domestiques et de tout le reste, que tu regretteras quand tu seras grisonnante et incontinente ?"

Faye s'accrocha, terrifiée, à sa ceinture de sécurité en voyant que Chris n'avait pas l'air d'avoir remarqué que le feu était passé au rouge.

"Une petite heure.

— Parfait."

Sans prévenir, Chris braqua le volant, effectua un demi-tour en parvenant de justesse à éviter la collision frontale avec un bus. Faye s'accrocha encore plus fort à sa ceinture.

"On file à Djurgården", dit Chris. Faye ne put qu'approuver de la tête.

Elles trouvèrent un restaurant ouvert et commandèrent du café. Comme toujours, son amie semblait complètement ignorer les regards que lui jetaient les autres clients. Chris tenait une colonne dans *Elle* sur l'entreprise au féminin et était une habituée des émissions matinales. La semaine précédente, elle avait été l'invitée de Malou, sur TV4.

Juste après ses études, qu'à la différence de Faye elle avait achevées, Chris avait ouvert le premier salon de coiffure de ce qui allait devenir le groupe Queen, un empire du soin capillaire bâti sur l'idée que toutes les femmes méritaient de pouvoir se sentir comme des reines. Elle avait à la base une formation de coiffeuse, et c'était en travaillant dans ce domaine qu'elle avait financé ses études d'économie. Dès sa première rencontre avec Faye, elle avait déclaré vouloir fonder un empire. Cinq ans après sa sortie de l'école, il y avait dix salons Queen dans les principales grandes villes de Scandinavie. Mais elle avait surtout fait fortune avec les produits qu'elle avait développés : pensée dans le respect de l'environnement, de qualité, dans des emballages de folie, bénéficiant en outre des talents de vendeuse de Chris, sa ligne de produits pour cheveux était désormais distribuée par les plus grands revendeurs en Europe. Et elle commençait à flairer le grand gâteau des États-Unis.

"Je ne comprends pas comment tu supportes de déjeuner toutes les semaines avec cette momie et son cortège funèbre.

— Alice ? Au fond, c'est quelqu'un de bien…"

Faye savait que Chris n'était pas dupe. Mais Jack ne lui pardonnerait jamais de prendre le parti de Chris contre Alice.

Pendant ses études, Chris avait eu une courte mais intense histoire avec Henrik, le mari d'Alice. Faye, Jack, Chris et Henrik avaient formé un quatuor inséparable. Mais un jour, Chris avait ouvert le journal et vu l'annonce des fiançailles d'Henrik et Alice. Il avait choisi une fille de bonne famille, riche, docile et présentant bien, plutôt que son amour.

Les années qui avaient suivi, elle n'avait fait des hommes qu'un usage Kleenex. Faye savait que Chris avait été profondément blessée, et qu'elle regrettait Henrik de bien des façons, même si elle ne l'aurait jamais admis. Mais Jack avait raconté à Faye tout ce qu'il y avait sous cette surface lisse, tous les faux pas d'Henrik : lui, si timide, s'était transformé en quelqu'un d'autre avec les années et sa fortune croissante, comme s'il voulait rattraper le temps perdu.

"Bien sûr, si tu le dis, répondit Chris. Mais tu ne trouves pas ça bizarre ?

— Quoi ?

— Qu'avec tous les millions dont Henrik l'arrose, elle n'ait pas encore réussi à payer quelqu'un pour lui enlever le balai qu'elle a dans le cul ?"

Faye pouffa.

Chris redevint sérieuse et baissa la voix.

"Franchement, Faye. Je ne comprends pas comment tu supportes ça. Je sais la part importante que tu as prise dans la construction de Compare, toute cette foutue idée vient de toi, et tu as aidé Henrik et Jack à structurer l'entreprise. Mais ce n'est pas tout à fait ce qu'ils racontent dans les journaux d'affaires quand ils vont se vanter de leurs exploits. Pas des vôtres. Pas des tiens. Des leurs. Pourquoi faut-il que tu passes tes journées à la maison à faire… Dieu sait quoi. Quel gâchis ! Tu es une des personnes les plus intelligentes que j'aie jamais rencontrées, et pourtant, je me rencontre tous les jours !"

Elle sourit, mais d'un sourire forcé. Elle ouvrit la bouche pour continuer, mais Faye l'interrompit.

"Arrête. J'aime ma vie."

La colère lui brûlait la gorge, comme l'angine qu'elle avait eue durant ses derniers mois de grossesse. Elle vénérait Chris, mais ne supportait pas quand elle essayait de dire du mal de Jack dans son dos. Elle présentait tout sous un angle biaisé. Chris ne comprenait pas tout ce que Jack faisait pour Julienne et elle. Elle ne voyait pas tous les sacrifices qu'il consentait pour elles, tous les choix difficiles qu'il devait faire, tout le temps qu'il était forcé de consacrer à l'entreprise. Et quelle importance qu'elle ne reçoive aucune reconnaissance publique pour tout ce qu'elle avait investi dans Compare, tout ce à quoi elle avait contribué ? Jack le savait. Henrik aussi. Ça suffisait.

Pour l'image de l'entreprise, il valait mieux cultiver le mythe du partenariat unique entre Jack et Henrik. Mais Chris n'avait pas de famille, elle sautait d'homme en homme. Elle ne comprenait pas ce qu'était la responsabilité d'une famille. Les sacrifices que ça impliquait. Chris ne faisait jamais de compromis, sur rien.

"J'espère que tu as raison, dit Chris. Mais qu'arriverait-il s'il te quittait ? Dis-moi au moins que vous avez révisé votre contrat de mariage depuis la naissance de Julienne ? Avec un peu plus de garanties pour toi ? Au cas où ?"

Faye sourit. Au fond, c'était mignon de la voir se faire du souci pour elle.

Elle secoua la tête :

"Ce n'était pas l'idée de Jack, mais celle d'Henrik. Jack ne voulait pas de contrat de mariage, évidemment, mais les investisseurs l'ont exigé.

— Si vous vous séparez, tu n'auras rien. *Nada*."

Chris parlait lentement, distinctement. Comme à un enfant. Pour qui la prenait-elle ? Tout ça parce qu'elle n'avait pas réussi à trouver quelqu'un comme Jack.

Faye inspira plusieurs fois à fond.

"Nous n'allons pas divorcer. Nous sommes plus heureux que jamais. Il faut que tu acceptes que c'est ma vie, et que je la vis comme je veux."

Chris resta un moment silencieuse, puis s'excusa en levant les mains :

"Pardon, tu as raison, je vais arrêter de me mêler de ce qui ne me regarde pas !"

Elle décocha son sourire irrésistible. Et Faye savait que Chris ne pensait pas à mal. Elle ne voulait pas se fâcher avec elle.

"Parlons d'un sujet plus agréable. Qu'est-ce que tu dirais qu'on parte en week-end toutes les deux ? Rien que toi et moi ?

— Ce serait chouette", dit Faye en regardant sa montre. Il allait falloir qu'elle se dépêche. "Il faut juste que je voie ça d'abord avec Jack."

Chris reçut un baiser de loin tandis que Faye appelait un taxi.

Quand elle fila, Chris resta à la suivre des yeux.

STOCKHOLM, AOÛT 2001

Couchée dans mon lit, j'écrivais pour me défaire de toutes mes émotions. C'était une libération que Matilda n'existe plus. Personne ne connaissait mon passé. Personne ne savait rien de ce qui était arrivé. Quand on m'interrogeait sur ma famille, je disais juste que mes deux parents étaient morts. Un accident de la route. Et que j'étais fille unique. Ce qui, en soi, était la vérité. J'étais fille unique. Désormais.

Mais parfois, Sebastian visitait mes rêves. Toujours hors d'atteinte. Toujours juste au-delà du point où j'aurais pu le toucher en étendant les bras. Je pouvais encore sentir son odeur en fermant les yeux.

Après avoir rêvé de Sebastian, je me réveillais toujours en sueur. Il m'apparaissait si distinctement. Ses cheveux bruns, ses yeux bleu clair. Il ressemblait tant à papa, malgré leurs personnalités si différentes. Je mettais toujours du temps à me rendormir.

Mais ma nouvelle identité sous le prénom Faye me donnait de la force. Pour le moment, je le cachais à Viktor, il n'aurait peut-être pas compris. Mais à tous les autres je montrais mon nouveau moi, sûr de lui, qui n'avait rien en commun avec Matilda. Et le plus important était que les lettres de la prison ne me parviennent plus. Je n'en avais jamais ouvert aucune. Mais je me souvenais de l'effroi que j'avais éprouvé en voyant l'écriture de papa sur l'enveloppe. Désormais, il ne savait plus où j'étais, ne pouvait plus me contacter. Il n'existait plus. Il appartenait au monde de Matilda.

J'ai attrapé mon sac à main, ai glissé mon journal dans la poche intérieure et tiré la fermeture.

Sans les rêves, j'aurais pu croire à mon propre mensonge d'un passé définitivement enterré. Mais Sebastian continuait à me rendre visite la nuit. D'abord vivant, avec ses yeux perçants qui pénétraient si profond. Puis se balançant au bout de sa ceinture.

Dimanche matin. Faye se dépêcha de ranger après le petit-déjeuner de Julienne, pour que Jack n'ait pas à voir le chaos qu'elle laissait dans son sillage. Bon, elle ne transformait pas la cuisine en Pearl Harbour, mais Faye comprenait que Jack ne trouve pas agréable de descendre le matin dans une cuisine en désordre.

Elle avait décidé de ne pas l'ennuyer avec son éventuel week-end avec Chris. Cela ne produirait qu'irritation et dispute.

Même si elle n'avait pas voulu l'admettre devant son amie, Jack et elle traversaient une période difficile. Tous les couples en passaient parfois par là. Le métier de Jack était terriblement exigeant, et elle était loin d'être la première femme au monde à trouver que les meilleurs côtés de son mari étaient réservés à son travail. Bien sûr, elle aurait souhaité qu'il ait plus d'énergie et de temps. Pour Julienne et elle. Mais elle repoussa bien vite de telles pensées. Elle faisait partie de la frange la plus riche du pays peut-être le plus aisé de la planète. Elle n'avait pas besoin de travailler, de penser aux factures, ni même à aller chercher sa fille à la maternelle : il y avait une armée de baby-sitters et de femmes de ménage prêtes à l'aider pour tout. Parfois, elle se faisait même livrer ses sacs de shopping par des coursiers pour éviter d'avoir à les traîner.

Jack, en revanche, avait une énorme responsabilité, une responsabilité qui pouvait le rendre cassant et froid. En tout cas à son égard. Mais elle savait que ce n'était que temporaire.

D'ici quelques années, ils s'occuperaient davantage l'un de l'autre. Voyageraient ensemble. Auraient plus de temps pour leurs vies et leurs rêves.

"Tu comprends bien que ça ne m'amuse pas d'avoir à travailler si dur ? avait-il l'habitude de dire. Évidemment que je préférerais rester à la maison profiter de la vie avec Julienne et toi sans avoir à réfléchir comment payer les factures. Mais bientôt, ce sera toi et moi, chérie."

Cela faisait peut-être un moment qu'il l'avait dit pour la dernière fois. Mais la promesse tenait toujours. Elle lui faisait confiance.

Julienne était sur le canapé, l'iPad sur les genoux. Faye avait connecté les écouteurs sans fil pour qu'elle ne dérange pas Jack. Il avait le sommeil léger, aussi Faye avait-elle appris à sa fille à être aussi silencieuse que possible le matin.

Elle se laissa tomber à côté d'elle, lui ôta une mèche du visage, et vit que Julienne regardait *La Reine des Neiges* pour la millième fois sûrement. Pour sa part, elle mit le journal du matin en baissant au maximum le volume du téléviseur. Elle se réjouissait de la chaleur du corps de Julienne contre le sien. De l'intimité entre elles.

La porte de la chambre s'ouvrit, et Faye entendit Jack gagner la cuisine. Elle écouta ses pas pour tenter de deviner de quelle humeur il était. Elle retint son souffle.

Jack se racla la gorge.

"Tu peux venir ?" dit-il de sa voix cassée du matin.

Faye se dépêcha de gagner la cuisine. Lui sourit.

"Qu'est-ce que c'est que ça ? fit-il avec un geste ample de la main.

— Quoi ?"

Elle détestait ne pas comprendre, sentir la communication entre eux échouer. Ils avaient quand même été *Jack et Faye*. Égaux. Une équipe qui se connaissait à fond.

"Ça, ce n'est pas un plan de travail où on a envie de se faire une tartine, dit Jack en passant la main sur la plaque de marbre. Pas moi, en tout cas !"

Il leva la main. Quelques miettes s'étaient collées sur sa paume.

Quelle idiote ! Comment avait-elle pu être aussi négligente ? Elle savait pourtant à quoi s'en tenir.

Faye saisit la lavette. Son cœur battait si fort que ses oreilles tambourinaient. Elle essuya les dernières miettes, les récupéra dans sa main libre et les jeta dans l'évier. Après un regard à Jack, elle ouvrit le robinet et nettoya l'évier avec la brosse à vaisselle.

Elle étendit la lavette et plaça la brosse dans son support design argenté.

Jack était toujours là.

"Tu veux du café, chéri ?" proposa-t-elle.

Elle ouvrit le placard où étaient rangées les capsules Nespresso, et en prit directement deux violettes, les préférées de Jack. Un Lungo et un Espresso dans une tasse, avec un peu de mousse de lait. Jack aimait son café fort.

Il tourna la tête vers le séjour.

"Chaque fois, je la vois la tête penchée sur un écran. Il faut te donner plus de mal. Fais-lui la lecture, joue avec elle."

Quelques gouttes de café coulèrent le long de la tasse blanche. Faye les essuya du doigt et plaça la tasse dans la main de Jack. Il parut à peine le remarquer.

"Tu sais ce qu'Henrik m'a dit ? Saga et Carl n'ont pas le droit d'utiliser leur tablette plus d'une heure par jour. À la place, ils visitent des musées, prennent des leçons de piano, de tennis, lisent des livres. Saga fait aussi de la danse classique, trois fois par semaine, à l'école Alhanko.

— Julienne veut faire du foot.

— Pas question. Tu vois bien les jambes qu'ont les filles qui jouent au foot ? Des poteaux. Et tu veux qu'elle joue avec plein de gamines de banlieue, avec leurs pères qui crient des obscénités à l'arbitre ?

— OK.

— OK, quoi ?

— Julienne ne jouera pas au foot."

Faye posa sa main sur son torse, se serra contre lui. Elle laissa sa main descendre sur son ventre, vers l'entrejambe.

Jack la regarda, étonné.

"Arrête ça !"

Sur la porte luisante du four, elle vit les contours de son bras pâle et gras. C'était évident, Jack ne voulait pas la toucher. Elle s'était bien trop longtemps laissée aller.

Faye s'enferma aux toilettes. Enleva tous ses vêtements et examina son corps nu sous toutes les coutures. Ses seins semblaient déprimés. Comme des tulipes fanées dans un vase. Allait-elle parler avec Jack de prothèses mammaires ? Elle savait qu'Alice s'en était fait mettre. Le tout était de le faire avec goût. Pas en mode pétasse. Pas de flotteurs.

Son ventre n'était plus plat depuis longtemps, et ses jambes une masse tremblotante couverte de peau blafarde. Si elle serrait les fesses, de petits creux s'y formaient. Comme à la surface de la lune.

Elle leva les yeux. Le visage aux orbites creusées était blême. La peau et les cheveux manquaient d'éclat, et on ne pouvait plus parler de coiffure. En s'approchant du miroir, elle remarqua quelques affreux cheveux gris. Elle se dépêcha de les arracher et les jeta dans le lavabo.

Pourvu qu'il n'ait pas commencé à avoir honte d'elle. S'en plaignait-il devant ses amis ? L'avaient-ils charrié à ce propos ? À partir d'aujourd'hui, elle allait manger sainement et faire du sport une, non, deux fois par jour. Plus de vin, plus de dîners fins, plus de grignotage le soir en attendant que Jack rentre à la maison.

Il frappa à la porte.

"Tu en as encore pour longtemps ?"

Elle sursauta.

"J'arrive, chéri", croassa-t-elle, la voix rauque.

Il ne bougeait pas, ce qui l'inquiéta.

"Je sais que j'ai été très occupé ces derniers temps, dit-il. Qu'est-ce que tu dirais de sortir dîner, mercredi ? Rien que toi et moi ?"

Les yeux de Faye se remplirent de larmes, toute nue qu'elle était dans la salle de bains. Elle se dépêcha de se rhabiller. Son Jack. Son Jack bien-aimé.

Elle ouvrit la porte.

"Avec plaisir, chéri."

Deux heures plus tard, Faye était au rayon viande du super-marché ICA Karlaplan, en quête de quelque chose de bon pour le déjeuner. Tout était comme d'habitude. Prix exorbitants. Cris d'enfants et incessant ronronnement des réfrigérateurs. Odeur mouillée de manteaux à dix mille couronnes et de fourrures véritables, pas les versions synthétiques politiquement correctes. La seule fourrure synthétique qu'il était envisageable de porter devait être griffée Stella McCartney. À condition que ce soit vraiment cher.

Faye opta pour un magret de canard et se dirigea vers les caisses. Choisit celle où travaillait Max. Il était là le dimanche.

Elle lorgna le bras athlétique de Max, tandis qu'il scannait les produits des clients devant elle dans la queue. Il avait dû sentir son regard, car il se tourna soudain et lui sourit.

Quand vint le tour de Faye, son sourire s'élargit encore. Ses yeux brillèrent.

"Et comment va la plus belle femme de Stockholm, aujourd'hui ?"

Les joues de Faye se mirent à la brûler. Elle se doutait bien qu'il devait dire ça à la plupart des clientes, mais quand même. Il la *voyait*.

Elle sortit de la boutique d'un pas léger.

Une fois rentrée, elle se dépêcha de ranger ses courses. Ce n'était jamais bon de les laisser trop longtemps dehors.

"Tu es sortie comme ça ?"

Faye se retourna. Jack était dans l'embrasure de la porte. Le front plissé.

"Qu'est-ce que tu veux dire ?"

Jack montra ses vêtements.

"Tu ne peux quand même pas sortir faire les courses aussi mal fagotée ? Et si tu tombais sur quelqu'un qu'on connaît ?"

Faye referma la porte du réfrigérateur.

"Max, à la caisse, m'a trouvée bien. Il m'a appelée *la plus belle femme de Stockholm.*"

Les mâchoires de Jack se contractèrent. Faye réalisa qu'elle avait commis une erreur. Elle aurait dû savoir qu'avec Jack, ce n'était pas un sujet de plaisanterie.

"Tu flirtes avec les gens à la caisse ?

— Non, je ne flirte pas. Je t'aime, Jack, tu le sais, mais je n'y peux rien, si on me fait des compliments ?"

Jack souffla par le nez.

Faye suivit des yeux le dos tendu de Jack qui regagnait son bureau. Même si elle avait le ventre noué, elle était en même temps curieusement contente de la scène qu'il lui avait faite. Je compte pour lui, pensa-t-elle. Je compte vraiment.

Julienne dormait. Jack et Faye étaient au lit. Lui son ordinateur sur le ventre, elle devant une rediffusion d'une émission de Kanal 5.

"Tu veux que je baisse ?"

Jack fit glisser ses lunettes de lecture à la pointe de son nez et rabattit l'écran de son ordinateur afin de voir la télévision.

"Non, ne t'inquiète pas", dit-il d'un ton absent.

L'animatrice, des fiches plein les mains, présentait un des participants.

"C'est Lisa Jakobsson ? demanda-t-il.

— Oui.

— Elle était jolie, autrefois. Qu'est-ce qu'elle est vieille, maintenant. Et grosse."

Jack rouvrit l'écran de son ordinateur.

Une fois Jack endormi, Faye cacha de la main la lumière de l'écran de son iPhone et alla sur Wikipédia. Lisa Jakobsson avait deux ans de moins qu'elle.

STOCKHOLM, AOÛT 2001

Le rituel d'intégration à Sup de Co était secret, rien ne devait filtrer jusqu'à la direction de l'école sur la façon dont nous autres, premières années, allions être humiliées et saoulées. La participation était volontaire mais, pour moi, il n'y avait au fond pas le choix. J'avais décidé de faire tout ce qu'il fallait pour entrer dans la bande, pour m'intégrer. Maintenant que j'étais une page blanche, c'était enfin possible.

Nous étions quinze filles qui s'étaient retrouvées, nerveuses, dans une petite prairie au bord de l'eau, dans Hagaparken. À peu près autant de deuxièmes années nous y attendaient. Exclusivement des garçons. Ils avaient avec eux plusieurs gros sacs Ikea pleins de matériel. Ils nous ont placées en rang, toisant attentivement chacune d'entre nous. Nous ont ordonné de tout enlever, sauf les sous-vêtements, puis nous ont distribué des sacs poubelles noirs percés pour y passer la tête. Après, il a fallu boire deux shots de vodka. À côté de moi se tenait une grande fille ronde avec des taches de rousseur et des cheveux roux en bataille.

"À genoux !" a crié le chef autoproclamé des deuxièmes années, Mikael, fils d'un célèbre magnat de l'immobilier.

Il avait une coupe blonde au bol, de petits yeux porcins, et semblait habitué à être obéi. Nous nous sommes dépêchées de faire comme il disait.

"Bien, a-t-il continué. Il tenait un œuf brun dans la main. Le jaune va devoir passer de bouche en bouche. D'un bout à l'autre du rang, aller et retour. Et quand la première le récupère, elle l'avale. Ça tombe donc sur toi. Comment tu t'appelles ?"

Tout le rang a tourné la tête pour voir qui avait tiré le gros lot.

"Chris", a répondu ma voisine.

Mikael a cassé l'œuf contre son genou, versé le blanc dans l'herbe, et présenté à Chris la coquille avec le jaune. Elle l'a prise, a versé sans hésiter le jaune dans sa bouche et s'est penchée vers moi. Nos lèvres se sont touchées, les garçons ont jubilé. Le jaune d'œuf a changé de bouche tandis que je luttais contre un haut-le-cœur. J'ai tourné la tête vers la gauche et répété la procédure avec la fille suivante.

"Tu vas vraiment l'avaler, après ?" ai-je demandé à Chris.

Elle a haussé les épaules.

"Je suis de Sollentuna. J'ai avalé pire."

J'ai pouffé. Son visage est resté neutre.

"Tu vas aller à la fête ?

— Oui. Même si je suis allergique à tous ces enfants gâtés ivres de pouvoir. Ils en profitent juste pour abuser de filles impressionnées et nerveuses. Ces génies sont les pires raclures de l'école. C'est pour ça que le bizutage a lieu si tôt, pour que personne n'ait eu le temps de découvrir quels losers ils sont. D'ici deux semaines, aucune de ces filles ne voudra plus seulement les regarder.

— Qu'est-ce que tu fais là, alors ?

— Je voulais séparer le bon grain de l'ivraie, voir qui ils étaient pour pouvoir les éviter, a-t-elle crânement répondu. Au fait, tu as de bonnes lèvres. Si je suis bourrée et que je ne trouve personne à bécoter, je viendrai te voir."

J'espérais qu'elle le ferait.

Le reste de l'après-midi s'est écoulé en activités imbibées d'alcool, qui semblaient toutes destinées à exciter les garçons. Ils nous ont versé dans les cheveux du jus puant de hareng fermenté, pour nous forcer à nous baigner en sous-vêtements. Ils écrivaient de gros zéros sur le front de celles qui échouaient aux épreuves, et les filles les plus ivres se voyaient honorées de l'autographe des garçons sur les seins, les reins et les fesses. De plus en plus de filles s'éloignaient en titubant pour vomir, mais on nous resservait sans arrêt de l'alcool.

À la tombée du jour, le moment est venu de partir. Après une dernière trempette, on nous a rendu nos vêtements. Pour nous conduire à la fête d'intégration proprement dite, ils avaient affrété un vieux bus urbain qui était déjà à demi plein d'élèves de première année qui n'avaient pas osé participer au bizutage.

Quand nous sommes montées, ils se sont bouché le nez. Nous puions le vomi, l'eau stagnante et le hareng fermenté. Et l'alcool. Deux filles ont dû être portées à bord, et étendues en sous-vêtements dans l'allée centrale. Le soutien-gorge de l'une d'elles avait glissé, dévoilant un sein blanc comme la craie avec un téton sombre. Les garçons riaient en se la montrant. L'un d'eux a sauté de son siège avec un appareil photo numérique. Chris a réagi du tac au tac. D'abord un bras tendu comme une barrière, puis elle s'est levée dans l'allée pour lui bloquer le passage.

"Où tu vas comme ça, mon petit bonhomme ?

— Mais elle ne se rendra compte de rien, a-t-il éructé, la voix pâteuse. Elle dort. Dégage !"

Chris a croisé les bras en pouffant. J'ai remarqué qu'elle avait encore des herbes du lac dans les cheveux, mais elle dégageait une autorité naturelle. Elle restait immobile comme un tronc malgré le bus qui bringuebalait. Les pieds comme vissés au sol. Le garçon, qui avait une tête de plus qu'elle, a paru hésiter.

"Arrête de faire ta rabat-joie, c'est juste pour rire. T'es une putain de féministe, ou quoi ?"

Il avait prononcé le mot féministe comme une insulte, en ricanant.

Chris n'a pas bougé d'un iota. Tous les yeux étaient à présent braqués sur eux.

"OK, je m'en fous."

Il a rigolé, en essayant de faire comme s'il ne venait pas de s'aplatir devant une fille.

"Où tu vas, comme ça ?" lui a lancé Chris, alors qu'il battait déjà en retraite d'un pas nonchalant.

J'ai retenu mon souffle. N'en avait-elle pas fini avec lui ?

"M'asseoir, a-t-il fait, hésitant.

— Oublie ça. Et reviens ici."

Il a tourné les talons et fait à contrecœur quelques pas vers elle.

"Enlève ton pull, a dit Chris.

— Hein ?" Le garçon a écarquillé les yeux. "Pas question."

Il a regardé alentour à la recherche de soutien, mais les autres se contentaient d'observer la scène d'un air amusé.

"Allez, enlève ton pull merdique, le jersey c'est tellement trop années 1990, et passe-le-moi. Dépêche-toi, tu ne vois pas qu'elle a froid ?"

Il s'est alors résigné, a obtempéré et regagné sa place en secouant la tête. Sous le pull en jersey se cachait un tronc gras et pâle, avec des bourrelets bien marqués. Il n'avait pas l'air très à son aise.

Chris a réveillé la fille, lui a levé les bras pour lui enfiler doucement le pull.

"Passe-moi ça", a-t-elle dit en revenant s'asseoir à côté de moi. Elle a bu quelques gorgées de bière.

"Bien joué, ai-je chuchoté en coinçant la bouteille de bière entre mes genoux.

— Merci, mais c'était presque une agression d'obliger cette pauvre fille à enfiler un pull aussi dégueulasse", a-t-elle murmuré.

Après avoir déposé Julienne à la maternelle, Faye flânait sans but dans Östermalm. Rester toute la journée à la maison, c'était terminé. Elle allait se bouger. Brûler sa graisse, devenir mince et élancée. La décrépitude devait à tout prix être stoppée.

Son ventre gargouilla son mécontentement. Elle n'avait rien mangé au petit-déjeuner. Juste bu du café noir, pour favoriser l'élimination pendant sa promenade. Des images de nourriture défilaient dans sa tête comme un kaléidoscope gastronomique. Si elle rentrait, elle ne résisterait pas à la tentation de vider le garde-manger. Elle hâta le pas. Elle marcha sur Karlavägen, en direction d'Humlegården. Fit la grimace en sentant son dos dégoulinant de sueur. Elle n'aimait tout simplement pas transpirer. Mais comme Alice avait l'habitude de le dire : "La sueur, ce n'est que de la graisse qui pleure." Non qu'elle ait jamais vu Alice avec la moindre perle de sueur.

Les façades du XIXᵉ siècle se penchaient sur elle, imposantes. Elles veillaient, inébranlables. Le ciel était bleu clair et le soleil se reflétait sur la neige nouvelle qui n'avait pas encore eu le temps de prendre une teinte gris sale. Malgré la sueur, elle se sentait plus d'entrain que depuis longtemps. La soudaine invitation à dîner de Jack était un tournant. *Serait* un tournant.

Elle portait une si grande part de responsabilité dans la stagnation de leur couple. Il était temps de redevenir celle qu'il voulait avoir. C'était une nouvelle ère.

Elle avait décidé une fois pour toutes de ne pas donner suite à la proposition de Chris. On avait besoin d'elle à la maison, ce serait égoïste de partir en week-end sans raison. Elle évitait les appels de son amie, savait à l'avance comment elle allait réagir et ce qu'elle allait dire.

Faye accéléra encore. Elle avait l'impression de sentir ses kilos s'écouler littéralement, pas après pas, gramme après gramme. Sa sueur honnie était absorbée par ses vêtements.

Quelques élèves du lycée Östra Real fumaient en cachette le long de la façade en briques rouges. Deux filles et deux garçons. Des volutes grises sortaient de leurs bouches et de leurs narines quand ils riaient. Ils paraissaient libres de tout souci. Quelques années plus tôt, à une autre époque, ç'aurait très bien pu être elle, Jack, Henrik et Chris.

Jack le blagueur plein de légèreté. L'aristocrate insouciant qui avait toujours une fête sur le feu. Ceinture noire en sociabilité et dans l'art de faire rire les gens. Henrik était le stratège et la tête pensante. Il venait d'un milieu modeste, dans la banlieue de Stockholm : son don pour les études l'en avait sorti. Il avait étudié l'économie industrielle à KTH tout en suivant en parallèle le cursus de Sup de Co.

Faye passa devant la pâtisserie Tösse. Gâteaux, tartes et brioches à la cannelle s'y empilaient. Sa bouche se mit à saliver, et elle se força à regarder ailleurs. Redoubla la cadence. S'enfuit. Dans Nybrogatan, elle marqua une pause. Entra au Café Mocco, commanda un thé vert. Sans sucre. Ça avait un horrible goût amer, mais elle but quand même, car elle avait lu que le thé vert favorisait l'élimination des graisses. Elle chercha dans un tas de journaux et trouva le dernier supplément week-end de *Dagens Industri*, avec Henrik et Jack en couverture. Une photo léchée. Juchés sur une moto rétro avec side-car. Lunettes de soleil et blousons de cuir. Jack en selle, Henrik dans le side-car, avec un bonnet de cuir d'aviateur. Mines réjouies, grands sourires.

"L'empire milliardaire contre-attaque", clamait le titre. Faye ouvrit le journal et le feuilleta jusqu'à la page de l'interview. Le reporter, Ivan Uggla, les avait suivis au bureau une semaine durant. Étrange que Jack ne lui en ait pas parlé. Certes, il était souvent interviewé, mais pas pour des reportages aussi importants.

L'article commençait par une scène à leur bureau de Blasie-holmen. Jack racontait une anecdote sur le dur labeur à l'époque de la naissance de Compare : il habitait Berghsamra, étudiait la journée et suait le soir à mettre au point son projet d'entreprise. Au début, Compare était pensé comme une société agressive de vente par téléphone.

"Pour réussir, je savais qu'il fallait tout sacrifier, tout donner à l'entreprise et à Henrik. Il n'y avait ni temps ni argent pour autre chose que le travail, le travail et encore le travail, avec Compare mais aussi pour gagner notre vie en attendant. Pour gagner gros, il faut miser gros."

La vérité était que Jack n'avait jamais eu besoin de travailler à côté, puisqu'elle avait abandonné ses études et essuyait les tables au Café Madeleine pour gagner de quoi l'entretenir. En même temps, ils avaient mis au point ensemble cette stratégie de communication. C'était le mieux pour l'entreprise.

L'interview continuait dans le même style. En 2005, Compare, jusqu'alors la société de télévente la plus prospère du pays, était devenu une société d'investissement : acheter des entreprises de plus petite taille, les rendre plus performantes et les revendre avec un profit astronomique. Il n'était pas rare qu'on les découpe pour vendre les morceaux plus chers que la totalité. Cela les avait conduits à marcher sur pas mal de plates-bandes, mais les profits parlaient d'eux-mêmes et, dans un monde où seul comptait le résultat, Jack Adelheim et Henrik Bergendahl avaient été élevés au rang de génies par le monde des affaires unanime.

Un peu après encore, ils avaient presque tout vendu pour miser plutôt sur les compagnies d'électricité et les services à la personne : maisons de retraite, centres de soins, écoles. Avec le même résultat. Tout ce que Jack et Henrik touchaient semblait se transformer en or, et tout le monde voulait se frotter à ces jeunes Midas. Ils avaient gardé le nom des débuts, celui que Faye avait trouvé. On ne changeait rien quand les dés paraissaient toujours tomber sur le six.

Ces jeunes années, où Faye avait entretenu Jack tout en aidant à poser les bases de Compare, étaient effacées. Parfois, elle se demandait si Jack et Henrik s'en souvenaient seulement, ou bien s'ils avaient aussi pour eux-mêmes remodelé le passé. Sa part dans l'histoire cadrait mal avec l'image médiatique des jeunes, audacieux et tenaces entrepreneurs Jack Adelheim et Henrik Bergendahl. La dramaturgie était en outre tellement parfaite, elle l'avait elle-même souligné. Jack avec son origine aristocratique, sa belle apparence et son style dandy, Henrik issu de la classe ouvrière et des banlieues, d'une beauté plus grossière, incarnation de la promotion sociale par le travail. C'était la combinaison parfaite. Faye faisait mieux de rester en retrait. Pour ne pas compliquer cette communication simple.

Un matin, le reporter avait fait un jogging avec Jack, à Djurgården. Ivan Uggla rendait compte avec enthousiasme du temps et des kilomètres parcourus. Entre deux petites foulées, Jack rejetait en riant les spéculations sur une prochaine cotation en Bourse de Compare.

La dernière page du reportage montrait une photo de Jack prise au travail. Il était penché sur un bureau, absorbé dans une conversation, montrant quelque chose sur un papier. À côté de lui, plus près de l'objectif, se tenait Ylva Lehndorf. En tailleur bleu clair, les cheveux attachés en une queue de cheval sévère.

Ylva avait commencé par réussir dans le monde de l'édition. Elle avait redressé des résultats désespérément dans le rouge. Rendu plus efficaces, pensé autrement, remis en cause toutes les affirmations selon lesquelles "on a toujours fait comme ça". Changé les organisations, fait tomber les murs. Faye l'avait croisée à une fête trois ans plus tôt, et Ylva avait mentionné le fait qu'elle cherchait à changer de poste. Elle avait impressionné Faye par son énergie et sa vivacité d'esprit et, deux semaines après, sur son conseil, Jack l'avait embauchée. Un an plus tard, elle était nommée directrice financière de Compare. Le fait qu'avoir une femme à la tête du groupe était bon pour l'image avait pesé dans la balance. Chose sur laquelle Faye avait également attiré l'attention de Jack. Cela ne pouvait pas être elle, puisqu'ils avaient décidé ensemble qu'elle resterait à la maison pour les premières années de Julienne.

Faye passa le doigt sur la photo, le long de la silhouette d'Ylva, suivit ses reins, ses fesses, ses jambes minces et bronzées, jusqu'à ses talons noirs. Elle était tout ce que Faye avait rêvé d'être. Elles n'avaient que cinq ans d'écart, mais ç'aurait aussi bien pu être vingt. Et au lieu d'être en pleine activité, dans un bureau, belle et couronnée de succès, voilà qu'elle était au Mocco, en train de boire un thé vert infect en rêvant de viennoiseries. Maussade, elle referma le journal. Elle avait fait son choix. Pour Jack. Pour la famille.

Faye était sur un tapis de yoga, dans sa nouvelle tenue de sport, en train de faire la position du chien à trois pattes devant la télévision quand Jack rentra. Il jeta sa serviette par terre et se plaça derrière elle. La pièce s'emplit d'un mélange de parfum et d'alcool. Faye acheva son exercice, se remit sur pied et s'approcha de lui. Quand elle essaya de l'embrasser, il détourna la tête.

"C'était bien ?" demanda-t-elle.

Sa boule au ventre était de retour.

Jack attrapa la télécommande sur la table basse et coupa la télévision, où défilait une vidéo YouTube de yoga pour débutants.

"Tu as parlé à John Descentis pour lui demander de chanter à ma fête d'anniversaire ? dit-il.

— Je pensais que…

— C'est un poivrot, Faye. Ce n'est pas une beuverie d'étudiants que tu organises. Il y aura des clients. Des investisseurs. Des gens de ma famille qui m'ont toujours considéré comme un loser, à cause de mon père. Ce soir-là, ils verront jusqu'où je me suis hissé. Ils verront que je ne suis pas un raté comme mon père !"

Il respirait bruyamment, et sa voix était montée en fausset.

"Et toi, tu invites John Descentis pour assurer l'ambiance. Comme si on était un putain de ramassis de beaufs."

Faye recula de quelques pas.

"Mais tu l'écoutes sans arrêt. Tu as tous ses disques. Je pensais que tu…

— Arrête. De quoi ça aurait l'air, John Descentis chantant à ma fête ? Je ne veux pas qu'on m'associe à des types comme lui. C'est un poivrot. Exactement comme mon père."

Il se laissa tomber sur le canapé en poussant un soupir.

"Au fond, c'est ma faute, dit-il. Je n'aurais jamais dû te laisser t'occuper de cette fête. Merde, quand je pense que tu as laissé Julienne fêter son anniversaire chez McDonald's !"

Faye aurait voulu dire que c'était Julienne qui en avait envie, que tous les enfants avaient adoré, mais les larmes lui brûlaient les paupières, et Jack ricana :

"Comment ai-je pu te croire capable d'organiser une fête pour trois cents personnes à Hasselbacken ?

— Je vais y arriver, Jack, tu le sais bien. On laisse tomber John Descentis. Je ne l'ai même pas encore appelé. Laisse-moi faire ça pour toi. Je veux tellement que tu aies une super-soirée, la soirée de tes rêves.

— C'est trop tard.

— Comment ça ?

— J'ai déjà contacté une agence événementielle qui va s'occuper de tout. Tu peux retourner à ton… ton yoga."

Il fit un geste vers sa tenue de sport. Son ventre se noua de plus belle.

Jack se dirigea vers la chaîne hifi, ramassa quelques CD et alla les jeter à la cuisine.

Pas besoin d'aller voir pour comprendre desquels il s'agissait.

Faye se passa les mains sur le visage. Comment avait-elle pu être aussi bête ? Ne pas comprendre que ça pouvait faire du tort à Jack. Elle aurait dû être mieux avisée. C'était quand même elle qui le connaissait le mieux.

Elle roula son tapis de yoga et éteignit la lumière. Quand elle se fut lavé le visage et brossé les dents, Jack dormait déjà. Il était couché sur le côté, dos à elle, tourné vers la fenêtre. Doucement, elle se glissa le plus près possible de lui sans risquer de le réveiller. Huma son odeur.

Elle mit longtemps avant de réussir à s'endormir.

Le lendemain, l'ambiance était toujours glaciale entre eux. Jack travaillait à la cuisine, tandis que Faye, depuis le canapé, regardait une émission de téléréalité.

Une sonnerie stridente de téléphone retentit dans l'entrée mais, pour une fois, Faye décida de l'ignorer. Elle entendit un soupir à la cuisine, des pas irrités, puis la sonnerie cessa.

Une minute plus tard, Jack arriva, contrarié :

"Faye, c'est pour toi."

Faye tendit la main, mais Jack l'ignora, posa le téléphone sur la table basse et regagna la cuisine. Elle plaça le combiné sur son oreille, avec l'impression d'avoir à nouveau quinze ans.

"Tu n'as pas donné suite au sujet de ce voyage, dit Chris. Tu as parlé à Jack ?

— Ah, salut. Attends un peu."

Faye se leva et alla aux toilettes. Ferma la porte.

"Allô ?"

Elle s'assit sur la lunette refermée.

"Ce n'est pas vraiment le moment, dit-elle. Je suis très prise, là, je dois entre autres organiser la fête d'anniversaire de Jack. On peut peut-être remettre ça à cet été ?"

Chris soupira.

"Faye, je… j'ai entendu une nana que je connais, qui bosse dans la com, dire que sa boîte était chargée d'organiser la fête de Jack."

Du pied, Faye tira le pèse-personne de sous le lavabo. Monta dessus. Aucun changement. Elle était condamnée à vie à être grosse.

"Oui, je sentais que je n'avais pas le temps. Mais tu m'excuseras, je ne peux pas te parler plus longtemps, j'ai tellement à faire.

— Dis-moi… ?" La voix chaleureuse de Chris à l'autre bout du fil.

Faye se rappela combien elle avait ri ce soir où elles étaient sorties avec Jack et Henrik, et que Chris s'était soudain mis en tête de danser sur la table. Jack tenait la main de Faye. La serrait fort.

"Oui ?

— Est-ce qu'on ne pourrait pas quand même partir quelque part, pour que tu prennes un peu de recul ? On s'en fout, de l'anniversaire de Jack. Je sais qu'aucune agence événementielle au monde ne pourra l'organiser mieux que toi."

Faye repoussa la balance sous le lavabo en se promettant de ne pas se peser pendant toute une semaine. Qu'il y ait le temps d'avoir un peu de résultat.

"J'ai pensé à quelque chose, poursuivit Chris. J'aurais besoin de quelqu'un comme toi dans mon entreprise. Une personne intelligente qui s'y connaît en affaires et comprend ce que veulent les femmes. Ça ne te dirait pas de sortir de chez toi pour recommencer à travailler ? De toute façon, Julienne va à la crèche, maintenant."

Faye ferma les yeux. Ne supportait plus de se voir dans le miroir.

"Maternelle, Chris.

— Quoi ?

— Ce n'est pas une crèche, mais une maternelle. Et non, je ne veux pas et n'ai pas non plus besoin d'un emploi chez toi. Si je voulais un boulot, je m'en serais bien trouvé un toute seule, tu ne crois pas ?

— Mais…

— Tu sais quel est ton problème, Chris ? Tu penses valoir mieux que moi. Tu t'imagines que tout le monde t'envie ta vie absurde, mais je ne trouve pas particulièrement intéressant de consacrer ses soirées à baiser avec un stagiaire de vingt-quatre ans, ou à être tellement bourrée qu'on ne se souvient de rien le lendemain. C'est vulgaire et gênant. Plutôt que de me faire la leçon, tu devrais un peu grandir. J'aime mon mari, j'aime ma fille, j'ai une *famille* ! Je veux être avec eux. Et je crois qu'au fond tu es jalouse de moi et de ma vie. Je crois qu'en fait c'est de cela qu'il s'agit. Et je comprends qu'aucun homme ne supporte de vivre avec toi ! Et…"

Chris avait raccroché. Faye fixa son propre visage dans le miroir. Elle ne savait plus qui était la femme qui la regardait.

STOCKHOLM, AOÛT 2001

Le chalet où se déroulait la fête était situé dans une zone industrielle déserte. Un bar provisoire avait été construit dans un coin. Des tubes résonnaient dans tout le jardin. Bientôt, les couples enlacés se bécotaient ou filaient dans les petites chambres, à l'étage du bâtiment

Dessaoulée, je me suis tournée, en levant les yeux au ciel, vers Chris qui semblait mourir d'ennui. J'ai envoyé un SMS à Viktor pour lui demander ce qu'il faisait. J'ai souri en tapant le message. L'autre jour, on avait parlé que je m'installe avec lui dans son nouvel appartement de Gärdet, puisque, de toute façon, je n'étais jamais dans le studio en sous-location de Villagatan que je venais de prendre.

"Marre de me saouler pour des prunes. Je rentre en ville faire la fête", a lâché Chris.

J'ai contemplé la version estudiantine de Sodome et Gomorrhe que j'avais sous les yeux.

"Je peux venir avec toi ?

— Bien sûr, je vais appeler un taxi. On s'arrêtera d'abord chez moi pour se faire belles. On pue."

Chris sous-louait un studio à Sankt Eriksplan. Des vêtements jonchaient chacun des trente-cinq mètres carrés. Le lit était défait, les murs nus, à part une bibliothèque où s'alignaient ses livres de cours. Si je m'étais demandé comment elle avait fait pour entrer à Sup de Co, la réponse était sur son bureau. Les résultats de son test d'admission traînaient négligemment parmi les factures et les publicités. Chris avait eu 20/20. Le maximum. Ça ne m'étonnait pas.

Nous avons pris une douche rapide.

"Tu as de beaux seins, a dit Chris, impressionnée, en me voyant arriver uniquement vêtue d'une de ses culottes. Et tu es drôlement bien fichue. Ça fait plaisir de voir quelqu'un qui n'est pas victime de l'idéal anorexique.

— Merci", ai-je maladroitement répondu.

C'était la première fois qu'une fille me faisait des compliments sur mes seins, ou sur mon corps, d'ailleurs.

"Tu aurais un soutien-gorge à me prêter ? Le mien pue le hareng fermenté…"

J'ai montré mon soutien-gorge horriblement souillé.

"Qu'est-ce que tu veux faire d'un soutien-gorge ? Ce serait comme se promener en Ferrari avec la capote rabattue. Fais plaisir à toutes les gouines et tous les hétéros de la planète, libère-moi ces beaux nichons !

— Brûle ton soutif ? ai-je souri.

— *Yeah, sister !*" s'est écriée Chris en ôtant elle aussi son soutien-gorge malodorant pour l'envoyer par-dessus sa tête.

J'ai ri en haussant les épaules et je me suis regardée dans le petit miroir qu'elle avait dans son vestibule. Quand je me regardais avec les yeux de Chris, j'avais tout de suite une meilleure opinion de moi-même.

"Où on va ?

— Dans un des bars pas chers autour de Sup de Co. C'est là que vont les vrais cracks. Pas les héritiers et les fils de banquiers, tous des dégénérés consanguins, non, ceux qui sont vraiment intéressants. Tiens, essaie ça !"

Chris m'a jeté un petit bout de tissu gris.

"C'est une lavette ? ai-je demandé, sceptique, en levant la robe qui pouvait à peine couvrir mes fesses.

— *Less is more, baby*", a dit Chris en tartinant ses cils d'une énorme couche de mascara.

J'ai enfilé cette robe, qui ne laissait pas beaucoup de place à l'imagination. Le décolleté était pour le moins généreux. J'ai tourné sur moi-même. Le dos aussi était découvert.

"C'est chaud, chaud, chaud bouillant ! s'est exclamée Chris tandis que je posais devant elle. Si tu ne te lèves pas un bon coup avec ça, ça n'arrivera jamais.

— J'ai un petit copain.

— Un détail, a objecté Chris. Viens, je vais t'arranger les cheveux. Tu as l'air de débarquer tout juste de la cambrousse."

Elle a agité des ciseaux et un fer à friser.

J'étais sceptique, mais je lui ai obéi. On ne s'opposait pas à Chris.

Une heure plus tard, nous poussions la porte du N'See Bar. Comme Chris l'avait promis, c'était plein d'élèves plus âgés de Sup de Co. Je reconnaissais quelques visages.

"Garde des places, je vais chercher des bières", a dit Chris en se dirigeant vers le bar.

J'avais honte qu'elle paie le taxi et maintenant les consos, mais je n'avais tout simplement pas les moyens de l'inviter à mon tour. Ma Bourse me suffisait pour la nourriture et le loyer, mais à peine pour autre chose : je cherchais fébrilement un job d'appoint.

J'ai trouvé une table tout au fond de la salle. *Don't Look Back In Anger* d'Oasis se déversait d'un baffle un peu trop proche pour que ce soit tout à fait confortable. La porte sur la rue était ouverte. La terrasse avait fermé, et quelques clients, devant, hésitaient à entrer. J'ai vérifié mon téléphone. Pas de message de Viktor.

Chris a posé deux bières mousseuses sur la table. Le verre était embué. Il glissait un peu dans la main. Ma tête palpitait d'un début de gueule de bois que la bière a vite atténué. D'un doigt, Chris a dessiné quelque chose dans la buée de mon verre. Je l'ai tourné pour voir ce que c'était. Un cœur.

"Pourquoi tu fais ça ?

— Ça porte chance", a répondu Chris en haussant les épaules.

J'ai effacé le cœur. La chance n'avait jamais joué de rôle dans ma vie antérieure.

J'ai levé mon verre et vidé la plus grande partie de ma bière glacée. Je buvais pour oublier. Matilda avait disparu. Maintenant, j'étais Faye, et personne d'autre. Peut-être aurait-elle plus de chance ? J'ai dessiné un nouveau cœur sur mon verre.

Chris était en train d'expliquer combien les garçons du bizutage étaient puérils, quand deux personnes sont entrées dans le bar.

"Tu m'écoutes, ou quoi ?" a dit Chris en me touchant le bras.

J'ai hoché la tête d'un air absent. Le cœur dans la buée était toujours là, mais estompé. Chris a levé les yeux au ciel en se retournant pour voir ce qui avait attiré mon attention.

"Oh là là ! a-t-elle murmuré.

— Quoi ?

— Tu ne sais pas qui c'est ? a demandé Chris, le pouce dirigé vers la porte.

— Non, je devrais ?"

J'avais envie d'une autre bière, mais il fallait que j'attende qu'on m'en offre une.

"Jack Adelheim", a chuchoté Chris.

Ce nom ne me disait rien. Du doigt, j'ai effacé le cœur que j'avais dessiné.

À six heures et demie, le mercredi soir, on sonna à la porte. C'était Johanna, la baby-sitter préférée de Julienne. Pendant que Jack travaillait, Faye avait mis ses plus beaux sous-vêtements La Perla, la robe noire Dolce & Gabbana qu'il aimait et s'était maquillée avec soin.

"Comme vous êtes belle, dit Johanna en se penchant pour enlever ses chaussures.

— Merci ! dit Faye en faisant un tour sur elle-même, ce qui fit pouffer Julienne depuis le canapé du séjour.

— Sympa, cette sortie en amoureux, dit Johanna. Vous allez où ?

— Au Gril du Théâtre."

Faye avait réservé une table la veille. Elle avait adoré entendre le maître d'hôtel et le personnel changer de ton quand elle s'était présentée et avait annoncé que son mari Jack Adelheim et elle avaient l'intention de les honorer d'une visite.

Julienne regardait *Lotta et la Rue des Embrouilles*. Faye s'assit à côté d'elle, la prit dans ses bras et lui expliqua que Johanna allait la coucher, et que papa et elle rentreraient sûrement très tard.

Johanna s'assit sur le canapé à côté de Julienne, la prit sous son bras et lui demanda comment s'était passée sa journée, ce qu'elle avait fait. Julienne se rapprocha de Johanna et commença à raconter d'une voix gaie.

Faye sourit avec gratitude à Johanna. Jack et elle avaient vraiment besoin de cette soirée.

Faye voulait que Jack voie tout son attirail, espérait que son visage s'éclairerait comme aux premiers temps. Dans son dressing, elle enfila ses escarpins à talons Yves Saint Laurent puis fit un détour par le chariot bar pour servir un whisky. Le verre à la main, elle alla frapper à la porte du bureau. Elle huma avant d'ouvrir. Elle préférait le parfum du whisky au goût, qu'elle trouvait répugnant.

Jack était à son bureau, absorbé par son ordinateur. La tour était aussi calme et silencieuse que d'ordinaire. L'obscurité compacte de l'autre côté de la fenêtre.

"Oui ?" marmonna-t-il sans lever les yeux.

Ses cheveux étaient en bataille. Comme d'habitude, il s'était passé la main dans les cheveux en travaillant. Faye posa le whisky sur le bureau. Le poussa vers lui de deux doigts. Il leva le regard, étonné. Les yeux fatigués, injectés de sang.

"Qu'est-ce que c'est ?"

Elle recula et tourna sur elle-même. Pour la première fois depuis longtemps, elle se sentait vraiment jolie.

"J'ai mis la robe que tu aimes. Celle que tu m'as achetée à Milan.

— Faye…

— Attends, tu n'as pas encore vu le meilleur", dit-elle en remontant sa robe pour lui montrer sa culotte en dentelle noire.

Elle avait coûté plus de deux mille couronnes et avait la plus délicate bordure de dentelle française qui soit. En soie, taille M. En travaillant dur, elle pourrait bientôt en acheter en S. Ou même XS.

"Tu es très jolie."

Jack ne l'avait même pas regardée.

"Je t'ai pendu un costume. Bois ton whisky et va te changer. On va d'abord prendre un verre au Grand Hôtel, puis nous avons une table au Gril du Théâtre. Le taxi sera là dans une demi-heure. J'y serais volontiers allée à pied, mais c'est difficile avec ces chaussures…"

Elle lui montra ses escarpins noirs à talons hauts.

Une ombre passa sur le visage de Jack. Faye vit son reflet dans la fenêtre de la tour. Une figure pathétique dans un emballage noir Dolce & Gabbana, avec des talons hauts et des espoirs plus hauts encore. Il avait oublié que c'était le soir où ils devaient sortir. Boire, parler, rire. Pour qu'il se souvienne combien il avait aimé passer du temps avec elle. Se souvienne des soirées à Barcelone, Paris, Madrid et Rome. Des premiers temps à Stockholm, quand ils ne pouvaient se décoller l'un de l'autre.

Elle se mordit la lèvre pour ne pas se mettre à pleurer. Les murs de la tour se rapprochaient, l'étouffaient. Les ténèbres au-dehors étaient comme un trou noir qui engloutissait toute son existence. L'expression du visage de Jack était de plus en plus accablée. Elle détestait quand il avait pitié d'elle. À ses yeux, elle devait ressembler à une chienne haletante, assoiffée d'amour.

"J'avais complètement oublié. En ce moment, il y a tellement à faire. Tu n'imagines pas ce qu'Henrik…"

Elle se força à sourire. Ne pas être pénible, exigeante. Être agréable et soumise. Ne pas prendre de place. Mais elle voyait bien dans le reflet de la fenêtre combien son sourire était figé. Un masque déformé.

"Je comprends, mon chéri. Va, travaille. Ce sera pour une autre fois. Ce n'est vraiment pas grave. Nous avons toute la vie devant nous."

Le visage de Jack tressaillit. De courts spasmes, un tic qu'il avait toujours quand il était stressé.

"Pardon, je te revaudrai ça. Promis.

— Je sais. N'y pense pas."

Faye déglutit et se retourna avant qu'il ait le temps de voir ses yeux se mouiller. Délicatement, elle referma la porte de la tour derrière elle.

Sur le canapé, Julienne essayait de tresser les cheveux roux de Johanna.

"Comme tu es douée", murmura Johanna.

D'habitude, Faye aimait bien bavarder avec elle. Maintenant, elle avait hâte que Johanna disparaisse. Les larmes n'étaient pas loin, la boule qu'elle avait dans la gorge enflait.

"Maman m'a appris, dit Julienne.

— Très bien. Et quel livre on va lire ce soir ?

— Madicken, je crois. Ou Fifi."

Après sa conversation avec Jack la semaine précédente, Faye avait acheté tous les livres d'Astrid Lindgren qu'elle avait pu trouver à la librairie.

Faye se racla la gorge. Le visage couvert de taches de rousseur de Johanna pointa par-dessus le dossier du canapé.

"Vous y allez ? demanda-t-elle.

— Non. Changement de programme. C'est reporté. Crise au boulot."

Faye essaya d'en rire, mais l'humeur sombre qui la submergeait montait et descendait, menaçant de déborder.

Johanna inclina la tête de côté.

"Oh, comme c'est dommage. Et vous vous étiez faite si belle. Vous voulez quand même que je couche Julienne ?

— Non, ça ira."

Faye déglutit pour faire passer la boule qui lui serra la gorge en voyant Julienne s'agripper au bras de Johanna. Elle sortit deux billets de cinq cents de son sac à main et les lui tendit. Johanna leva sa main libre.

"Pas la peine, je suis à peine restée un quart d'heure.

— Mais tu avais quand même réservé la soirée. Prends ça, et je t'appelle aussi un taxi."

Julienne sanglota en continuant à tirer sur le bras de Johanna.

"Je ne veux pas que Johanna parte ! Je veux qu'elle reste ici !"

Johanna se pencha et lui caressa la joue.

"On se verra après-demain, quand je passerai te prendre à l'école. Je pourrai déjà commencer à te faire la lecture dans le taxi.

— Promets !

— Juré. Au revoir, trésor."

Quand Faye referma la porte derrière Johanna, elle ôta ses escarpins, les jeta sur le sol de l'entrée, porta Julienne dans la salle de bains et lui dit de se brosser les dents.

"Allez, crache, qu'on aille au lit lire Madicken.

— Je veux que ça soit Johanna ! C'est plus drôle quand elle lit.

— Johanna n'est plus là. Il va falloir te contenter de moi."

Faye porta Julienne dans sa chambre. Elle se débattit, lui donna des coups de pied dans les bras. Le ventre de Faye était de plus en plus serré, et la boule dans sa gorge était sur le point de l'étrangler.

Elle posa Julienne par terre et la secoua. Fort. Trop fort.

"Maintenant, ça suffit !"

Les pleurs cessèrent immédiatement.

Julienne la regarda, choquée. Faye qui ne perdait jamais son calme avec Julienne, qui lui souriait toujours, lui caressait la joue, lui disait qu'elle était la meilleure au monde. En elle, les ténèbres se soulevaient. Grondaient depuis un lieu profondément enfoui. Dans une autre époque. Une autre vie.

Julienne se blottit sur le lit. Faye savait qu'il aurait fallu la consoler, lui demander pardon, arrondir les angles. Mais elle n'en avait pas la force. Elle était complètement vidée.

Elle ferma les yeux et essaya de redevenir elle-même. Mais le passé l'avait rattrapée, lui avait montré combien elle était petite. Qui elle était vraiment.

"Bonne nuit", dit-elle d'une voix sourde, avant d'éteindre et de s'en aller.

*

Faye errait sans but entre les allées de NK. Le vénérable grand magasin était un des rares endroits où Faye trouvait un peu de calme. Parfois, la sensation d'étouffement était si tangible que le seul moyen de soulager cette démangeaison était de faire le tour des boutiques climatisées en tâtant les beaux vêtements.

Les employés la reconnaissaient. De jeunes femmes qui formaient des sourires sur leurs lèvres archi-injectées de botox, et dont elle savait qu'elles feraient tout pour échanger leur place avec elle. De leur point de vue, elle avait tout. Des millions à la banque, un statut, un homme qui garantissait sa position dans la course pour la survie.

NK était presque désert. Devant la boutique Tiger, elle pensait toujours à la ministre des Affaires étrangères Anna Lindh, et à son assassin qui s'était enfui à travers le grand magasin. Un de ces instants surréalistes où la légèreté superficielle rencontrait l'affreuse réalité. Le monde s'était arrêté un instant.

Avait regardé la Suède avec stupéfaction. Le pays que le reste du monde dans sa grande majorité considérait comme une société de rêve, sans problème, sans criminalité, un pays exclusivement peuplé de grandes blondes à forte poitrine en bikini, meublé chez Ikea et chanté par Abba. Une image aussi fausse que sa propre vie. Une image aussi irréelle que celle d'Anna Lindh, gisant poignardée au milieu des costumes gris Tiger et des chemises blanches sans le moindre pli.

Le ventre de Faye geignit douloureusement tandis qu'elle tâtait un tailleur-pantalon à presque dix mille couronnes. Au lieu de manger, elle buvait des jus qu'on lui livrait à domicile. Cinq bouteilles par jour. Vertes, jaunes, blanches et rouges. Contenant, d'après la publicité, tous les nutriments nécessaires. Et bonnes. En réalité, dégoûtantes. Surtout la bouteille verte. Elle devait se pincer le nez en buvant pour ne pas vomir. N'avoir plus rien à mâcher la rendait folle.

Elle vivait de ces jus depuis deux semaines. Plus parfois un fruit, pour les grandes occasions. Ce qui avait eu pour résultat, à part une fatigue chronique, de la rendre désagréable avec Julienne et Jack. Elle avait lu sur internet, sans vouloir le croire, que ces violentes sautes d'humeur étaient un effet secondaire de cette diète. Pourquoi ne parviendrait-elle pas à suivre un régime simple sans perdre le moral, quand tous les jours des gens accomplissaient des exploits ? On était allé sur la Lune. On avait vaincu Hitler. Construit le Machu Picchu. Britney Spears avait relancé sa carrière après sa crise de 2007. Elle pouvait alors bien, elle, avoir faim tout en conservant une attitude agréable envers ses proches ? Surtout avec Julienne, qui était plus fragile et anxieuse depuis ce soir où Faye avait perdu son calme. Mais elle n'arrivait pas à en parler à sa fille. Elle ne savait pas quoi dire. Le temps guérirait les blessures, se persuadait-elle. Ç'avait été le cas pour elle.

Alors qu'elle quittait la boutique en ruminant ces pensées, elle faillit entrer en collision avec une femme qui lui fit un grand sourire.

"Bonjour ! s'exclama Lisa Jakobsson. Quel plaisir de te revoir ! Et comment va ta mignonne petite fille ?

— Bien, merci", répondit Faye.

Elle cherchait fébrilement à quelle occasion elle avait vu la présentatrice ailleurs que sur un écran de télévision.

"Et Jack ?" Lisa inclina la tête de côté, la mine compatissante. "Le pauvre, il a l'air de se tuer au travail, c'est inhumain. Heureusement qu'il t'a, toi, pour s'occuper de lui."

Lisa continua à lui expliquer en long et en large quel soutien elle était, et Faye se sentit bientôt de meilleure humeur. à quel point était-elle avide de compliments ?

"Il faut qu'on dîne entre couples, un de ces jours", dit Lisa.

À présent, Faye se souvint qu'elle vivait avec un collègue de sa chaîne qui animait quelques programmes de divertissement de seconde zone. Ils étaient restés bien peu trop longtemps à parler avec Jack et elle lors d'une première au théâtre.

"On verra, coupa court Faye, et le grand sourire de Lisa se fit soudain hésitant. Désolée, il faut que j'y aille."

Stockholm était une jungle où elle et une poignée d'autres femmes de millionnaires étaient les reines. Faye savait que les gens analysaient chaque mot, chaque syllabe qu'elle prononçait, qu'ils lui faisaient des courbettes et lui passaient la brosse à reluire rien que parce qu'elle était la femme de Jack.

Elle savait que Lisa n'hésiterait pas une seconde à quitter son mari pour Jack. Ou quelqu'un comme lui. Les femmes sont attirées par le pouvoir et l'argent. Même les pseudo-féministes comme Lisa.

Et la richesse était le pouvoir qui restait à Faye, et cette impression était si enivrante que, pour un instant, elle domina les gargouillis de son estomac. Même si elle se haïssait pour ça.

Après avoir quitté Lisa, elle prit l'escalator pour descendre au rayon parfums, et passa devant une immense affiche représentant un mannequin émacié, les yeux charbonneux et la bouche entrouverte. Ça lui rappela une fois encore tous les kilos qu'elle n'avait pas réussi à perdre.

Jack ne l'avait pas touchée depuis ce soir où il avait oublié leur dîner, la regardait à peine quand elle se couchait de son côté du lit.

Son ventre gémit à nouveau.

Elle sortit son portable et envoya un SMS à Jack.

Je t'aime. Accompagné d'un émoji en forme de cœur.

Elle se connecta à la page Facebook de Jack, et découvrit qu'il avait changé son profil. Avant, il avait sa photo en compagnie de Julienne et elle devant le château de Drottningholm, un an plus tôt. Sa nouvelle photo était professionnelle, venant du site de Compare. Elle fit s'afficher les *likes*, et cliqua les profils de toutes les jeunes filles : toutes sorties du même moule, affamées, aux aguets, en chasse. Toutes minces, avec de grosses lèvres coûteuses et de longs cheveux bien permanentés.

Faye se força à remettre son téléphone dans son sac à main.

Les vendeuses la suivaient des yeux de derrière leurs comptoirs. Elle prit une bouteille de parfum Gucci, dont elle pulvérisa en l'air le contenu. Elle était à la recherche de quelque chose de plus sucré, plus juvénile. Elle recula de quelques pas. Trouva un flacon rose YSL qui retint son attention. Saisit un échantillon, qu'elle pressa à deux reprises. Beaucoup mieux. Ça lui rappelait vaguement quelque chose, sans qu'elle parvienne à mettre le doigt dessus.

Les vendeuses s'étaient lassées et regardaient ailleurs. Elle prit un flacon et le mit dans son sac. Le parfum YSL, bien entendu. Pas une eau de Cologne bon marché.

Son portable bipa. Jack avait-il enfin répondu ?

Vous ne m'avez pas rappelé. / John Descentis

Faye soupira. Elle avait espéré qu'il comprenne tout seul.

Désolée, j'ai fait un autre arrangement. Peut-être une autre fois ?

Elle venait de ranger son portable dans son sac quand il bipa à nouveau.

On pourrait se voir pour en parler ?

Impossible. Je vais au cinéma.

Au cinéma ? Où était-elle allée chercher pareille excuse ? Plus jeune, elle adorait ça. Sebastian, maman et elle s'habillaient bien, allaient à Grebbestad, goûtaient et voyaient deux films d'affilée. Les deux films que projetait le petit cinéma. Sebastian cherchait sa main dans le noir. Après, ils rentraient, le ventre plein de pop-corn et de soda, tandis que maman et Sebastian échangeaient leurs impressions sur les films. Ce n'était qu'après avoir traversé le petit pont avant Mörhult, où chaque année les cygnes nageaient avec leur progéniture, qu'ils se taisaient.

Faye frissonna. Ses pensées semblaient de plus en plus souvent s'orienter sur ces chemins sombres.

Son téléphone bipa dans sa main.

J'adore le cinéma. Quelle salle ?

Rigoletto.

Parfait. On se voit là-bas.

Faye secoua la tête. À quoi jouait-elle ? Quelle idée d'aller au cinéma avec John Descentis, pourquoi lui ? En même temps, elle appréciait que quelqu'un ait envie de la voir. Peut-être cela lui changerait-il les idées, en lui faisant penser à autre chose qu'à Jack et à leur soirée gâchée ?

Quand Faye poussa les lourdes portes du Rigoletto, John Descentis l'attendait déjà sur un banc. Un instant, elle envisagea de tourner les talons et de filer, mais elle avait peur qu'il la voie.

"Ah, vous êtes quand même venue." La voix était rauque, mais enjouée. "Je craignais que ça fasse comme pour cette fête."

Faye s'assit à côté de lui. Garda une certaine distance.

John Descentis était comme d'habitude en tee-shirt et jean. Sur son bras, une veste en cuir brun foncé. À la main, un seau de pop-corn, XXL.

"Comme je vous l'ai écrit, il y a eu changement de programme.

— Peut-être pour son prochain anniversaire ? dit John, toujours souriant.

Il se rapprocha d'elle.

— Quel film allez-vous voir ?"

Il dégageait une faible odeur de parfum, de cuir et, au loin, de bière. Son corps réagit à cette odeur d'une façon qui la surprit.

Elle montra l'affiche où Bradley Cooper fixait l'objectif de ses yeux bleus.

"Ça me dit bien, dit-il.

— Pourquoi souhaitiez-vous me voir, en fait ? répliqua-t-elle. Qu'est-ce que vous me voulez ?

— Je me disais que ce serait peut-être sympa de papoter un peu, dit-il en se levant. Vous aviez l'air d'une vraie personne, l'autre jour, chez Riche. À la différence de tous les autres…"

Il n'acheva pas sa phrase.

Faye inspira à fond.

"Pardon, je n'avais pas l'intention d'être désagréable. J'ai eu une journée difficile.

— Ça arrive à tout le monde. On a tous nos secrets. Et nos ennuis. La différence, c'est que les miens ont été étalés en public par la presse de caniveau.

— Qu'est-ce que vous dites ?"

Que voulait-il dire ? Connaissait-il ses secrets ?

"Comme dans ma chanson. *Secrets*. « Tout le monde a ses secrets et ses ennuis », ce sont les paroles. Mais vous ne l'avez peut-être jamais entendue ?"

La salle ouvrit et John fit un geste de la tête dans cette direction. Faye respira lentement, revit Sebastian et maman rire devant une comédie romantique en mangeant du pop-corn. Libres pour un moment.

Ils achetèrent des billets et Faye suivit John dans la salle vide. Ils s'assirent tout au fond et Faye sortit son portable. Jack n'avait toujours pas répondu. Son angoisse redoubla. Est-ce qu'il ne l'aimait plus ? N'était-elle plus désirable à ses yeux ?

Pendant les premières minutes du film, Faye eut une conscience aiguë des regards de John. Elle ne comprenait pas pourquoi, mais cette proximité lui faisait un effet étrange. Sans qu'elle en ait pris la décision réfléchie, elle se mit à tâtonner sur son pantalon. Le regard fixé sur l'écran, sur le visage anguleux de Bradley Cooper, elle déboutonna son jean et découvrit avec étonnement qu'il ne portait pas de slip dessous. Aucun d'eux ne disait mot, mais entendre la respiration lourde de John l'excitait. Elle se pencha et le prit dans sa bouche. Elle entendait sa respiration s'alourdir encore et, chose assez absurde, qu'il continuait à engloutir du pop-corn tout en gémissant. Faye mouilla, oublia qui elle suçait, elle suçait Jack, le suçait si bien qu'il allait comprendre à quel point il était bien loti. Les yeux fermés, elle se leva pour ôter pantalon et culotte. S'assit à cheval sur sa bite dure, celle de John, celle de Jack, et se laissa couler. Il emplit en elle des tréfonds désirés, oubliés, elle fermait toujours les yeux, bougeant plus violemment, en murmurant :

"Baise-moi, Jack ah, baise-moi…"

Au moment où elle jouit, John l'emplit d'un foutre chaud et collant. Il gémit, couvert par la voix chaude de Bradley Cooper.

Quelques secondes, Faye resta plongée comme engourdie, dans les bras de John Descentis. Puis elle se leva. Le foutre s'écoula d'elle, et ce qui, l'instant d'avant, semblait si excitant n'était plus que sale.

Elle prit son sac et quitta la salle sans se retourner.

STOCKHOLM, AOÛT 2001

"Qu'est-ce qu'il a de spécial, ce Jack… euh… comment, déjà ? ai-je demandé quand Chris a posé une nouvelle bière devant moi.

— Adelheim, a précisé Chris en s'asseyant. Tu plaisantes, ou quoi ?

— Je veux dire, à part ce qui saute aux yeux. Qu'il est mignon. D'une façon assez stéréotypée.

— Mignon, ça ne suffit pas. Il est noble. D'une famille à la réputation sulfureuse. Tout le monde à l'école veut être son pote, c'est autour de lui que tout gravite. Toutes les filles le veulent. Moi, je l'aurais baisé jusqu'à ce que mort s'ensuive", dit Chris sèchement.

Je venais de prendre une grande gorgée, et j'ai posé la main sur ma bouche pour empêcher la bière d'asperger toute la table. Certes, le commentaire de Chris n'était pas drôle en lui-même, mais l'alcool faisait chavirer la pièce et donnait un tour humoristique à tout ce que Chris disait.

À cet instant, Jack et son copain se sont approchés de notre table. Ils avaient l'air de chercher où s'asseoir.

"Qu'est-ce qui se passe ? a sifflé Chris, qui leur tournait le dos, mais avait vu mon regard curieux.

— Ils cherchent une place… et…"

Chris écarquillait les yeux. Serrait les lèvres.

"Ils viennent par ici, ai-je chuchoté.

— Bordel ! Ne les regarde pas ! Arrête de mater ! Ris, plutôt ! Ris comme si je venais de sortir la meilleure blague que tu aies jamais entendue !"

Je me suis penchée en arrière en faisant semblant de rire. Je me sentais incroyablement ridicule. Chris a ri elle aussi. Un rire bruyant, exagéré, à mes oreilles à la limite de la folie. Jack et son ami ont attendu que nous nous soyons calmées.

"Ça va, si on s'assoit là ? a demandé Jack. On ne dérangera pas, promis."

Derrière lui, son ami serrait un peu trop fort sa bière et vacillait, le regard embué.

"Bien sûr", a dit Chris d'une voix neutre, en levant les yeux avec un étonnement feint.

Jack s'est glissé sur la banquette à côté de moi, tandis que son comparse s'asseyait à côté de Chris, en tendant une main mal assurée au-dessus de la table.

"Henrik.

— Mat… Faye", ai-je répondu, pas encore habituée à ma nouvelle identité.

Difficile de changer de peau. Plus que je ne l'aurais pensé.

Je me suis tournée pour recommencer la procédure de serrage de main avec Jack. Il a souri. Un beau sourire, ouvert. Ses yeux bleus ont plongé dans les miens. Il était *mignon*, ça, impossible de le nier. Mais j'avais Viktor, et je n'étais pas ce genre de fille. En plus, Chris m'aurait probablement cassé son verre de bière sur le nez si j'avais approché Jack.

"Enchantée."

Les présentations faites, Chris s'est penchée vers moi pour me demander ostensiblement ce que je pensais du nouveau président américain George W. Bush. J'ai levé les yeux au ciel avant de me lancer dans un court exposé qui était grosso modo un résumé de l'éditorial lu le matin même dans *Dagens Nyheter*. Jack et Henrik se sont aussitôt mêlés à la conversation, pour débattre à partir de mes arguments. Jack dans mon camp. Henrik en contradicteur. Le volume sonore – Bryan Adams chantait *Summer of 69* – faisait que je ne saisissais que des fragments de ce qu'ils disaient.

Au bout d'un moment, j'avais oublié tout ce que Chris m'avait dit de Jack. C'était juste un type bien, avec qui il était facile de discuter. Henrik était allé chercher sa tournée de bières.

"Pour vous remercier de nous avoir laissés nous asseoir à votre table", a-t-il expliqué en posant les bières.

Il ne quittait pas Chris des yeux. Elle, en revanche, ne lui accordait pas le moindre regard.

Le barman a annoncé la fermeture dans une demi-heure, pour prendre les dernières commandes. Chris commençait à se tortiller sur place.

"Il faut que j'aille aux toilettes", s'est-elle excusée.

Henrik s'est aussitôt levé, au garde-à-vous, pour la laisser passer. Jack s'est tourné vers moi.

"Quels sont vos projets, pour ce soir ?"

J'ai hésité. Lorgné mon portable, où Viktor ne montrait toujours pas signe de vie.

"Oh, je ne sais pas. Chris veut aller ailleurs, je pense que je vais la suivre. Et vous deux ?"

Jack avait une présence si intense que j'étais un peu mal à l'aise. Il m'influençait, comme s'il se glissait sous ma peau. Je ne savais pas trop si j'aimais ça.

Henrik restait debout, à surveiller ce qui se passait dans le bar.

"On va sans doute continuer la soirée chez Henrik. Vous pouvez bien sûr venir avec nous, si vous voulez.

— Oui, pourquoi pas ? Il faut que je voie avec Chris, d'abord.

— Très bien, a dit Jack, sans que ses yeux bleus ne quittent les miens. Et toi, tu travailles dans quoi ? Ou tu fais des études ?"

Ses épais cils bruns encadraient ses yeux, rendant leur bleu encore plus intense. Sous la table, nos cuisses se sont frôlées.

"Je suis à Sup de Co", ai-je négligemment lâché, avant de prendre une gorgée de bière.

J'avais toujours du mal à cacher ma fierté d'avoir accompli ça. De m'être relevée après ce qui était arrivé, d'avoir obtenu les notes qu'il fallait, d'avoir réussi ce dont beaucoup ne faisaient que rêver, sans le bagage qu'avaient la plupart des autres étudiants de Sup de Co à Stockholm.

"Ah oui ? Moi aussi. Première année ?

— Oui."

J'ai fait tourner mon verre de bière. Où était donc passée Chris ?

"Et qu'est-ce que tu en penses ? Ça te plaît ?"

Il m'accordait toute son attention, ce qui me faisait me tortiller sur place. J'aurais préféré me cacher dans l'ombre. Viktor ne me regardait jamais comme ça, aussi directement. C'était une des raisons pour lesquelles je me sentais aussi à l'aise avec lui. Il laissait mes secrets rester des secrets. Mais Jack semblait me percer à jour.

"J'aime bien, oui, ai-je dit d'une voix traînante. Mais je n'y suis que depuis une semaine. Alors c'est difficile à dire."

Chris est revenue à la table. Nous a observés avec curiosité.

"Il... euh, c'est Jack que tu t'appelles ? ai-je hésité, et il a hoché la tête. Jack nous propose de les accompagner chez... Henrik, c'est ça ? Mais on avait prévu de sortir, non ?"

J'avais du mal à cacher ce que je voulais vraiment.

Les yeux de Chris me disaient combien elle était impressionnée par mon entregent. Mais, à mon grand étonnement, elle s'est contentée de hausser les épaules.

"Peut-être. On verra. Mais d'abord, je veux danser...

— Alors, on peut aller à Sturecompagniet, a proposé Henrik.

— Marre, de faire la queue pour aller en boîte, a soupiré Chris en agitant ses cheveux roux.

— T'inquiète. Jack va nous arranger ça, a dit Henrik. Hein, Jack ?

— Sûr, a-t-il confirmé sans me quitter des yeux. Pas de problème."

Il s'est levé en me tendant la main. J'ai lorgné vers mon portable. Pas de message. D'un coup, Viktor me semblait sans importance. J'ai fourré mon téléphone au fond de mon sac et pris la main de Jack.

Comme Jack l'avait promis, les videurs nous ont fait signe de doubler la queue. En route pour le carré VIP, il était sans cesse arrêté par des types qui voulaient bavarder et des filles qui minaudaient avec des papillonnements des cils et des lèvres en cul-de-poule. Je m'imaginais immunisée contre la force d'attraction de Jack, et que c'était juste amusant de voir toutes ces personnes, hommes et femmes, ensorcelées à ce point par lui.

Il a pris un bain de foule dans le carré VIP en serrant des mains comme un président en visite officielle. Chris, Henrik et moi nous sommes installés au bar tandis que Jack faisait son tour. Henrik a commandé des cocktails et des shots. Dans le club, le niveau d'ivresse explosait déjà. Les gens se criaient dans les oreilles en postillonnant. Les femmes portaient des robes minimalistes, les hommes de fines chemises pastel, avec des jeans ou des chinos. J'étais bien dans le coup avec ma robe d'emprunt, je sentais les regards glisser sur mon corps. J'étais toisée, jugée, mais comblée par toute cette attention. J'ai vu que Jack n'y était pas indifférent, quand il a fini par réapparaître dans mon champ visuel.

"Il disparaît toujours comme ça ? a crié Chris à Henrik qui se trémoussait maladroitement à contretemps de la musique.

— Oui. C'est qu'il connaît tout le monde…", a-t-il soupiré. Puis son visage s'est éclairé : "C'est cool que vous soyez venues, ça m'évite de rester ici tout seul !"

Je me suis penchée vers eux pour mieux entendre.

"Et tout le monde le connaît, alors ? ai-je demandé.

— Non. Parfois je me demande moi-même si je le connais. Et pourtant, on est amis depuis longtemps, et on va lancer une entreprise ensemble." Henrik s'est penché sur le comptoir et a aspiré à la paille quelques gorgées de son cocktail. "Personne n'arrive vraiment à le cerner, et c'est pour ça qu'il fascine autant. En tout cas, c'est ma théorie. Plus son côté aristo combiné à un passé décadent. Et quelques querelles et tragédies familiales déballées sur la place publique par-dessus le marché."

La voix pâteuse, il a sucé à nouveau la paille rose de son cocktail. Puis il s'est redressé en rajustant ses lunettes.

Jack s'était arrêté devant un groupe de filles à l'autre bout du bar. Elles ont éclaté de rire quand, pour plaisanter, il a ébauché quelques pas de danse. Quand il les a quittées, leurs regards affamés l'ont suivi.

Jack s'est avancé vers nous et nous a prises par la taille, Chris et moi. J'ai senti la chaleur de sa paume sur ma peau.

Il allait et venait avec le pouce. Ce petit chatouillis se propageait dans tout mon corps.

"Vous ne vouliez pas danser ? a-t-il demandé gaiement, avant de regarder Henrik : Pourquoi tu ne les as pas emmenées sur la piste ? Il faut que je fasse tout moi-même ?"

Henrik a fait un geste d'impuissance.

"Tu sais bien que je ne vaux pas grand-chose, comme danseur.

— Oh oui, je suis au courant, hélas. Comme tous les propriétaires de boîte de nuit de la ville."

Henrik a rougi, mais de bonne grâce. Il ne semblait y avoir aucune animosité entre eux.

Jack lui a fait un clin d'œil :

"Un dernier coup, et on danse ?"

Henrik semblait commencer à fatiguer, mais il a acquiescé.

"D'accord."

Jack a hélé le barman, qui s'est penché, lui a serré la main et échangé quelques mots. Et quatre shots ont été posés devant eux.

"Ma tournée !" a crié le barman en tapant sur l'épaule de Jack avant de se tourner pour prendre la commande suivante.

Nous avons levé nos verres pour trinquer, et incliné nos têtes en arrière pour avaler cul sec avec une grimace. Après avoir reposé son verre, Jack m'a remis la main à la taille, en la laissant glisser vers mon ventre. J'ai jeté à Chris un coup d'œil inquiet. Elle ne semblait pas avoir remarqué quoi que ce soit, absorbée dans une conversation avec Henrik. Ils avaient l'air de bien s'entendre. On m'avait encore mis un cocktail dans la main, et l'alcool endormait ma conscience. Tout ce qui comptait, c'était que la main de Jack, ici, et maintenant, répande cette chaleur agréable dans mon ventre.

Pourtant, je pensais à Viktor. Qu'il n'était pas convenable d'être comme ça avec un garçon que je ne connaissais que depuis quelques heures. Car enfin, j'étais amoureuse de Viktor, j'en étais certaine.

Je ne voulais pas non plus gâcher mon amitié toute neuve avec Chris à cause d'un flirt. Je la vénérais déjà. Chris était une force de la nature. Et Jack semblait compter davantage pour elle que pour moi.

En même temps, il y avait quelque chose chez Jack qui me donnait le vertige. Sa main s'était attardée, les doigts posés légèrement sur ma hanche. Et j'aurais voulu qu'il continue à les promener sur mon corps. Soudain, j'ai réalisé qu'il fallait que j'arrête ça. Avant même que ça ait commencé. Je me suis dégagée et j'ai bien vu la surprise de Jack, même s'il faisait de son mieux pour la cacher.

"Il faut que j'y aille, ai-je dit en reposant mon cocktail à moitié bu sur le comptoir.

— Déjà ? Mais on doit aller chez Henrik pour un after.

— Il faut vraiment que je rentre, ai-je dit d'un ton décidé. Chez mon petit copain.

— Ah bon, tu as ça en magasin ?" a raillé Jack, et il m'a semblé déceler chez lui une lueur de déception. Mais je prenais peut-être aussi mes désirs pour la réalité.

"Oui.

— Je crois que je vais quand même te raccompagner.

— Hein ? Et pourquoi ?"

Il a montré quelque chose derrière moi, et je me suis retournée. Chris et Henrik étaient enlacés, langues lovées. Chris le serrait contre elle, la main à l'arrière de sa tête.

Je me suis à nouveau tournée vers Jack.

"J'y vais. À plus."

Jack m'a pris le bras.

"Attends. Laisse-moi te raccompagner. Tu habites où ?

— À Gärdet. Ou plutôt, mon petit ami habite là-bas, et je vais dormir chez lui. Pourquoi vouloir me raccompagner ? Tu peux ramener n'importe laquelle de ces filles avec qui tu parlais tout à l'heure. J'ai du mal à imaginer l'une d'entre elles te dire non."

J'ai montré d'un signe de tête les filles, sur la piste de danse, qui se trémoussaient sur le dernier tube de Sugababes.

"Mais je ne veux pas, moi. Je veux te raccompagner. Tu es intéressante. Et belle. Tu es différente.

— Ah oui ?"

J'ai senti mon ventre se nouer en me rappelant toutes les autres fois où on m'avait dit que j'étais différente. D'une autre façon. Une tout autre façon.

"Oui, a répondu Jack. Et j'aime ton nom. Il te va bien."

Il m'a regardée droit dans les yeux. Suppliant comme un petit garçon. J'ai soupiré.

"Bon, d'accord. Mais alors on va chez moi. Villagatan. Et tu ne me raccompagnes que jusqu'à ma porte."

Le visage de Jack s'est éclairé.

Nous nous sommes frayé un passage à travers la foule amassée en demi-lune à l'entrée du club, et nous avons suivi Sturegatan. Jack a allumé une cigarette et me l'a tendue avant d'en mettre une autre entre ses lèvres et de l'allumer. Nous n'avions pas échangé un mot depuis que nous étions sortis. Pourtant, ce silence n'était pas désagréable.

Un taxi est passé. J'ai regardé à la dérobée Jack, qui m'a adressé un petit sourire. Nous nous sommes engagés dans Humlegården.

"C'est quoi, cette entreprise sur laquelle vous travaillez ?

— Rien encore. Nous cherchons une bonne idée. Mais dès qu'on l'aura, on mettra le paquet, on fera un business plan de pros, on trouvera des investisseurs, on deviendra millionnaires.

— Des investisseurs ?

— Oui, nous voulons y arriver seuls. Mes parents ne sont pas une option. Papa… Papa et moi n'avons plus aucun contact. Et maman vit en Suisse avec son nouveau mari, elle envoie des cartes pour Noël, et ça s'arrête là. Et nous avons besoin de capitaux. Pour des locaux, pour embaucher, pour les études de marché et les relations publiques."

Un léger, très léger changement de ton. Je me suis demandé ce qu'il signifiait. Jack a suivi des yeux un homme, de l'autre côté de la rue, en tirant profondément sur sa cigarette. Nous marchions depuis peu de temps et il en était déjà à sa troisième.

"Henrik et moi, nous nous sommes promis d'être économiquement indépendants avant nos trente ans."

Il a soufflé un rond de fumée.

"Et vous avez déjà un nom ? Pour votre entreprise qui n'existe pas… ?"

J'ai souri en coin pour montrer que je le taquinais.

Jack a répondu avec sérieux à ma question.

"Nous avons quelques propositions, mais rien qui accroche vraiment. Je veux que le nom dise que nous sommes les meilleurs, qu'il n'y a pas de concurrents."

Jack souffla un nouveau rond de fumée.

"Qu'est-ce que tu penses de Compare ? ai-je proposé après réflexion. Un nom qui inspire confiance, qui montre que l'entreprise ne craint pas d'être comparée aux autres."

Jack s'est arrêté et m'a regardée.

"J'aime bien, a-t-il fait d'une voix traînante. Ça sonne bien.

— Tu me remercieras si vous décidez un jour de vous en servir", ai-je répondu en lui souriant.

Nous étions arrivés à Karlavägen. J'ai frissonné : il commençait à faire frais et je n'avais rien pour me couvrir.

D'une fenêtre ouverte, quelques mètres plus loin, sortait de la musique et, au même moment, le porche de l'immeuble s'est ouvert. Un couple en a surgi en titubant. En quelques pas rapides, Jack a glissé le pied dans la porte avant qu'elle ne claque et me l'a tenue avec une courbette théâtrale.

"Qu'est-ce que tu fais ? ai-je demandé, les bras serrés autour du corps.

— Et voilà l'after !

— Tu connais les gens qui habitent ici ? ai-je fait en le suivant à l'intérieur, stupéfaite.

— Bientôt. Et toi aussi. Allez, viens." Jack m'a pris la main et m'a conduite vers le large escalier de pierre. "On prend un verre ou deux et on file.

— Tu plaisantes ? ai-je pouffé en me laissant entraîner. Tu comptes aller sonner là-haut, comme ça ?

— Oui."

Jack a monté l'escalier quatre à quatre, moi dans son sillage. "Tu es fou."

J'ai ri.

Jack s'est retourné et m'a embrassée au vol, un contact léger, électrique.

J'ai dû m'arrêter un bref instant avant de pouvoir le suivre jusqu'à l'appartement d'où se déversait la musique.

La plaque indiquait "Lindqvist". Nous avons sonné et une femme d'une trentaine d'années nous a ouvert, les joues rougies par l'ivresse. Derrière elle : musique, brouhaha, tintements de verres et rires. Jack a décoché son sourire le plus éblouissant, tandis que je me blottissais de honte derrière lui.

"Salut la compagnie ! s'est-il gaiement exclamé. On n'a pas pu s'empêcher d'entendre que vous faisiez la fête, et ça avait l'air tellement sympa ! Ça va, si ma petite amie et moi on vient se réchauffer ?"

J'ai sursauté quand il m'a appelée sa petite amie, mais j'ai fait bonne figure. J'ai senti quelque chose bouger dans mon ventre en l'entendant parler de moi en ces termes. La femme a éclaté d'un rire chaleureux. Elle a hoché la tête et nous a cédé le passage.

"Entrez. Moi, c'est Charlotte."

Nous nous sommes présentés. Tous les autres invités avaient gardé leurs chaussures, nous les avons donc imités. Charlotte nous a précédés dans un salon où une quarantaine de personnes en tenue de soirée étaient dispersées sous un énorme lustre en cristal. Charlotte s'est arrêtée juste en dessous et a levé son verre.

"Écoutez tous ! Voici Jack et Faye. Ils ont trouvé qu'on avait l'air de s'amuser, ici, et ont décidé de monter !"

Rires épars. Quelqu'un a crié "Bienvenus !", un autre "Donnez-leur à boire !". Avant d'avoir le temps de dire ouf, j'étais en grande conversation avec une juriste prénommée Amanda, qui zozotait et devait bien avoir dix ans de plus que moi.

C'était une assemblée d'hommes et de femmes du monde, gais, ouverts, sympathiques. J'ai vite oublié ma timidité, ce que Matilda aurait éprouvé. Faye aimait les gens autour d'elle, les conversations, l'ambiance, les guirlandes sonores qui montaient et descendaient sous le grand lustre de cristal. Faye était à sa place.

Je savais aussi Jack tout proche. Avec lui, j'étais en confiance. Tout en parlant avec Amanda, je l'avais à l'œil. C'était comme si la pièce penchait dans sa direction. Il éblouissait tout le monde, faisait le tour, plaisantait, riait, remplissait les verres vides comme si l'appartement et la fête étaient les siens. Tout ce qu'il faisait allait de soi avec une fascinante évidence. Je n'avais jamais approché de personne qui rayonne autant que Jack Adelheim.

Nos regards se sont croisés. Il m'a fait un clin d'œil, souri, et a levé son verre. Les bulles du champagne scintillaient dans l'éclat du lustre de cristal.

Quelqu'un a posé une main sur son épaule et Jack s'est retourné. A disparu. Et soudain, il me manquait. Son regard, notre complicité d'une seconde, son sourire. Je me suis retournée pour écouter ce qu'Amanda racontait sur ses conditions de travail délirantes dans un des plus gros cabinets d'avocats de Stockholm. Derrière moi, la pièce était froide, sans le regard de Jack sur moi. Quelqu'un a mis une nouvelle flûte de champagne dans ma main.

Une heure plus tard, les invités ont commencé à se retirer. Dehors, le jour se levait. Nous avons été parmi les derniers à quitter l'appartement. Jack a sorti une bouteille de vin à moitié bue et l'a portée à sa bouche.

"Pour la route, a-t-il ricané.

— Objet volé, ai-je répliqué.

— Bah…"

Il a bu quelques grandes gorgées et m'a tendu la bouteille. J'ai songé que ses lèvres avaient touché le goulot, j'ai imaginé sentir leur goût, qui se mêlait à celui du vin blanc tiède.

Nous avons parlé à bâtons rompus en flânant dans la ville silencieuse. J'avais à peine le temps de respirer entre les éclats de rire. Jack rapportait les conversations en imitant à la perfection les invités. Je lui ai raconté l'épisode de Chris avec le garçon du bus.

Bien trop vite, nous sommes arrivés devant mon porche. Soudain silencieux. Tout d'un coup, il me semblait irréel et contre nature de taper le code, d'ouvrir la porte et de rentrer chez moi sans lui.

"Bon, a dit Jack, gêné lui aussi. À plus.

— Oui.

— *So long*, Faye, a-t-il lâché, à la manière d'une réplique de film hollywoodien de série B, avant de tourner les talons.

— Attends !"

Il s'est arrêté au milieu d'un pas, a fait volte-face en se passant une main dans les cheveux et m'a interrogée du regard.

"Oui ?

— Euh… rien…"

Il a tourné les talons. S'est éloigné. A levé la bouteille.

Je suis restée là. À attendre qu'il s'arrête. Me regarde une dernière fois. Me fasse un signe de la main. Revienne en courant. M'embrasse à nouveau, bien, cette fois. Je me rappelais encore la sensation de ses lèvres.

Mais il s'est contenté d'allumer une cigarette en redescendant tranquillement cahin-caha vers Karlavägen. Puis il a tourné à droite. Et a disparu.

Faye tenait Julienne d'une main et un panier vide de l'autre dans les allées du supermarché ICA Karlaplan. Leur gouvernante était malade depuis deux jours, et elle voulait faire une surprise à Jack en lui faisant la cuisine. Sa fameuse recette de spaghettis bolognaise. Le secret était le céleri. Et trois sortes d'oignons. Et laisser mijoter longtemps, très longtemps.

Quand ils étaient jeunes et pauvres, elle en préparait chaque lundi une grande marmite, qui leur durait jusqu'au jeudi. Elle prit de l'oignon rouge, jaune, blanc et du céleri.

"Je veux porter le panier, dit Julienne.

— Tu vas y arriver ?

— Mais oui…, fit Julienne en levant les yeux au ciel.

— D'accord, chérie."

Faye tendit l'anse du panier à Julienne et lui passa la main dans les cheveux en la regardant un instant, au milieu de l'agitation du magasin. Elle l'aimait tant que, parfois, elle pensait que son cœur allait éclater.

"Dis-moi si c'est trop lourd", dit-elle en se dirigeant vers le rayon frais pour prendre de la viande hachée.

Julienne tirait le panier derrière elle.

Ils passèrent devant un vieil homme qui aidait une femme du même âge à attraper une conserve sur un rayonnage. Il donna la boîte à la femme, lourdement appuyée sur son déambulateur. Elle lui tapota la main, et son alliance scintilla à la lueur des néons.

Faye se demanda depuis combien de temps ils pouvaient être mariés. Jack et elle allaient-ils ressembler à ça ? Elle l'avait toujours imaginé ainsi : ils vieillissaient, inséparables, devenaient ensemble fripés et fragiles. Jamais, elle ne renoncerait à cette vision. Si elle interrogeait ce couple, autour du déambulateur, ils pourraient très certainement lui parler des difficultés rencontrées en chemin. Des difficultés qu'ils avaient surmontées.

Julienne leva les yeux.

"Pourquoi tu pleures, maman ?

— Parce que c'est tellement beau."

Julienne était perdue.

"Quoi ?

— Qu'il… Oh, rien."

Le couple âgé tourna dans une allée et disparut.

Faye alla chercher les derniers ingrédients dont elle avait besoin, puis se dirigea vers la caisse, Julienne dans son sillage. Les unes des journaux du soir assuraient qu'on venait de découvrir une méthode simple et rapide pour perdre du poids. Elle prit un exemplaire d'*Expressen* et s'assura une dernière fois qu'elle avait tout ce qu'il lui fallait dans son panier. Elle avait depuis longtemps abandonné les jus et, en quelques jours, repris tout le poids perdu, et un peu plus.

Elle choisit la caisse où une jeune et assez jolie fille travaillait vite et efficacement. Devant elle, une femme posa un paquet de tampons sur le tapis roulant. Au moment où la caissière le scannait, Faye réalisa qu'elle avait un retard de règles. Un sacré retard. Elle aurait dû les avoir deux semaines plus tôt. C'était sans doute dû à son régime, mais elle voulait en avoir le cœur net.

Leur tour arriva.

"Est-ce que vous avez…" Elle jeta un coup d'œil à Julienne, dont l'attention était captivée par un petit caniche à l'entrée du magasin. "… des tests de grossesse ?

— Dans le distributeur, là-bas", lui indiqua la caissière.

Soupirs et regards quand Faye doubla la queue. Elle cliqua sur *produits pharmaceutiques* et sélectionna *test de grossesse*. Julienne observait toujours le petit chien à l'entrée. Faye prit deux tests et regagna la caisse.

"Ça fera donc quatre cent quatre-vingt-huit couronnes", dit la caissière après les avoir scannés.

Faye sortit son American Express et paya.

"Excusez-moi, dit-elle. Vous ne sauriez pas par hasard si… si Max est en congé ?"

La caissière haussa les sourcils. N'avait-elle pas un petit sourire ?

"Max a été viré. Il harcelait les clientes, quelque chose comme ça.

— Je comprends, dit Faye. Merci."

Elle se dépêcha de quitter le magasin, en serrant fort la main de Julienne.

Jack avait fait renvoyer Max. Elle le savait. Et ça devait bien vouloir dire qu'elle comptait pour lui ? Malgré tout ?

Julienne portait le journal en plissant les yeux pour voir la photo de couverture.

Qu'allait-il se passer, si elle était enceinte ? Comment Jack réagirait-il ? Quand ils s'étaient rencontrés, au début, il avait dit vouloir quatre enfants. Mais depuis qu'ils avaient eu Julienne, il ne semblait pas particulièrement désireux d'en avoir d'autres. Ils n'en avaient même pas parlé. Et elle ? Voulait-elle d'autres enfants ? Oui, elle en voulait. Surtout maintenant. Une petite sœur ou un petit frère pour Julienne pourrait peut-être les rapprocher, Jack et elle, mettre fin à l'étrange flou où ils vivaient pour l'instant.

Et un frère ou une sœur, ça ferait du bien à Julienne. Ils pourraient devenir meilleurs amis. Elle-même aurait tant aimé avoir une sœur. Une alliée.

Faye se dépêcha de repousser ces pensées. Elle avait appris à les contrôler, à ne pas laisser son cerveau divaguer. Il ne servait à rien de ressasser des choses sur lesquelles elle n'avait aucune prise.

Quand elles arrivèrent à l'appartement, Julienne jeta le journal et son manteau sur le sol de l'entrée. Faye pendit le manteau, porta ses sacs de courses à la cuisine et commença à les déballer. Du coin de l'œil, elle vit Julienne sortir de sa chambre, son iPad à la main, et se jeter sur le canapé, avec ses bottes.

"Déchausse-toi, si tu veux te mettre sur le canapé", dit Faye.

Pas de réponse. Elle posa sa spatule et gagna le séjour. Entreprit d'ôter à Julienne ses bottes d'hiver mouillées et sales.

"Je veux pas !"

Julienne donnait des coups de pied en l'air. Cognait ses bottes au canapé, qui fut taché de boue et de saleté. Et merde, maintenant, il allait falloir laver et sécher en vitesse la housse avant le retour de Jack. Ses gestes se firent plus durs. De la boue était également tombée sur le tapis.

"Veux pas ! Veux pas ! Veux pas !"

Julienne continuait à donner des coups de pied furieux dans tous les sens.

Faye vint à bout des bottes et posa par terre Julienne, qui se jeta à nouveau sur le canapé en criant. Faye retourna à la cuisine et revint avec une lavette. Peut-être arriverait-elle à essuyer la saleté de l'étoffe, si elle faisait vite ? Elle ignora Julienne. À son grand soulagement, elle parvint à nettoyer le gros des dégâts sur le canapé, et elle se baissa pour tenter de nettoyer aussi le tapis. Julienne lui donnait des coups de pied, et Faye l'attrapa par la jambe :

"Tu ne fais pas ça !

— Si !"

Les ténèbres se déversèrent. À la fois connues et inconnues. Faye déglutit péniblement. Elle serra et desserra les poings.

Julienne devait avoir perçu le changement, car à présent elle dévisageait Faye en reniflant.

Faye passa une dernière fois la lavette sur le tapis. Ôta une mèche de ses yeux, le dos tourné à Julienne.

"Tu es grosse", dit sa fille.

Faye se retourna.

"Qu'est-ce que tu as dit ?"

Julienne la fixait, avec un air de défi.

"Grosse dondon." Elle la désigna de sa petite main. "Tu es une grosse dondon."

Faye fit un pas vers elle.

"Ce n'est pas vrai du tout. Et on ne dit pas ça !

— Mais si ! C'est papa qui le dit !

— Papa dit que je suis grosse ?"

Sa voix devenait si faible. Soudain, elle ne savait pas quoi faire, restait bras ballants au milieu de la pièce. Julienne sembla comprendre qu'elle était allée trop loin, et se remit à sangloter.

Faye s'éloigna en titubant. Tout tournait. Elle savait à peine où elle était. Derrière elle, elle entendait Julienne l'appeler, en pleurs.

Elle s'enferma aux toilettes. Verrouilla et laissa quelques secondes sa tête appuyée contre la porte. La fraîcheur du bois l'apaisait. Elle sortit le test de grossesse. Julienne tambourinait en criant de l'autre côté de la porte. Faye baissa son pantalon et sa culotte sur ses chevilles. S'assit sur la lunette et ouvrit l'emballage avec les dents. Elle plaça le stick entre ses jambes, se détendit et laissa l'urine couler sur la languette, sans se soucier de s'éclabousser les doigts. Dehors, Julienne criait toujours.

STOCKHOLM, SEPTEMBRE 2001

Assise dans le bus, je regardais par la fenêtre les voitures qui filaient. L'air était chaud et étouffant. Le chauffeur avait ouvert la trappe du plafond pour faire entrer de l'oxygène, mais ça ne faisait presque aucune différence, juste un peu de vent sur mon épaule. À côté de moi, une grosse femme en sueur, un enfant en pleurs sur les genoux.

Nous sommes passés à Humlegården. C'était là que Jack et moi nous nous étions promenés. Je m'étais repassé le film de cette nuit d'août des centaines de fois.

Depuis, je n'avais pas raté une occasion de me rendre à Chinatown – comme Chris appelait la zone entre Sup de Co et le lycée Norra Real – dans l'espoir de tomber sur Jack. Mais il ne s'était jamais montré.

À part ça, ma vie était pour la première fois agréable et passionnante. Les études étaient faciles, mais l'avaient toujours été pour moi. Depuis ma première année, l'école avait toujours été mon refuge, l'endroit sur terre où j'excellais sans effort. Les enseignants me couvraient de louanges. Les cours étaient plaisants et intéressants, j'adorais.

Chris et moi passions presque tout notre temps libre ensemble. Aucune de nous n'avait besoin de bûcher particulièrement dur. Chris parce qu'elle se contentait de la moyenne aux examens. Et moi, parce que, depuis toute petite, il me suffisait de lire un texte très peu de fois pour le mémoriser.

Le rôle principal que jouait Viktor jusqu'ici dans ma vie s'était transformé en rôle de figurant. Je ne pouvais pas vraiment m'expliquer à moi-même ce qui s'était passé, mais après la rencontre de Jack, mes sentiments s'étaient refroidis. Je prenais mes distances. Inventais des examens inexistants pour expliquer que je n'avais pas le temps de le voir. Rejetais ses appels et mettais trois jours à lui répondre. Quant au projet d'emménager chez lui, je l'ai remis à plus tard jusqu'à ce qu'il cesse d'aborder le sujet.

Ma froideur avait changé Viktor, qui était devenu pathétique et hésitant. Il était de plus en plus empressé, collant, et moi de plus en plus distante. Notre liaison était moribonde, mais il s'agrippait à moi comme un noyé à une bouée. Il m'appelait du matin au soir, m'inondait de cadeaux et de preuves d'amour, me demandait sans arrêt où j'étais, ce que je faisais. Soudain, il s'est mis à me poser des questions sur mon passé, ma famille, ma vie avant lui. Je refusais de répondre. Car que dire ? Mais ma fermeture, mon refus de parler de moi ne le rendaient que plus désespéré. J'étais devenu un code secret. Comme s'il s'imaginait qu'il lui suffisait de craquer ce code pour que je recommence à l'aimer.

Le pire était qu'il n'y avait rien à redire à propos de Viktor. Il était mignon, gentil, avait de l'ambition. Il me traitait comme une princesse. Il était fidèle et fiable, vertus rares dans la jungle de Stockholm.

Mais il n'était pas Jack Adelheim. Et j'avais compris que j'allais devoir le larguer. J'en avais jusqu'alors repoussé le moment. Mais ce n'était plus possible.

Quand le bus a ralenti au niveau du parc Tessin, je n'ai pas hésité. Le blesser allait être pénible, mais il fallait rompre.

"Pardon, je descends ici", ai-je dit.

La femme à l'enfant s'est lourdement levée pour me laisser passer. Ses bourrelets débordaient de son tee-shirt trop serré sur son jean. Son gosse bavait. La morve verte pendait à son nez comme une grappe de raisin. Mon Dieu. Je ne serais jamais une maman pareille. Et mon enfant serait toujours parfait. Mon enfant, à moi et Jack. J'ai sursauté, rougissant de honte à rêver ainsi en plein jour. Mais tous mes rêves désormais concernaient Jack. Endormie, comme éveillée. Il n'y avait plus aucune place pour quelqu'un comme Viktor.

Les portes du bus se sont ouvertes avec un soupir, et je me suis retrouvée en plein soleil. Viktor devait me retrouver au milieu du parc Tessin, comme à son habitude. Je l'imaginais sortant de chez lui. Content, croyant que nous allions aller manger une pizza. Puis rentrer, regarder un film, faire l'amour et nous endormir ensemble. Rien de tout cela n'allait arriver.

En principe, j'avais pitié de lui, mais ne ressentais rien. Le désir de Jack rejetait tout le reste dans l'ombre et me rendait indifférente. Et le tour que prenait le caractère de Viktor m'excédait. Il avait grandi dans sa petite bulle protégée, tout avait été facile pour lui. Au début, sa naïveté m'avait attirée mais, désormais, elle ne faisait que me gêner. Il ne savait rien de la vie, et moi bien trop. Viktor n'avait aucune idée de qui j'étais. Ou de *ce que* j'étais.

Il portait une chemise en jean et un chino clair. Avec un grand sourire, il s'est penché pour m'embrasser sur la joue.

"Tu m'as manqué, a-t-il dit en me prenant sous son bras. Tu prends tes études trop au sérieux. Quelle pizzeria tu préfères ? Valhalla ou Theorodas ?

— Il faut que je te parle. Viens t'asseoir."

Je l'ai traîné jusqu'à un banc vert. Viktor s'est tourné vers moi en enlevant ses lunettes de soleil. Il les a soigneusement pliées pour les glisser dans la poche de sa chemise. Son regard a flanché.

"Il s'est passé quelque chose ? Tu vas bien ?" a-t-il demandé en feignant de ne pas savoir ce que j'allais dire.

Un peu plus loin, une bande de poivrots jouaient à la pétanque en buvant du vin. Des voix gaies, rauques.

"Je ne veux plus être avec toi. C'est fini."

En entendant mon ton froid, je me suis efforcée d'avoir l'air désolée. Viktor regardait devant lui, les yeux vides.

"Bon... C'est quelque chose que j'ai fait ?"

Il se tortillait sur le banc. Évitait mon regard. Déglutissait. Et déglutissait encore.

"Non. Tu n'y es pour rien."

J'avais du mal à le regarder en face, je ne voulais pas montrer mon mépris. Pour l'éviter, j'ai suivi la partie de pétanque. Le degré éthylique des joueurs aidant, les boules atterrissaient un peu n'importe où, mais ils applaudissaient et étaient très contents quand même. Derrière les poivrots, une petite fille a trébuché sur le gravier. Sa maman s'est précipitée. A essuyé ses genoux écorchés, l'a prise dans ses bras, consolée.

"Y a-t-il quelque chose que je pourrais faire autrement ? Peut-être que tu as juste besoin d'un peu de temps ?"

Sa voix était rauque. Ce que j'avais dit commençait à s'imprimer, et il était au bord des larmes. J'ai regardé alentour. S'il se mettait à pleurer, j'allais me lever et m'en aller. Je ne supportais pas les personnes qui pleuraient. J'avais eu tout mon saoul de larmes pour une vie.

"Non. Je suis désolée, mais je ne t'aime plus, c'est tout.

— Mais moi, je suis amoureux de toi ! Tu es ce qui m'est arrivé de mieux. Tu es la plus belle personne que j'aie jamais rencontrée."

Il a posé sa main sur la mienne. L'a massée, pétrie. Comme si ça allait me faire changer d'avis. Comme si c'était moi qui avais besoin d'être consolée.

Le problème principal des gens, je le comprenais, était de projeter sur les autres leurs propres chagrins. De vouloir les partager. Ils imaginent que parce qu'on a le même ADN, on va automatiquement éprouver du chagrin dans les mêmes situations. Le chagrin n'est pas plus facile à supporter juste parce qu'on le partage, au contraire, ça le rend plus pénible. Et Viktor n'avait aucune idée de ce qu'était un vrai chagrin.

"Bon, d'accord, je comprends, a-t-il dit en hochant la tête. Mais est-ce que tu ne pourrais pas venir chez moi, qu'on en parle tranquillement ? Là, avec tous ces gens autour, je n'y arrive pas. Accorde-moi une dernière soirée. Juste une. Après, je disparaîtrai de ta vie, je m'en irai de mon côté, sans protester. S'il te plaît…"

Il me serrait si fort la main que ça me faisait mal, et je savais que j'aurais dû dire non. Ça ne lui apporterait aucune consolation. Mais c'était une porte de sortie facile, et je m'en suis saisie.

Pendant le court trajet jusque chez lui, j'ai eu le temps de le regretter plusieurs fois, mais la rupture serait peut-être moins douloureuse si je le laissais vider son sac. En même temps, j'aurais voulu éluder cette conversation pénible qui m'attendait, je n'avais pas la force d'écouter ses déclarations d'amour et ses reproches. Il avait besoin de réponses, mais je n'en avais aucune à lui donner. Je savais seulement que mon cœur appartenait à un autre, et qu'il fallait que je tourne la page.

Pour avoir un peu de répit, je me suis proposée d'aller acheter des pizzas. Je me doutais que la soirée serait longue, et que nous aurions tous les deux besoin de nourriture. Viktor n'a rien répondu. Il restait assis sur son lit, absolument silencieux, les épaules affaissées de désespoir.

"Je reviens bientôt", ai-je assuré en évitant son regard accusateur.

J'ai pris ensuite mon portefeuille dans mon sac et refermé la porte derrière moi. Je peux bien lui donner un soir, ai-je pensé. Après, je serai libre.

Vingt minutes plus tard, je suis revenue. Viktor m'a regardée poser les pizzas sur la table de son studio, d'un air bizarre. Presque triomphal. Il était toujours assis sur le bord du lit défait, mais à côté de lui, il y avait quelque chose que je reconnaissais. Mon cœur a bondi. C'était mon journal. Viktor avait fouillé dans mon sac. Mon cahier de brouillon était aussi là. J'y prenais des notes pour mes études et, ces derniers temps, je l'avais rempli de gribouillages puérils. Le nom de Jack dans un cœur. Mon prénom accolé à son nom de famille. Grotesque. Ridicule. Mais pour Viktor, il n'y avait là rien de ridicule.

"Maintenant, je sais qui tu es vraiment", a-t-il dit, calmement.

Sa voix était détimbrée. Morte. Quelque chose s'était brisé en lui.

"Je sais qui tu es. La question est si *lui*, il le sait…"

Le mot "lui" sonnait comme une accusation. La panique s'est emparée de moi. Personne ne devait savoir. Ce qui était décrit dans mon journal était mon ancienne vie. La vérité à son sujet changerait tout. Je m'attirerais les mêmes regards que lorsque j'étais encore Matilda. Je vivrais à nouveau la même humiliation. Personne ne me regarderait plus de la même façon. Surtout pas Jack.

"Tu as été infidèle. Tu as couché avec Jack Adelheim. J'ai tout à fait le droit de lui raconter. Est-ce qu'il est au courant pour nous ? Que tu as un petit ami ?"

Je savais que ça ne valait pas la peine de tenter d'expliquer. Peu importerait que nous n'ayons pas couché ensemble, qu'il n'y ait eu qu'un baiser volé.

Viktor était comme un animal blessé, les yeux noirs de haine et de désespoir. Je comprenais qu'il était prêt à tout pour me ravoir. Ou se venger. Pour m'infliger la même douleur que celle qui le déchirait. Il dirait la vérité sur qui j'étais vraiment, pas seulement à Jack, mais au monde entier. C'en serait alors fini de Faye, de ma nouvelle vie. Tout serait fini.

La panique a cédé la place à une froideur que j'ai reconnue d'avant. Un calme singulier s'est emparé de moi, et j'ai compris qu'il n'y avait pas d'alternative. Pas question de laisser Viktor m'arrêter.

Quand j'ai croisé son regard, c'était de la haine que je ressentais. J'avais payé le prix fort pour arriver là où j'étais, et voilà qu'il me barrait la route comme un foutu juge ? Il ne savait rien de la douleur que j'avais dû endurer, des actes que j'avais été forcée d'accomplir, des visions avec lesquelles j'étais forcée de vivre pour le restant de mes jours.

Mais tout ça, je l'ai gardé pour moi. Les hommes sont simples. Les hommes sont faciles à manipuler, et Viktor ne ferait pas exception. Je l'avais déjà fait, je pouvais le refaire.

Je me suis assise à côté de lui. J'ai pris sa main dans la mienne. Je lui ai parlé avec chaleur, en caressant le dos de sa main avec mon pouce. J'ai senti qu'il se détendait. Contre sa volonté.

"Tu peux faire ce que tu veux. Je te comprends. Je comprends que tu sois triste et blessé. Mais je ne t'ai pas trompé avec Jack et je ne veux pas qu'on se sépare fâchés. On fait comme convenu. Un dernier soir ensemble. Tu peux même avoir une nuit. Un matin. Ensuite, tu feras comme tu voudras. Me blesser à mon tour, si c'est ce que tu veux. Tout raconter à Jack. C'est ton droit. Mais je veux que nous passions une dernière nuit ensemble."

J'ai senti qu'il mollissait. Qu'il était tenté de me croire. Qu'il ne pouvait pas refuser une dernière chance d'intimité. Je le connaissais. Je connaissais les hommes.

Nous avons mangé notre pizza et partagé deux bouteilles de vin. Je me contentais de tremper mes lèvres dans mon verre, laissant Viktor boire. Nous avons fait l'amour sur le canapé. Il m'a prise brusquement, brutalement. Je l'ai laissé faire. J'ai fermé les yeux en pensant à Jack. J'ai évoqué son visage, je me suis absentée de mon corps qu'il défonçait à coups de boutoir, en sanglotant. Après, il m'a tourné le dos. Je suis allée me laver, grimaçant de douleur tandis que je m'efforçais précautionneusement de tout essuyer. Quand je suis revenue, il dormait. Maintenant, rien ne pourrait le réveiller.

Je suis sortie sur le balcon allumer une cigarette. Les lumières de la ville scintillaient dans la nuit d'été, j'entendais des voix et de la musique. Ma cigarette fumée, j'en ai allumé une autre. Je suis retournée voir Viktor qui était couché sur le dos et ronflait la bouche ouverte. Je l'ai poussé. Aucune réaction. Il était complètement épuisé par le vin et le tourbillon de ses émotions. J'ai déposé la cigarette dans le lit et je suis restée pour m'assurer que les draps bon marché et facilement inflammables prenaient feu. D'abord, elle n'a fait que se consumer. Puis une flamme s'est formée.

Le sang-froid que j'éprouvais commençait à s'estomper. Une panique insidieuse me bourdonnait aux tempes. J'ai détourné le regard des flammes et me suis hâtée de gagner la porte. Quand je l'ai refermée derrière moi, le lit et les rideaux avaient pris feu.

Une fois ressortie dans la rue, j'ai cru vomir. Les personnes souriantes que je croisais s'approchaient beaucoup trop près, faisaient beaucoup trop de bruit. Mais je tenais fermement mon sac. Mon journal était à nouveau sous bonne garde. Et j'étais toujours libre.

Le test de grossesse était positif. Dans le ventre de Faye, il y avait un fœtus, une nouvelle personne. Moitié elle. Moitié Jack. Il avait toujours souhaité un fils, un héritier. Peut-être allait-elle pouvoir lui en donner un ?

Faye passa la main sur son ventre, assise devant le plan de travail de la cuisine, incapable de rien faire. Sur la cuisinière, sa sauce bolognaise attendait, intacte, car Jack ne s'était pas encore pointé. Désormais, rien ne l'empêchait de manger. L'enfant avait besoin de nourriture pour se développer. Elle se leva et s'approcha de la cuisinière. Trempa un doigt dans la sauce encore tiède. Remplit son assiette d'une platée de pâtes. La noya de sauce et mangea toute la portion debout devant l'îlot de la cuisine. C'était divin. Elle ferma les yeux en mangeant, tandis que le bien-être se répandait dans son corps qui se détendait. C'était si bon de pouvoir enfin manger qu'elle en avait les larmes aux yeux.

Elle s'inquiéterait de son poids après la naissance de l'enfant : pour le moment, le plus important était de se nourrir pour deux.

Comme la dernière fois, elle reprendrait le sport après l'accouchement, mais elle suivrait aussi un régime sévère dès qu'elle cesserait d'allaiter. Elle ne s'enfermerait pas dans sa bulle avec son bébé, mais donnerait la priorité à Jack et son mariage. Leur fils serait un nouveau départ, pour leur couple, et pour elle comme femme et épouse.

Elle se resservit une portion et posa l'assiette sur la table.

Une heure plus tard, la porte s'ouvrit et Faye sentit son ventre tressaillir d'espoir. Elle appela Jack, qui glissa sa tête dans l'embrasure. Elle se leva et alla à sa rencontre. Bientôt, ce pli entre les sourcils allait disparaître.

"J'ai une nouvelle fantastique, chéri. Viens t'asseoir."

Jack soupira.

"Je suis fatigué, ça ne peut pas attendre que… ?

— Non, allez, viens."

Faye ne pouvait pas attendre.

Jack haussa les sourcils, mais s'assit à la table de la cuisine. Elle savait qu'il serait heureux quand il saurait, et ignora sa mine stressée.

"Alors ?" fit-il.

Faye lui sourit.

"Je suis enceinte, chéri. Nous allons avoir un autre enfant."

L'expression de son visage demeura inchangée.

"C'est peut-être un garçon, dit-elle. Toi qui voulais avoir aussi un fils."

Faye se caressa le ventre et sourit à nouveau. Il avait toujours aimé son sourire, disait qu'il était contagieux. Mais ce soir, il se contenta de se passer avec lassitude une main sur le visage.

"Qu'est-ce qu'il y a ?" dit Faye.

Sa gorge était à nouveau serrée.

"Ce n'est pas le moment, Faye. Je ne veux pas d'un autre enfant.

— Qu'est-ce que tu veux dire ?"

Qu'avait-il ? Pourquoi ne se réjouissait-il pas ?

"Je trouve que ça suffit avec Julienne.

— Mais…"

Sa voix défaillit. Elle ne reconnaissait pas le regard de Jack.

"Ce n'est pas possible. Je suis désolé, mais tu vas devoir… enfin, tu sais…"

Faye secoua la tête.

"Tu veux… tu veux que je me fasse avorter ?"

Jack hocha la tête.

"Oui, c'est ennuyeux, bien sûr, mais ça n'est tout simplement pas possible."

Elle aurait voulu se jeter sur lui. Le secouer. Mais elle savait que tout était sa faute. Elle l'avait pris au dépourvu, il fallait lui laisser le temps de digérer la nouvelle.

Jack se leva.

"OK ?" dit-il.

Faye déglutit, une boule lui serrait la gorge. Il luttait tant pour elle et Julienne. Pouvait-elle vraiment exiger davantage ?

"Oui, je comprends", dit-elle.

Le visage de Jack s'adoucit. Il se pencha et lui posa un baiser sur le front.

"Je vais me coucher."

En route vers la chambre à coucher, il se retourna.

"J'appelle mon médecin demain matin, que ça soit fait au plus vite."

La porte de la chambre se referma, et Faye se leva en hâte. Elle gagna vite les toilettes et leva la lunette à la volée. Elle rendit spaghettis et sauce bolognaise, la tomate se mêla au goût âcre de la bile. Quand elle eut tiré la chasse, elle appuya la tête contre la faïence froide et laissa venir les larmes.

STOCKHOLM/BARCELONE, SEPTEMBRE 2001

Je dormais comme une morte depuis plus de vingt-quatre heures quand une sonnerie stridente de téléphone m'a réveillée. C'était Axel. Quand j'ai entendu sa voix brisée me raconter ce qui s'était passé, que Viktor était mort après s'être endormi dans son lit avec une cigarette allumée, les larmes sont venues. Je sanglotais tant que tout mon corps tremblait.

J'avais été forcée de faire ce que j'avais fait, il n'y avait pas le choix, mais le prix était élevé. Le prix est toujours élevé.

Après cet appel, je suis restée dans mon lit, les genoux remontés contre la poitrine. Concentrée sur ma respiration. Inspirer, expirer.

Les paroles de Viktor résonnaient encore à mes oreilles : *"Je sais qui tu es. La question est si* lui, *il le sait..."* Viktor n'aurait jamais gardé le silence. S'il avait vécu, Faye serait morte.

Quelques jours plus tard, de grosses gouttes de pluie se sont écrasées contre la fenêtre. C'était un soulagement. Elles ont rincé la chaleur étouffante étendue sur Stockholm comme une couverture humide.

Chris était en voyage. Ses parents l'avaient invitée dans leur appartement de Majorque, j'étais à nouveau seule à Stockholm. Quand je lui avais envoyé un bref SMS pour lui dire ce qui était arrivé à Viktor, elle m'avait proposé de rentrer, mais je l'avais assurée que ça allait.

Je me suis enterrée dans la micro et la macroéconomie, les statistiques et l'analyse financière. Tout ce qui comptait, c'était l'école. Réussir, être la meilleure. Tout dépendait de moi, personne ne pouvait faire le travail à ma place. Et j'avais pris ma décision. J'allais me créer une tout autre vie. Diriger des entreprises. Voyager en classe affaires, gagner plus d'argent que nécessaire, avoir un bel homme (Jack), des enfants bien élevés, posséder des maisons et des appartements dispersés dans des endroits intéressants dont j'avais entendu parler ou que j'avais vus dans des films. Je voulais tout avoir. J'allais tout avoir.

Mon téléphone qui se rechargeait sur le lit a sonné. Probablement Chris qui voulait me raconter où elle en était en Espagne. Je me suis couchée sur le lit et j'ai regardé l'écran avant de répondre. Un numéro inconnu.

"Oui, allô ?

— Salut !

— Qui est-ce ? ai-je demandé, même si j'avais reconnu la voix.

— C'est Jack. Jack Adelheim."

J'ai fermé les yeux. Ne pas paraître trop empressée. J'ai un peu tardé à répondre :

"Ah ? Salut…

— Je dérange ?"

Il semblait enthousiaste. Gai. Derrière lui, on entendait de la musique.

"Non, pas du tout. Qu'est-ce qui t'amène ?"

M'évertuant à paraître nonchalante, j'ai roulé sur le dos.

"Je voulais savoir si tu avais envie de m'accompagner quelque part. Ce soir, je veux dire. J'ai besoin de m'éloigner un peu d'Henrik.

— D'accord. Dans quel bar tu veux qu'on se retrouve ?

— Un bar ? Non, je veux dire partir en voyage."

J'ai ri. Il était fou.

"En voyage ?

— Oui, quelques jours. On sera rentrés dimanche. Prends quelques vêtements et rejoins-moi à la gare, on part à Barcelone.

— OK." J'ai remarqué que je retenais mon souffle.

"Tu es d'accord pour venir ? s'est-il étonné.

— Oui.

— Alors on se retrouve dans trente minutes."

J'ai raccroché sans avoir vraiment compris ce que je venais d'accepter. Puis je me suis levée et j'ai commencé à faire ma valise.

À l'atterrissage, nous étions ivres. Nous avions commencé à boire dès l'aéroport d'Arlanda, puis avions traversé l'Europe en continuant à ingurgiter des drinks. Après un peu d'attente dans la queue des taxis, nous avons fini par avoir une voiture. Je pouffais, mal assurée sur mes jambes, intensément consciente du sang qui circulait dans chacune de mes veines, mes vaisseaux capillaires, tout mon corps.

"*Hotel Catalonia, por favor*, a-t-il indiqué une fois sur la banquette arrière. *Está en el Born, lo conoce usted ?*"

La voiture a démarré en trombe et, au même instant, j'ai senti la main de Jack sur ma cuisse, brûlante sur ma peau.

"Je ne savais pas que tu parlais espagnol.

— Il y a beaucoup de choses que tu ne sais pas sur moi", a répondu Jack avec un clin d'œil.

Il a un peu remonté sa main sur ma cuisse, et tout mon sang a afflué vers mon entrejambe.

"Qu'est-ce que c'est, comme hôtel ?

— Tu ne vas pas être déçue."

J'ai souri en détournant la tête. Comment pourrais-je jamais être déçue par Jack ?

La sombre nuit de septembre était chaude et humide. Des gens légèrement vêtus se promenaient dans les rues à la recherche d'un peu de fraîcheur, d'un endroit où dîner et de compagnie. J'ai baissé la vitre pour profiter du courant d'air sur mon visage. J'avais besoin de me refroidir un peu.

Je ne m'étais jamais aventurée au-delà du Danemark, un voyage en voiture, en famille. Des vacances qui s'étaient terminées brutalement. Mais je ne voulais pas penser à ça pour le moment. J'ai laissé le vent emporter tous ces souvenirs en me persuadant que je pouvais les remplacer par des nouveaux. Toutes les cellules du corps se renouvellent, sont remplacées. Pourquoi pas aussi les souvenirs ?

"J'aime cette ville. Tu vas voir, on y respire mieux", a dit Jack en fermant les paupières.

Ses longs cils se dessinaient comme des éventails sur ses joues.

"Tu es déjà venu ?"

Il a rouvert les yeux et m'a regardée, avec des reflets de réverbères et d'enseignes néon dans leur bleu.

"Deux fois."

J'aurais voulu lui demander s'il s'agissait de voyages similaires à celui-ci. S'il avait pris d'autres taxis, avec des promesses en l'air et la main sur la cuisse d'autres femmes. Peut-être était-ce là le truc habituel de Jack Adelheim ? Peut-être suivait-il son manuel de séduction ? Mais ça n'avait pas d'importance. Trois jours dans cette ville en compagnie de Jack, c'était si tentant que je n'avais pas l'intention de perdre mon temps en jalousie absurde et réflexions inutiles. J'étais ici, maintenant. Avec la main de Jack sur ma cuisse.

Nous nous sommes engagés sur une avenue, avons stoppé à un feu avant d'entrer dans un beau quartier. Les rues étaient de plus en plus étroites. Les pavés embrassaient les pneus en chuintant. Nous avons attendu pour laisser passer une voiture qui arrivait en face. La sueur me poissait sous les bras, mais j'ai fermé les yeux en me laissant enivrer par les sons. Rires, couverts entrechoqués, conversations passionnées et musique. Partout des bars, des restaurants, des cafés. L'odeur sucrée du cannabis.

J'aurais voulu prendre la main de Jack, la serrer, le regarder dans les yeux pour lui dire combien il était extraordinaire, combien j'étais heureuse d'être là. Mais j'avais décidé de ne prendre aucune initiative. De ne rien bousculer.

"Voilà, c'est ici", a dit Jack.

Une façade blanche avec des portes vitrées. Au-dessus, le nom de l'hôtel en grandes lettres : HOTEL CATALONIA BORN. Un jeune portier s'est précipité, a fait le tour de la voiture pour me tenir la porte.

"*Gracias*", ai-je dit avec un sourire. La chaleur de la main de Jack me manquait déjà en me levant pour descendre du taxi.

"Tu commences déjà à apprendre !" a lancé Jack tandis qu'il payait le chauffeur.

Le portier a pris nos valises, nous sommes entrés et Jack s'est mis à baragouiner son espagnol avec la réceptionniste. Puis est passé à l'anglais quand la communication est devenue trop difficile. Nous avons rempli quelques formulaires et donné nos passeports. Une photocopieuse a ronronné, et on nous les a rendus.

"Et voilà", a dit Jack.

La réceptionniste a appelé le portier qui attendait et nous l'avons suivi dans l'ascenseur qui nous a conduits au cinquième étage. En entrant dans la chambre, j'ai découvert que Jack avait réservé une suite. Je n'avais jamais vu ça.

"C'est incroyable, ai-je lâché, ruinant toute prétention de passer pour une femme du monde. Mon Dieu, je pourrais faire entrer dix fois mon studio, là-dedans !"

Au milieu de la vaste pièce trônait un grand canapé devant un écran plat. À côté, un chariot bar bien approvisionné. Une immense baie panoramique s'ouvrait dans la façade, avec une vue à des kilomètres à la ronde.

J'ai écarté les épais rideaux qui cachaient la porte de la terrasse, j'ai ouvert et je suis sortie. La chaleur était douce comme du velours. À mes pieds, la ville scintillait. Des parfums et des sons montaient jusqu'à moi. De la guitare quelque part, dans un appartement. La mer sombre et infinie, embrassant les plages.

"Alors ?" a demandé Jack.

Il est venu derrière moi, m'a enlacée en reposant sa tête sur mon épaule.

"Je ne sais pas quoi dire", ai-je répondu en me retournant. J'ai croisé son regard. J'aurais voulu me jeter sur lui, l'embrasser, arracher nos vêtements, le pousser dans le jacuzzi, le chevaucher, le sentir en moi.

"Le propriétaire de l'hôtel est une connaissance, a expliqué Jack.

— Suédois ?

— Oui. On loge gratis.

— Tu plaisantes ?

— Je ne plaisante jamais avec l'argent, a répliqué Jack. On sort manger un morceau ?"

En sortant de l'hôtel, nous avons pris à gauche. Mes talons se sont coincés entre des pavés, j'ai trébuché. Jack m'a rattrapée par le bras. Avant de quitter la chambre, j'avais retouché mon maquillage, changé de sous-vêtements et mis une jupe noire. Je me sentais belle. Et Jack me voulait, aucun doute là-dessus. Il me lançait sans arrêt des regards affamés. Une partie de moi aurait voulu sauter le dîner, rester dans la chambre pour baiser jusqu'à épuisement. Mais j'étais trop curieuse de la ville.

Partout, les gens s'attroupaient aux coins des ruelles, où retentissaient des rires rauques. Un homme aux yeux sombres, en tee-shirt de footballeur s'est avancé vers nous.

"Du shit ?"

Jack a négocié le prix. L'homme gesticulait. L'affaire a été vite conclue. Jack a tendu quelques billets, et reçu un petit paquet en échange. Il a déplié le papier et en a sorti une boulette brune.

"Sens-moi ça."

J'ai fermé les yeux et inspiré le parfum sucré. Je n'avais encore jamais essayé. Ni le shit, ni rien qui soit plus fort que l'alcool ou les cigarettes. Mais ici, à Barcelone, avec Jack, cela me semblait tout naturel. Jack était lui-même une drogue qui me donnait envie d'essayer toutes les drogues du monde.

Il a soigneusement replié le papier et a glissé le paquet dans la poche de son jean. La musique s'est faite plus forte et nous sommes arrivés sur une petite place. Des tables et des chaises se serraient le long des façades. Des gens fumaient, trinquaient et mangeaient.

"Ici ? a-t-il montré.

— D'accord", ai-je répondu, trop occupée à m'imprégner de l'environnement pour décider où dîner.

Nous nous sommes installés à une table. Un serveur en chemise blanche et nœud papillon s'est approché, Jack a commandé des tapas. Une bière pour lui, un mojito pour moi.

On nous a servi nos boissons. Jack s'est penché pour prendre une feuille de menthe dans mon verre, qu'il a mise dans sa bouche.

"C'est quoi, le truc, chez toi, Faye ?

— Tu pourrais être plus concret ?

— Tu as tout pour toi. Tu es belle, tu bois comme un mec et, d'après les renseignements que j'ai pu prendre à l'école, tu es la meilleure de ta promo. Henrik a parlé de te prendre comme associée dans notre entreprise. Tu dois bien avoir un défaut. Est-ce que tu serais un homme, par hasard ? Est-ce que tu as un pied bot ?"

Il s'est penché en faisant semblant de regarder sous la table.

J'ai ri en lui décochant un coup de pied. La table a vacillé, et il a ri avec moi.

"Et en plus tu es drôle. Tu es contente d'être là ?"

Un brusque changement sur son visage. Un trait de gravité et l'ombre de ce qui ressemblait à de l'incertitude. Ses yeux bleus m'ont regardée, m'ont pénétrée. J'ai frissonné. Détourné le regard. Je ne pouvais pas lui montrer à quel point j'étais folle de lui, pas encore. Les hommes comme Jack ont besoin de se battre, de chasser, pour conquérir quelqu'un. Sinon, ils disparaissent.

Je savais aussi que je ne devais rien lui laisser voir de Matilda. Mais ce n'était pas un problème. Chaque jour, le souvenir du passé pâlissait davantage. Il n'y avait plus que Sebastian qui pouvait parfois me rendre visite dans mes rêves. Mais ça aussi, de moins en moins souvent.

"La ville, rien à dire, mais la compagnie aurait pu être meilleure, l'ai-je défié.

— Ah bon ?"

Jack a fait tourner son verre de bière en me fixant avec un sourire en coin.

"Et au fait, ton petit ami, qu'est-ce qu'il est devenu ?" a-t-il demandé avec curiosité.

J'ai revu Viktor dans son lit, au moment où ses draps prenaient feu.

"C'est fini."

Jack n'avait jamais rencontré Viktor, ne connaissait aucun détail. Et je ne voulais pas non plus lui en donner.

La flamme de la chandelle se reflétait dans les yeux de Jack.

Le serveur a posé devant nous une assiette de jambon cru et de fins morceaux de fromage triangulaires. J'ai pris un peu de jambon, c'était gras entre les doigts, mais ça fondait dans la bouche.

"Ça me plaît d'être ici. Je n'étais jamais allée en Espagne.

— Et tu es allée où, alors ?

— Au Danemark. Et à Fjällbacka.

— C'est de là que tu viens ?

— Oui. De Fjällbacka, je veux dire. Pas du Danemark."

J'ai songé au voyage au Danemark. Legoland. Et comme on pouvait s'y attendre à la catastrophe finale.

"Et comment c'est, là-bas ?

— Le contraire d'ici, ai-je répondu en embrassant la place d'un geste. Des rues vides. Un seul endroit où aller si on veut sortir. Tout le monde sait tout sur tout le monde.

— Et tes parents y habitent toujours ? Des frères et sœurs ?"

Jack a attrapé un morceau de jambon sans me quitter des yeux. Le visage de Sebastian m'est apparu. Démoli, ce soir terrible. J'ai dégluti plusieurs fois.

"Mes parents sont morts. Je suis fille unique."

Le serveur a apporté la suite : tranches de pommes de terre, crevettes à l'ail dans l'huile, boulettes de viande à la sauce tomate.

J'ai trempé les lèvres dans mon cocktail. Le rhum m'a brûlé la gorge. C'était un mojito chargé. Pas comme ceux chers mais chiches qu'on sert à Stureplan. Je sentais mon air oppressé. Je luttais pour reprendre le contrôle de l'expression de mon visage. Mais tout l'alcool bu depuis notre départ de Stockholm ne me facilitait pas la tâche. J'ai allumé une cigarette pour gagner du temps.

"J'aimerais y aller, un jour."

Jack n'a pas posé de questions sur le reste. Je ne l'en aimais que davantage.

"Non, tu n'en as pas envie.

— Mais si. Bien sûr que si. Je veux voir de nouveaux en-droits. Je n'ai jamais assez de nouveaux endroits."

Et de nouvelles femmes, ai-je pensé. Sans rien dire.

"J'ai des potes qui allaient à Fjällbacka l'été. Il paraît que c'est drôlement joli, a-t-il dit en sauçant l'huile des crevettes à l'ail avec un bout de pain.

— Et toi, Jack, quel est *ton* secret ?" ai-je dit pour changer de sujet.

J'ai continué à boire mon mojito, tandis que, dans le ciel, les étoiles se rapprochaient.

"Mon père est alcoolique et dépendant au jeu", s'est-il empressé de dire. Il a pris un autre bout de pain pour le tremper dans l'huile. "C'est un foutu loser qui a bu une grande partie de son héritage. La honte de la famille. Mais il n'a pas pu m'enlever mon nom. Et, c'est vrai, il m'ouvre beaucoup de portes. Mais pas grâce à lui. Ça, je le dois à d'autres membres de la famille et à nos ancêtres.

— Je ne savais pas.

— Non, ce n'est pas exactement la première chose que j'écris sur ma carte de visite. Peu de gens sont au courant. Quand on me demande, j'ai l'habitude de dire qu'il vit à l'étranger. C'est plus facile comme ça. Dans la bonne société de Stockholm, ce n'est pas un secret. Tout le monde connaît mon paternel.

— Et ta mère ?

— Remariée. Son nouveau mari est un salaud, mais il a le mérite d'être riche. Elle n'est pas très douée pour choisir les hommes. C'est peut-être toujours comme ça quand on se base sur leur compte en banque pour les sélectionner. Ils vivent en Suisse. J'ai quitté la maison à seize ans. Mon oncle paternel, Carl, m'a laissé habiter un de ses appartements et m'a versé une somme mensuelle pour la nourriture, à condition que je travaille bien au lycée.

— Des frères et sœurs ?

— Non. Enfant unique, comme toi."

Jack s'est passé la main dans les cheveux, mais sa frange est aussitôt retombée sur son front. Un homme circulait de table en table avec des roses. Quand il est arrivé à la nôtre, Jack l'a chassé de la tête, et le vendeur a poursuivi sa tournée.

"C'est facile de parler avec toi, a dit Jack. Je te raconte des choses que je n'ai pas l'habitude de partager.

— C'est drôle. Je ressens pareil. Je me demande à quoi c'est dû."

À la seconde même où je disais ça, j'ai réalisé que c'était un mensonge. Il y avait beaucoup de choses que je ne racontais pas à Jack.

"Peut-être que nous sommes assez semblables." Jack a allumé une cigarette, tiré une bouffée. "Les autres ne se rendent pas compte combien nous sommes en fait seuls, toi et moi."

J'étais fascinée qu'il se sente seul. J'avais toujours vu Jack entouré d'une foule de gens.

"Et comment sommes-nous ?" ai-je demandé avec curiosité.

Qu'il nous trouve semblables était vertigineux.

"On n'aime les autres que jusqu'à un certain point. On connaît leur jeu. On se force. On fait semblant d'être comme eux, semblant d'être contents. Mais au fond, on est..." Il s'est tu et m'a regardée intensément. "Faye, tu es une romantique. Tu penses que ça ne se voit pas. Tu joues les blasées, les indifférentes. Mais tu veux que la vie soit plus riche, plus belle. Tu ne te contenteras pas de la vie de monsieur Tout-le-Monde. Tu veux atteindre le sommet, posséder le monde. Tu as des ambitions. C'est pour ça que tu n'es pas restée à Fjällbacka, que tu as déménagé à Stockholm. Et c'est pour ça que nous sommes attirés l'un vers l'autre. Nous sommes pareils. Nous avons faim. Mais tu as un désavantage si tu veux monter au sommet. Tu es une femme. Et c'est un monde d'hommes."

J'aurais voulu protester, dire qu'il se trompait. Mais tout au fond de moi, je croyais à ce qu'il disait. Alors j'ai avalé. Hoché la tête. J'ai ouvert la bouche pour répondre, mais ai été interrompue par le serveur qui apportait encore d'autres plats. Des calamars, des champignons frits, de la paella, des saucisses d'agneau et de l'aïoli. Mon cocktail vide a été remplacé par un grand verre de vin rouge, Jack a eu une autre bière. Nous nous sommes jetés sur toutes ces bonnes choses, et j'ai réalisé que je n'avais pas regardé l'heure depuis que j'avais quitté mon appartement.

Nous sommes encore restés là une bonne heure après avoir fini de manger. Loin d'avoir pu tout finir. Nous buvions du vin et de la bière. Chaque seconde qui passait me rendait plus amoureuse. Ma tête tournait. À la fois à cause du vin et de toutes ces émotions. Mon ventre était lourd de nourriture et de satisfaction. Je n'avais jamais été aussi heureuse que là, en cet instant. Les étoiles s'étaient installées dans ma poitrine.

J'ai tiré une bouffée sur ma cigarette. Laissé la fumée monter vers le ciel nocturne.

"Demain, on ira à la plage, a dit Jack. À moins que tu préfères te baigner dans la piscine, sur le toit de l'hôtel ?

— On verra."

Impossible de choisir. Je voulais tout.

"Tu as raison. On verra."

Il a payé et nous a remis sur le chemin de l'hôtel. Il y avait moins de passants dans les ruelles étroites. J'ai fait exprès de trébucher sur les pavés, pour avoir un prétexte de m'appuyer contre lui.

De retour dans la suite, j'ai réalisé que je n'avais pas encore vu la chambre. J'ai ouvert la porte et tourné le variateur. Tout comme dans le séjour, en guise de mur, une baie vitrée donnait sur la terrasse. De l'art moderne aux murs. Deux fauteuils en cuir. Et un énorme lit. Devant la baie vitrée trônait une baignoire à l'ancienne à pieds de lion.

"Jack ! ai-je crié. On a une baignoire dans notre chambre ! Regarde !"

Il est apparu derrière moi.

"Je sais. Un jour je veux en avoir une pareille.

— Moi aussi.

— Bien. Comme ça, on est d'accord.

— D'accord ?

— Oui, sur la manière de décorer notre maison."

J'ai fait semblant de ne pas entendre. Je ne le connaissais pas assez bien pour entrer dans son jeu. Je ne savais pas s'il était sérieux ou plaisantait. Et je n'étais pas une de ces filles naïves et privilégiées de la bonne société qui ont passé toute leur vie derrière de hautes grilles et ont l'habitude que tout leur soit mâché. Je savais que la vie n'était pas un conte de fées qui se terminait bien. Mais pour l'heure, ma vie était un conte. Et ça suffisait largement pour quelqu'un comme moi.

Je me suis approchée de la baignoire, j'ai tourné le robinet et trempé la main dans l'eau.

"Allez, on l'essaie.

— Maintenant ?

— Oui !"

Je lui ai tourné le dos, j'ai ôté mon débardeur et laissé tomber ma jupe. Toujours en talons. J'ai senti son regard me brûler le dos, et je jouissais de l'avoir en mon pouvoir. Lentement, j'ai défait mon soutien-gorge et enlevé ma culotte. Puis je me suis débarrassée de mes chaussures, me retrouvant entièrement nue. Dans le reflet de la fenêtre, je l'ai vu comme pétrifié. Maintenant, c'était moi qui avais le contrôle.

Il s'est assis sur le lit. A commencé à enlever chaussures et pantalon. L'œil tout le temps sur moi. Je jouissais de l'avoir pour moi toute seule. À ma merci.

"Tu viens, ou tu as besoin d'aide ?

— Besoin d'aide, je crois."

J'ai lentement fait volte-face. J'ai senti le vin me monter à la tête. J'ai fait quelques pas vers lui et lui ai enlevé son tee-shirt et son pantalon. Il avait un corps incroyable. Musclé et bronzé. Les muscles des bras et du torse bandés sous la peau. Je me suis placée face à lui. Me suis agenouillée en le regardant dans les yeux. Il s'est penché pour essayer de m'embrasser, mais j'ai détourné la tête et saisi son slip. Il a soulevé les fesses pour que je puisse l'enlever. Sa bite était dressée. Je me suis penchée et l'ai prise dans ma bouche. Une seconde. Deux. Trois. Sans le quitter des yeux. Puis je me suis retirée.

"Non, c'est l'heure d'aller faire trempette", l'ai-je taquiné en gagnant la baignoire.

Il s'est levé et m'a suivie. La baignoire était à demi remplie, l'eau chaude avait un léger parfum de chlore. Une seconde après, j'ai senti sa main sur mon avant-bras. Sa poigne était ferme, presque agressive. Il m'a tirée à travers la chambre, placée au bout du lit et m'a poussée pour que je tombe en avant. Sur le ventre. Je me suis cambrée pour montrer que j'avais autant envie que lui, que c'était moi qui gardais le contrôle. Quand il est entré en moi, j'ai gémi. Une demi-seconde de douleur. Mais il faisait attention, et ne m'a pas brusquée. Je me suis mise à quatre pattes, et il a commencé ses lents coups de boutoir. La porte de la terrasse était ouverte et de dehors montait de la musique, mêlée de rires et de voix. Une voiture qui klaxonnait. Je percevais les sons faiblement, comme éloignés, derrière le bourdonnement de mes oreilles. Je sentais ses mains sur ma taille tandis qu'il me pénétrait. Mon Dieu, que j'aimais être baisée par lui.

"Plus fort, ai-je gémi. Plus fort."

Il m'a attrapé la nuque. M'a plaqué le visage contre l'oreiller, a fait de moi ce qu'il voulait. J'ai frémi, et l'orgasme s'est propagé dans tout mon corps. Une seconde plus tard, Jack a joui avec un grand gémissement. Il s'est jeté en avant de tout son poids sur moi. Nous sommes restés un moment ainsi. Silencieux, emplis de l'intensité de ce que nous venions de vivre.

Nous sommes ensuite allés dans la baignoire. Jack a pris le paquet de cannabis et a roulé un joint que nous avons partagé.

"Tu es très, très sexy, a dit Jack.

— Tu n'es pas trop mal non plus, ai-je répondu. Faute de mieux."

Il m'a éclaboussée, j'ai poussé un cri, qui s'est bientôt transformé en rire pétillant.

Après, nous nous sommes glissés nus sous la couette. Il m'a prise dans ses bras, m'a serrée contre lui. A promené les doigts sur mon corps, mais en évitant les seins, les fesses et mon sexe. Dès qu'il descendait trop, il changeait de direction. C'était frustrant. Ma respiration s'est faite plus lourde. Le contrôle m'avait échappé. Et j'ai été saisie de vertige en réalisant que je le laissais le prendre. Ça m'effrayait autant que ça m'excitait.

"Bonne nuit, ma future petite femme", a-t-il chuchoté.

Quelques minutes plus tard, j'ai entendu ses légers ronflements.

J'avais encore envie. J'ai posé la main sur sa bite, l'ai sentie gonfler, me suis glissée sous la couette pour la prendre dans ma bouche. Il s'est réveillé et nous a débarrassés de la couette. Sans un mot, je me suis mise à califourchon sur lui, j'ai posé les mains sur son torse et me suis penchée en arrière. Il a joint les mains derrière sa tête. M'a regardée, affamé, mais sans rien dire lui non plus.

J'ai joui à nouveau. Je l'ai laissé jouir en moi.

Puis j'ai roulé de mon côté du lit avant de lâcher :

"Désormais, c'est comme ça qu'on se souhaitera bonne nuit."

La maison d'Henrik et Alice Bergendahl était à Gåshaga, sur l'île de Lidingö, avec ponton et plage de sable privés, et se serait presque mieux fondue dans le paysage à Los Angeles. Dans ses six cent soixante-dix mètres carrés, il y avait tout, de la salle de cinéma, de gym et la piscine couverte jusqu'à la cave à vins, la salle de billard, la table de ping-pong, et pas moins de cinq salles de bains. La hauteur sous plafond de l'énorme "séjour" – on y aurait facilement garé plusieurs poids lourds – était de dix mètres.

Tandis que Faye, Henrik, Jack et Alice dînaient aux chandelles avec vue sur la baie de Höggarnsfjärden, leurs enfants jouaient avec la baby-sitter dans une autre partie de la maison. Les chambres des enfants étaient placées le plus loin possible des pièces où Alice et Henrik séjournaient le plus.

Un vent glacé soufflait dehors. Des vagues roulaient vers la plage, menaçant de déferler sur eux, avant d'abandonner la partie et de refluer.

Alice avait commandé le dîner : un buffet libanais était présenté sur l'énorme table de la salle à manger. Faye lorgna du côté d'Alice. Elle portait une robe rouge moulante, ouverte sur les côtés, montrant à tous ses côtes saillantes façon râtelier à vélos. Ignorant le buffet, elle mâchait une feuille de salade. Bientôt, elle se contenterait sans doute de lécher ces maudites feuilles.

Faye, elle, faisait honneur aux mezzés, buvait le puissant amarone – l'enfant qu'elle portait allait de toute façon bientôt finir sa courte vie dans une cuvette en inox. Ce soir, elle allait prendre la pilule qu'elle était allée chercher à la pharmacie. La première des deux.

"Tu aimes ?" demanda Alice en souriant.

Elle avait observé chaque bouchée de Faye. Sûrement compté mentalement les calories. Bien contente de les retrancher de son propre compte.

"Beaucoup, dit Faye. Bonne idée, le libanais."

Jack éclata de rire.

"Libanais ou pas, tu manges tout ce qu'on te met sous le nez. Tu te bâfres."

Faye regarda au fond de son assiette. Était-ce là l'image qu'on avait d'elle ? Quelqu'un qui se gavait de tout ce qu'elle trouvait ?

Henrik se pencha vers elle.

"Comment tu vas, ces derniers temps ? Tu ne viens plus nous voir.

— Non, je préfère vous laisser travailler tranquilles. Vous avez tant à faire.

— Oui, c'est vrai, il y a pas mal de boulot. Mais on a toujours du temps pour toi.

— Merci Henrik, mais il vaut mieux que je vous laisse vous débrouiller entre vous."

Pourquoi se parlaient-ils comme des étrangers ? Comme des connaissances polies qui remplissaient les blancs avec du bavardage ? Autrefois, avec Jack et Henrik, elle s'amusait toujours. Ils avaient de vraies conversations. Elle était traitée en égale, voire même en supérieure, quand elle leur tapait sur les doigts lors de discussions sur l'organisation de l'entreprise et les instruments financiers. C'était même elle qui avait fini par présenter l'idée sur laquelle Jack et Henrik avaient bâti Compare. Et aujourd'hui, elle se sentait comme une enfant à qui on aurait permis de s'asseoir à la table des adultes.

"Tu as fini, Henrik ? Le taxi arrive d'une minute à l'autre."

Jack se leva en s'essuyant la bouche. Avec Henrik, ils allaient retrouver de vieux amis en ville. En route, ils la déposeraient avec Julienne à la maison. Faye entendit sa fille dévaler l'escalier.

"Je ne veux pas rentrer, dit Julienne en suppliant Jack des yeux. Je veux rester.

— Bon, d'accord, mais avec maman, alors. Ça ne te dérange pas qu'elles restent, Alice ?"

Faye se mordit la lèvre. Elle n'avait de cesse de rentrer, de se blottir dans le canapé en tenue d'intérieur, avec un verre et une bouteille de vin. De boire pour ne plus penser à la journée du lendemain.

"Bien sûr que non, c'est chouette pour les enfants", dit Alice.

Comme toujours, ses yeux pétillaient quand elle le regardait. Plus qu'avec son mari.

"Très bien", dit Jack, et Julienne remonta l'escalier quatre à quatre.

Faye et Alice accompagnèrent leurs époux jusqu'à la porte.

"Amusez-vous bien, les garçons, dit Alice en embrassant Henrik sur la bouche.

— La baby-sitter vient demain à dix heures, dit Faye.

— Ah oui. Eh bien à plus, alors", dit Jack avant de disparaître.

Elles mirent les assiettes dans le lave-vaisselle et rangèrent les restes au réfrigérateur.

"Laisse, dit Alice. La femme de ménage s'en occupera demain."

Elle sortit une nouvelle bouteille de vin et elles allèrent s'asseoir sur le canapé, devant la baie panoramique.

"Qu'est-ce que tu fais, demain ? demanda Alice.

— Juste un rendez-vous médical.

— Rien de grave ?

— Non, rien de grave.

— En tout cas, c'est chou de la part de Jack de t'accompagner."

Faye répondit d'un *mmmh*.

Alice, avec ses grands yeux de biche et son teint parfait. Était-elle heureuse de sa vie ? Avait-elle quelque chose qui la fasse vibrer ? Faye n'en pouvait plus des faux-semblants. Elles étaient toutes les deux enfermées dans une cage dorée. Comme deux paons. Même si Faye se sentait pour le moment davantage comme un des pigeons miteux de la place Hötorget. Des rats volants, comme Jack avait l'habitude de les appeler.

Faye ne voulait pas parler avec un oiseau en cage. Elle voulait parler avec une vraie personne. Elles se servirent deux verres de vin.

Alice se lança dans le récit, d'un ennui fascinant, des exploits de son fils Carl à la maternelle. Y avait-il autre chose dans le monde d'Alice qu'Henrik et les enfants ? Et le standing de leur train de vie ? Y avait-il une vraie personne, derrière ? De vrais sentiments ? De vrais rêves ? Ou bien était-ce Faye qui avait un problème ? Qui ne pouvait pas se contenter de ça ? La plupart des gens rêvaient de vivre comme elle. Pouvoir tout acheter, être dispensé de travailler, avoir réussi, avoir de beaux enfants, être invitée à l'ouverture d'une nouvelle boutique Louis Vuitton et pouvoir dépenser dans un sac à main plus que le salaire mensuel du Suédois moyen.

"Qu'est-ce que tu ferais, si tu n'avais pas Henrik ? demanda-t-elle.

— Qu'est-ce que tu veux dire ?

— Qu'est-ce que tu ferais, comme travail ?"

Alice réfléchit longtemps à la question. Comme si c'était là un sujet sur lequel elle ne s'était encore jamais penchée. Elle finit par hausser les épaules.

"De la décoration, je crois. J'aime embellir les maisons.

— Mais pourquoi tu ne le fais pas ?"

Alice n'avait même pas décoré son propre intérieur, ç'avait été fait par un décorateur branché aux tarifs exorbitants, avec une longue liste de villas de Lidingö à son actif.

Alice haussa à nouveau les épaules.

"Mais qui s'occuperait des enfants ?"

Faye écarquilla les yeux en regardant autour d'elle dans le séjour.

"La même personne qu'en ce moment : la baby-sitter ! Franchement, tu ne rêves jamais de faire autre chose ? De faire ce que tu as vraiment envie de faire, *toi*, indépendamment des enfants ou d'Henrik ? De t'accomplir ?"

Elle avait trop bu, elle le savait, mais ne pouvait pas s'arrêter. Elle voulait entrouvrir la trappe de la cage dorée d'Alice, ne serait-ce qu'une seconde. Même si elle aussi menait une vie semblable, la différence était énorme. Elle avait une formation sur laquelle se rabattre, elle avait fait un choix conscient avec Jack, car ils estimaient tous les deux que c'était le mieux pour la famille. À la différence d'Alice, elle n'était pas dépendante de son mari.

Faye but encore une gorgée. Son enfant allait au moins se prendre une sacrée cuite, en cadeau d'adieu.

Elle avala de travers et toussa.

"Je m'accomplis, dit Alice. Je ne veux rien changer."

Elle humecta ses lèvres. Elle était vraiment merveilleuse. Son plumage de paon étincelait.

"Tu es incroyablement belle, dit Faye.

— Merci."

Alice lui adressa un sourire, mais Faye s'enferra, incapable de se retenir.

"Ça ne te gêne pas de te dire qu'Henrik ne te regarderait jamais si ce n'était pas le cas ? Que c'est pour ça que nous sommes dans cette maison ? Parce qu'on peut nous montrer ? Comme des poupées. Enfin, bon, autrefois, j'étais encore bonne à montrer."

Elle remplit à nouveau son verre, n'avait pas remarqué qu'elle l'avait vidé.

"Arrête. Tu sais très bien que ce n'est pas vrai.

— Si, bien sûr, que c'est vrai."

Alice ne répondit pas, mais tendit son verre pour que Faye la resserve elle aussi. Au moins, les calories du vin ne semblaient pas compter dans le monde d'Alice.

Le silence se fit. Faye soupira. De l'intérieur de la maison parvenaient des cris d'enfants.

"Tu sais que j'ai toujours été jalouse de toi ?" murmura Alice.

Faye la regarda avec étonnement. Il y avait quelque chose de nouveau, de triste dans les yeux d'Alice. Était-ce la vraie Alice qui se laissait entrevoir ?

"Non, dit-elle. Je n'en avais pas la moindre idée.

— Henrik dit toujours tant de bien de toi, que tu es la femme la plus intelligente qu'il ait jamais rencontrée. Tu comprends de quoi ils parlent, tu comprends l'entreprise. Tu manges ce que tu veux, tu bois de la bière, tu les fais rire. C'est sans doute surtout ça – que tu saches faire rire Henrik – qui me rend si jalouse. Il… oui, il te respecte."

Faye changea de position. Songea à tout ce qui, dans ce portrait, ne correspondait plus à la réalité. Ce qu'Alice décrivait appartenait au passé. Il ne restait rien dont être jalouse. Rien à respecter. Il lui arrivait de se demander si tout ça avait réellement existé, ou si elle s'était juste forgé une image du passé.

Parfois surgissaient des fragments de souvenirs qui n'étaient pas les bienvenus. De toutes les fois où elle n'avait pas réussi à joindre Jack quand elle aurait eu besoin de lui. Certains souvenirs, comme l'accouchement de Julienne, étaient si douloureux qu'elle n'avait même pas le courage de s'en approcher. Alors elle refoulait. Et pardonnait. Encore, et encore.

Faye changea encore de position. Posa son verre sur la table basse. Julienne arriva au galop pour demander si elle pouvait se baigner dans la piscine.

"Carl et Saga vont se baigner aussi ? demanda Faye en jetant un regard à Alice.

— Oui !" fit Julienne en hochant la tête avec insistance.

Une fois Julienne repartie, Alice soupira.

"Oui, je sais qu'Henrik ne m'aurait jamais épousée sans mon physique et ma famille. Je ne suis pas naïve. Mais il me rend heureuse, et il est gentil avec moi. Rien que pour ça, je connais des femmes moins bien loties." Elle leva son verre et continua, la langue un peu pâteuse. "Dans cette fichue société, quand on est une femme, on n'a pas le droit de dire qu'on veut être prise en charge. Je sais qu'Henrik est l'homme de la maison. Je me fous qu'il baise de temps en temps à droite et à gauche."

Elle agita le bras, manquant renverser du vin sur le canapé blanc.

Faye ne pouvait la quitter des yeux.

Toutes les histoires de Jack sur les passades d'Henrik. Comment avait-elle pu les trouver amusantes ? Elle n'aurait jamais pu imaginer qu'Alice soit au courant. S'était contentée de penser : pauvre Alice, belle et cocue.

"Alice, je…" La mauvaise conscience lui tambourinait aux tempes.

"Arrête. Je sais ce qu'il en est. Et tu étais sûrement au courant toi aussi." Alice haussa les épaules. "Les hommes sont des hommes. Mais c'est auprès de moi qu'il revient, après. Avec qui il dort et prend son petit-déjeuner. C'est avec nos enfants qu'il joue. Je sais qu'il m'aime. À sa façon. Je suis la mère de ses enfants. Sincèrement, ce n'est plus un problème pour moi. Je… je me suis habituée."

Par la vitre, elle regarda l'eau sombre.

"Je ne le supporterais jamais", dit Faye.

La chaleur au ventre. Jack n'était pas comme Henrik. Et elle n'était pas comme Alice.

Alice se tourna vers elle.

"Mais, Faye, il…

— Tais-toi ! dit Faye, si fort qu'Alice sursauta. Je sais que beaucoup d'hommes autour de nous sont infidèles. Et des femmes aussi, d'ailleurs. Si tu t'en arranges, tant mieux pour toi. Mais Jack et moi, nous sommes des âmes sœurs ! Nous avons tant construit ensemble. Si jamais tu insinues autre chose, je détruirai tout ce que tu as ! Compris ?"

Le regard effrayé d'Alice obligea Faye à contrôler sa colère. Il ne fallait pas qu'elle montre à Alice qui elle était vraiment. Qui elle avait été.

Elle se leva, chancelante.

"Merci pour cette soirée. On s'en va."

Quand la porte de la villa se referma derrière Julienne et elle, elle se retourna. Regarda par la fenêtre à côté de l'entrée. Alice était toujours dans le canapé, le regard tourné vers l'eau.

STOCKHOLM, SEPTEMBRE 2001

Dans le taxi, en rentrant de l'aéroport, je me suis préparée à voir Jack disparaître, et la vie reprendre son cours normal. Le bonheur, ce n'était pour moi qu'à petites doses. J'étais contente de ce que j'avais eu : je m'efforçais de m'en persuader tandis que le taxi semblait se précipiter vers Stockholm.

Mais Jack m'a pris la main tandis que les faubourgs nord défilaient derrière la vitre.

"Qu'est-ce que tu vas faire, aujourd'hui ?

— Je ne sais pas."

Nous sommes arrivés au niveau de l'hôtel Järva Krog, et la circulation a commencé à ralentir, à cause des embouteillages à l'entrée de la ville. Ça ne me dérangeait pas. Au contraire.

"Moi non plus. On sort prendre une bière ?"

Ce que nous avons fait. Et ce soir-là, nous avons dormi au studio de Jack, dans Pontonjärsgatan, à Kungsholmen.

Le lendemain, nous sommes restés au lit jusqu'au déjeuner. Nous avons parlé, regardé un film et fait l'amour. Mais dans l'après-midi, j'ai été prise de mauvaise conscience et je me suis installée sur le balcon pour bûcher. Ce week-end à Barcelone avait été merveilleux, mais maintenant il était temps de s'y remettre.

Soudain, j'ai entendu un cri venu du canapé où Jack regardait les infos.

"Qu'est-ce qu'il y a ?" ai-je lancé, mais il n'a rien répondu.

J'ai refermé mon livre et l'ai rejoint.

Jack était figé devant la télévision. Le visage tout blanc.

Les images de CNN étaient pires que tout ce que j'avais vu jusque-là. Les avions. Les gratte-ciel explosés. Des corps tombant de centaines de mètres de haut. Des personnes qui se jetaient dans le vide ou qui erraient, couvertes de sang et de poussière, dans les rues de Manhattan.

"Qu'est-ce qui se passe ?" Je fixais l'écran, incrédule.

Jack a levé le regard vers moi, les larmes aux yeux.

"Un avion s'est écrasé sur le World Trade Center. Tout le monde a cru à un accident, mais soudain un deuxième avion a percuté l'autre tour. Plusieurs avions ont été détournés. Ça semble être une attaque terroriste.

— Une attaque terroriste ?

— Oui."

Le désarroi a envahi le studio. Nous étions comme hypnotisés par l'écran. Rendus muets par cette vision, la panique. L'inconnu. L'imprévisible.

Jack s'est levé pour fermer sa porte à clé. Il est revenu avec une bouteille de whisky et deux verres. Quand la première tour s'est effondrée, serrés l'un contre l'autre, nous avons pleuré. La destruction, tous ces morts, quel contraste avec notre bonheur.

Soudain, j'ai éprouvé le besoin d'être près de Jack, de sentir sa force, de savoir qu'il me protégerait. Mes cicatrices reposaient en sécurité entre ses mains. Il n'en connaissait pas l'existence, mais peu importait. Sa présence était malgré tout un réconfort. C'était comme si ses propres cicatrices s'emboîtaient dans les miennes.

J'ai soudain compris le baby-boom des années 1940 : en temps de crise, les hommes et les femmes ont besoin de consolation, ils cherchent ce qui est animal, fondamental, simple. La rassurante reproduction, elle-même socle de la survie de l'espèce.

J'ai attrapé la télécommande et coupé le son.

Jack m'a regardée, interloqué :

"Qu'est-ce que… ?"

Quelque chose dans mon regard l'a réduit au silence. Je l'ai fait se lever. Lui ai enlevé ses habits un à un, jusqu'à ce qu'il soit nu devant moi. Puis il m'a déshabillée, et nous nous sommes couchés sur le canapé. Quand il est entré en moi, une immense confiance m'a envahie. Tout ce qui comptait était que je puisse être là, sous lui, son sexe fiché en moi. Comme la vie même. Je voyais devant moi les images de la télévision, elles papillonnaient sur mes paupières. Elles montraient et remontraient tous ces corps qui tombaient des tours en feu. La fumée et les flammes quand s'effondraient ces énormes bâtiments, apparemment indestructibles.

Je pleurais.

Mais il me fallait plus. Ce n'était pas assez. Parfois, c'était justement ce qui me faisait peur. Que rien ne soit jamais suffisant.

"Plus fort."

Jack s'est arrêté. Sa lourde respiration s'est tue. À travers la mince cloison, on entendait le voisin écouter les mêmes informations.

"Baise-moi aussi fort que tu peux, ai-je chuchoté. Fais-moi mal."

Je l'ai senti hésiter.

"Pourquoi ?

— Ne demande pas. J'en ai besoin maintenant, c'est tout."

Jack m'a regardée d'un air interrogatif, mais ensuite il a fait ce que je demandais. Il a saisi plus fermement mes hanches, avec des coups de boutoir de plus en plus violents. Sa respiration s'est faite plus rauque et il m'a prise par les cheveux. Sans précautions. Sans essayer d'être délicat.

Ça faisait mal, mais je voulais que ça fasse mal. La douleur était familière. Elle me rassurait. Le monde brûlait, la douleur était mon ancre.

Le 11 septembre.

Cette date avait déjà une place dans ma vie. Le même jour, quatre ans plus tôt, papa avait été arrêté pour le meurtre de maman. Un an après que Sebastian avait été retrouvé pendu au bout d'une ceinture dans son placard.

J'avais quinze ans quand il est mort. C'est peut-être à ce moment-là que je suis devenue celle que je suis. Ce jour-là que je suis devenue Faye.

Jack me pilonnait de plus en plus frénétiquement, mais je l'entendais à présent pleurer lui aussi. Nous étions unis dans la peine et la douleur et, quand il a fini par s'affaler sur moi, je savais que nous avions partagé un instant qu'aucun de nous n'oublierait jamais.

Nous sommes restés longtemps sur ce canapé, cet après-midi et ce soir-là, nous tenant par la main, tandis que nous regardions le monde brûler.

L'année suivante devait être la meilleure de ma vie. L'année qui a jeté les fondations de notre couple et des liens indestructibles qui nous unissaient, Jack et moi.

Il m'a tout raconté de son enfance. De la précarité, des disputes, du manque d'argent chronique. Des Noëls sans cadeaux, des parents qui tantôt avaient pitié, tantôt condamnaient son père. De la catastrophe quand sa mère était partie. De la maison où tout disparaissait peu à peu, vendu, mis en gage, des gens qui venaient à des heures bizarres réclamer le règlement de dettes ou se saouler avec son père. De son soulagement quand il avait enfin pu laisser cette vie derrière lui.

Quant à moi, je ne racontais rien. Et Jack n'abordait jamais le sujet de ma vie antérieure. Il avait accepté que je sois seule au monde. Qu'il ne reste personne. D'une certaine façon, je crois que ça lui plaisait. Comme ça, je n'étais qu'à lui. Nous n'étions que nous deux, l'un pour l'autre, il pouvait être mon héros.

Jack et moi nous nous retrouvions dans les petits bars autour de Hantverkargatan, ou à Chinatown après Sup de Co, parfois seuls, parfois avec Henrik et Chris, et nous parlions d'économie, de politique et de nos rêves. Nous étions tous égaux. Même si Chris et moi nous sentions parfois comme des reines dans l'univers de Jack et Henrik. Parfois, Jack était jaloux, quand il voyait le regard d'autres hommes. Et il n'aimait pas que je fasse des choses de mon côté. Voulait toujours savoir où j'étais, ce que je faisais. Je trouvais sa jalousie craquante. Je voulais être à lui. Et j'ai cessé de faire des choses sans lui. Chris protestait parfois, mais nous nous voyions si souvent, tous les quatre, que cela ne se sentait pas trop. J'ai arrêté de mettre des jupes courtes et des hauts décolletés. Sauf quand Jack et moi étions seuls. Là, il voulait que je m'habille aussi moulant, court et décolleté que possible.

"Tu n'es pas comme les autres femmes", avait-il souvent coutume de dire.

Je ne lui ai jamais demandé ce qu'il entendait par là. Je l'ai juste pris pour argent comptant. Je voulais être différente.

Nous faisions l'amour partout. Parfois, nous nous donnions rendez-vous entre les cours et nous nous enfermions en pouffant dans les toilettes, en nous arrachant nos vêtements. Nous avons baisé dans tout Stockholm. À la bibliothèque municipale, au McDonald's de Sveavägen, dans le parc de Kronoberg, dans une salle de cours vide, dans des bars : Sturecompagniet, East, Riche, dans un wagon de métro vide, en pleine nuit, en route vers Ropsten, à des fêtes, dans la maison des parents d'Henrik et sur notre balcon. Deux ou trois fois par jour. Jack n'était jamais rassasié de moi. J'aurais pu m'en passer de temps en temps, mais le sexe était si bon, et il me faisait me sentir comme la femme la plus désirable qui ait jamais foulé cette terre. J'étais excitée rien qu'à sentir son regard sur moi, à savoir combien il me voulait. Il n'aimait pas quand je disais non, ça le fâchait, le frustrait, et donc je ne refusais tout simplement jamais. Ce n'était pas plus dur que ça. S'il était heureux, j'étais heureuse.

L'hôpital Karolinska. Ronron d'une ventilation monotone. Fauteuils pelucheux défoncés et gémissant chaque fois que quelqu'un changeait de position. Une quinte de toux se répercuta entre les murs nus.

Faye triturait son portable, regardait les photos de son mariage avec Jack. Leurs visages bronzés, pleins d'espoir. Les invités élégants, rayonnants. *Expressen* avait même dépêché un journaliste, qui avait pris des photos depuis le balcon d'un hôtel. Elle aurait préféré un mariage plus modeste, en Suède. Même à l'hôtel de ville de Stockholm. Mais Jack avait insisté pour une grande noce en Italie. Une maison près du lac de Côme. Quatre cents invités, dont elle ne connaissait qu'une poignée. Des inconnus qui l'avaient félicitée et embrassée sous sa voilette.

Jack avait choisi sa robe. Un rêve meringué en soie et tulle, cousu sur mesure pour elle par Lars Wallin. Elle était magnifique, mais ne lui ressemblait pas. Si elle avait pu, elle aurait choisi quelque chose de beaucoup plus simple. Mais en voyant le regard de Jack quand elle s'était avancée vers lui, elle s'était réjouie de ne pas être allée contre sa volonté.

Elle rangea son portable. Jack allait arriver d'un moment à l'autre. Il se passerait une main dans les cheveux, s'assiérait, la serrerait contre lui en s'excusant d'être en retard. De l'avoir laissée attendre seule.

"Nous supportons ensemble bonheur et malheur", comme il l'avait dit au mariage dans sa belle allocution, qui avait fait pleurer les invitées et regarder Faye avec jalousie.

Elle était la plus âgée dans la salle d'attente, et la seule à ne pas avoir un homme à ses côtés. À part une fille d'au plus seize ans accompagnée par sa mère. Les petits amis tenaient leurs copines sous leur bras. Leur caressaient tendrement le dessus de la main. Parlaient à voix basse, avec des regards graves, attentifs. Tous sentaient que quelque chose d'éminemment privé était exposé à la vue de tous. Auraient préféré être seuls. Sans ces coups d'œil furtifs. Sans interrogations. De temps à autre, une infirmière venait chercher une patiente. Tout le monde regardait celle qui s'en allait.

Le nom de Faye fut appelé, et elle consulta une nouvelle fois son portable. Pas de SMS de Jack. Pas d'appel manqué. Elle vérifia pour en avoir le cœur net qu'il y avait bien du réseau.

Elle se leva et suivit l'infirmière dans une pièce. Répondit à ses questions tout en se demandant si l'infirmière l'avait reconnue. Même si ça n'avait aucune importance, au fond. Faye supposait qu'elle était tenue au secret médical.

"Est-ce que quelqu'un vient vous chercher, après ?" demanda l'infirmière.

Faye baissa les yeux vers la table. Elle avait honte, sans savoir pourquoi.

"Oui. Mon mari."

Le néon du plafond éclairait d'une lumière froide la couchette recouverte de papier.

"Très bien. Certaines préfèrent marcher un peu en rond dans le couloir pour accélérer le processus et lutter contre la douleur. Dites-moi s'il y a quelque chose, je resterai un peu plus avec vous.

— Merci", dit Faye.

Elle n'arrivait toujours pas à croiser le regard de l'infirmière. Comment lui expliquer pourquoi elle était seule ? Elle ne le comprenait pas elle-même.

"Vous avez pris le cachet, hier ?

— Oui.

— Parfait. Voici le second."

Un cachet dans un gobelet plastique et une main chaude sur l'épaule. Elle lutta contre l'envie de poser la tête sur les genoux de la jeune infirmière pour pleurer. Au lieu de quoi, elle mit le cachet dans sa bouche sans le regarder.

"Prenez aussi ça", dit l'infirmière, en posant quelques anti-douleurs devant elle.

Faye les avala. Elle avait l'habitude d'avaler.

Couchée dans une sorte de grand fauteuil jaune, Faye regardait le plafond. Elle avait au moins échappé à la couchette verte, et était reconnaissante qu'on la laisse tranquille à l'abri d'une tenture. Ils lui avaient enfilé une sorte de couche-culotte pour recueillir le fœtus, et elle sentait déjà qu'elle saignait. À l'échographie, l'infirmière lui avait indiqué l'âge du fœtus, mais elle n'avait pas saisi la semaine exacte, ne voulait pas l'entendre.

Où es-tu ? avait-elle écrit à Jack.

Pas de réponse.

Il devait s'être passé quelque chose. Avait-il eu un accident ? Elle appela la baby-sitter, demanda des nouvelles de Julienne.

"Elle va bien, on regarde un film.

— Et Jack ?" Faye s'efforça de n'avoir l'air de rien. Le sang suintait entre ses jambes tandis qu'elle parlait. Absorbé par la couche. "Il a donné des nouvelles ?

— Non. Je croyais qu'il était avec vous ?"

Elle appela ensuite Henrik. Lui non plus ne répondit pas. Ses pensées s'emballèrent. Elle imaginait deux policiers, la mine grave, qui frappaient à sa porte, désolés de lui annoncer que Jack était mort. Que ferait-elle, alors ? Un sentiment de déjà-vu. La même inquiétude qu'en accouchant de Julienne.

Julienne était prévue pour début juin. Jack s'était montré aimant durant toute la grossesse, même s'il n'avait pas trouvé le temps de l'accompagner aux visites médicales et dans toutes les autres démarches pratiques. Compare était alors dans une phase de développement intense, et Faye comprenait que l'entreprise passe au premier plan, dès lors qu'ils attendaient un enfant et qu'il voulait vraiment construire quelque chose pour sa famille.

Jack était au bureau quand les premières contractions étaient arrivées. Faye n'avait pas tout de suite compris qu'il s'agissait de vraies contractions, elle les avait prises pour les douleurs diffuses et intermittentes des derniers mois. Mais elles étaient devenues si violentes qu'elle avait dû se tenir au plan de travail de la cuisine pour ne pas tomber.

Pliée en deux, elle avait appelé Jack. Ça avait sonné dans le vide, puis elle était tombée sur son répondeur. Elle lui avait envoyé un SMS pour lui demander de venir, le supposant en réunion. Quand elle avait téléphoné à la clinique de Danderyd, ils lui avaient dit de venir tout de suite, mais elle ne voulait pas y aller sans Jack. Elle l'avait imaginé l'aidant à monter dans leur voiture, puis jurant nerveusement contre tous les automobilistes tandis qu'il roulait à toute allure vers la maternité. Vers la première rencontre avec leur bébé tant désiré.

Les douleurs des contractions empiraient de minute en minute, mais le téléphone demeurait silencieux. Ni Jack, ni Henrik ne répondaient à ses appels ni à ses SMS. Elle avait fini par appeler Chris pour lui demander si elle pouvait l'accompagner et rester avec elle jusqu'à l'arrivée de Jack.

Un quart d'heure plus tard, Chris avait déboulé, essoufflée, en talons hauts et manteau léopard. Une fois dans le taxi en route pour Danderyd, Faye s'était aperçue qu'elle avait oublié la valise soigneusement préparée, qui attendait depuis plus de deux mois. Elle avait ordonné au chauffeur de faire demi-tour, mais Chris lui avait craché d'ignorer Faye et de continuer à rouler le plus vite possible. Tout ce que contenait cette valise pouvait être racheté, avait-elle fait valoir, soulignant que, de tout temps, des enfants avaient été mis au monde sans trousseau à rallonge.

Chris s'était chargée de contacter Jack, et envoyait frénétiquement appels et messages. Quand le taxi avait ralenti devant la maternité, elle avait rangé son téléphone :

"Il sait où nous sommes. Il sait ce qui se passe. Maintenant, on se concentre pour arriver à la maternité avant que ce gosse naisse dans ce taxi, OK ?"

Faye s'était contentée de hocher la tête. La douleur déferlait sur elle comme une énorme vague et elle ne pouvait pas se concentrer sur autre chose que sa respiration.

Elle s'était agrippée de toutes ses forces au bras de Chris en descendant de voiture, isolée dans sa bulle. Au loin, elle entendait son amie crier et rudoyer le personnel de la maternité dans le couloir où elles s'étaient engagées. Il faudrait sûrement s'excuser par la suite mais, pour l'heure, la voix haut perchée de Chris était la seule chose qui la rassurait.

Julienne était arrivée au bout de cinq heures. Cinq heures de souffrance qui avaient conduit Faye tantôt à redouter, tantôt à désirer la mort. Chris était tout le temps restée à ses côtés. Avait essuyé la sueur sur son front, réclamé des antalgiques, crié sur la sage-femme, lui avait massé le dos, l'avait aidée à respirer dans le masque à gaz hilarant, avait surveillé ses contractions. Et quand Julienne était sortie, c'était Chris qui avait coupé le cordon ombilical, avant de la poser délicatement sur la poitrine de Faye. C'était la seule fois que Faye avait vu Chris pleurer.

Deux heures plus tard, Jack était arrivé honteux à l'hôpital. Il apportait le plus gros bouquet de roses que Faye ait jamais vu. Cent parfaites roses rouges, pour lesquelles le personnel de l'hôpital n'avait pas trouvé de vase assez grand. Il avait les yeux rivés sur ses chaussures, la frange devant les yeux : Faye avait senti toute sa colère et sa déception se dissiper.

Jack avait bredouillé quelque chose sur une réunion, que son portable était éteint, une série de circonstances malheureuses. Il paraissait accablé, et Faye s'était dit qu'au fond, c'était lui le plus à plaindre. Il avait raté la naissance du plus parfait bébé jamais vu.

Délicatement, elle lui avait tendu Julienne. Emmaillotée dans une couverture, elle ronronnait, repue, après son premier repas hors du ventre. Jack pleurait à gros sanglots mais, derrière lui, Chris était campée, bras croisés. Faye s'était dépêchée de quitter son amie des yeux, pour regarder son mari, leur fille qui venait de naître dans les bras. Il l'aimait, bien sûr. Personne n'était parfait.

Faye inspira à fond et refoula ces souvenirs. Elle était parvenue à oublier cet accouchement, mais la situation où elle se trouvait y faisait trop penser. Même si aucun enfant n'allait être mis au monde aujourd'hui. Au contraire, une vie allait être éteinte.

Son ventre se tendait et se contractait. Elle se mordait la lèvre pour ne pas pleurer. Il fallait qu'elle soit forte, pour elle, pour Julienne. Jack serait fier d'elle.

Son front était brûlant de fièvre, la sueur faisait poisser ses vêtements sur sa peau. Derrière un rideau tiré, elle entendit des sanglots.

"Là, ma chérie, là."

Quelqu'un tapotait une main, consolait.

Son ventre se tordit dans une crampe. Les secondes s'écoulèrent. Elle haleta quand il se détendit. Elle réalisa qu'elle s'était crispée et avait retenu son souffle. Elle aussi, elle aurait voulu que quelqu'un la console. Elle ne supportait plus sa solitude. Elle prit son téléphone et appela Chris. Pleura. Expliqua où elle était. Sans se soucier qu'on l'entende. Gémit très fort quand arriva une nouvelle crampe, serrant le téléphone à faire blanchir ses phalanges.

La sueur lui ruisselait dans le dos.

"J'arrive !" dit Chris. Comme d'habitude.

"Vraiment ? renifla Faye.

— Bien sûr que je viens, ma chérie."

Une demi-heure plus tard, les talons hauts de Chris retentirent dans le couloir. Elle se pencha sur Faye. Lui passa ses mains bien manucurées dans les cheveux. Lui essuya le front avec un mouchoir sorti de son sac de jour d'YSL.

"Pardon, chuchota Faye. Pardon pour tout.

— Ne pense pas à ça, chérie. C'est comme ça. Maintenant, on va s'occuper de faire sortir ce truc que tu as en toi, et puis on s'en ira d'ici. D'accord ?"

La voix rauque de Chris était factuelle et empathique, une combinaison qui parvint à calmer Faye. Chris avait toujours eu ce don. Alors seulement, Faye réalisa combien elle lui avait manqué.

Elle croisa son regard.

"Je t'aime.

— Et moi aussi, je t'aime, dit Chris. J'étais avec toi le jour de la naissance de Julienne. Évidemment que je suis encore là aujourd'hui."

Faye grimaça de douleur et lui serra la main, la plus belle main qu'elle ait jamais vue.

Tandis qu'une vie s'écoulait d'elle, elle pressa sa joue contre la main de Chris.

STOCKHOLM, FÉVRIER 2003

Nous habitions un trois-pièces à Bergshamra. L'oncle de Jack avait voulu récupérer son appartement quand un de ses enfants était revenu de l'étranger. C'était sur la ligne rouge du métro, près du centre, mais malgré tout un autre monde. Les voisins étaient un mélange de Suédois de souche et de familles immigrées. Des mères gentilles et aimables. Des enfants qui criaient et chahutaient dans les cours, mais sympathiques et bien élevés quand on les croisait dans la cage d'escalier.

Jack et Henrik étaient sortis de Sup de Co. Henrik major de promo, Jack avec juste la moyenne. Mais aucun des deux n'avait cherché de travail. Ils consacraient toutes leurs journées à lancer Compare. L'idée de l'entreprise reposait sur des télévendeurs payés à la commission, plus affamés et plus agressifs qu'aucun de leurs prédécesseurs. Motivation, motivation, motivation, ressassait Jack. Sa citation préférée était "les loups affamés sont les meilleurs chasseurs", et le modèle économique qu'ils avaient choisi convenait à des loups affamés. Et surtout, il convenait à deux hommes avides de reconnaissance comme Jack et Henrik.

Notre séjour était leur lieu de travail. Ils partageaient un grand bureau et travaillaient côte à côte sur deux chaises que j'avais dénichées dans une benne à ordures, mais dont j'avais dit à Jack qu'elles me venaient de mon grand-père maternel.

J'admirais l'intensité de leur engagement et étais certaine qu'ils allaient réussir. Aussi ai-je été très étonnée cet après-midi-là, en trouvant Jack assis dans le canapé, le regard vide.

"Qu'est-ce qu'il y a, chéri ? ai-je dit en m'asseyant à côté de lui.

— On est fauchés. Henrik a grillé toutes ses économies, et moi j'ai fait la manche pour lever des capitaux, mais en vain. J'ai échoué à trouver des investisseurs. On n'a pas été la hauteur, c'est tout."

Il s'est passé la main dans les cheveux.

"Ce n'est peut-être pas si grave. On trouvera du boulot tous les deux. De toute façon, Henrik parle d'aller à Londres bosser dans la finance. C'est peut-être aussi bien qu'on abandonne ce rêve puéril et qu'on devienne adultes pour de bon. Je vais lui dire, et je me retire de l'affaire dès demain, c'est le mieux. Peut-être que je vais moi aussi me barrer à Londres, c'est là qu'on peut faire beaucoup d'argent. Ou à New York. Wall Street. Oui, je vais peut-être filer à Wall Street."

Cette longue harangue visait à le convaincre lui-même, mais je voyais bien qu'il n'en pensait pas le moindre mot. Loin de lui l'idée d'abandonner son rêve. Et j'ai paniqué à l'idée qu'il déménage et que je me retrouve toute seule. Encore.

Je ne pouvais pas même effleurer l'idée d'une vie sans Jack. J'ai ravalé mon malaise pour dire aussi calmement que possible, en tenant sa main dans la mienne :

"Mais d'où ça sort, tout ça ? Je croyais que ça allait bien, vous étiez enthousiastes pas plus tard qu'hier soir, quand on est allés se coucher. Je vous ai pourtant entendus parler au téléphone.

— On croyait dur comme fer à quelques investisseurs, mais on a appris aujourd'hui qu'ils n'étaient pas intéressés. On est fauchés, chérie. Tu nous entretiens avec ta bourse d'études et ton job dans ce café, et moi je n'ai même pas payé la facture de mon portable ce mois-ci."

Les espoirs de plusieurs générations pesaient sur ses épaules, et la déception se lisait sur son visage. C'était lui qui devait racheter les fautes de son père et restaurer l'honneur de la famille.

Mais c'était un chemin de croix qu'il était près d'abandonner.

J'ai arrondi mes mains autour de son visage.

"Non. Je ne vais pas te laisser renoncer à ton rêve.

— Mais tu n'as pas entendu ? Nous avons besoin d'argent. D'un revenu. Et tu étudies…"

Il a tourné son visage vers le mien. Ses yeux profonds et humides comme ceux d'un chiot. Jack avait besoin de moi, comme personne auparavant.

"Je peux prendre une année sabbatique.

— Mais pourtant, tu aimes Sup de Co ?"

Ses yeux bleus étaient plongés dans les miens, et j'ai vu à un éclat qui s'y était déjà formé qu'il ne posait la question que pour la forme.

"Mais je t'aime encore plus. Et je sais que tu vas réussir, pourvu que tu puisses faire ton truc. On forme une équipe, toi et moi. Jack et Faye. On va conquérir le monde, c'est bien ce qu'on a dit, non ? Je peux passer mon diplôme un an plus tard, qu'est-ce que c'est, un an, avec du recul ?"

J'ai haussé les épaules.

"Tu es sûre ? a-t-il dit en m'attirant à lui.

— Mais bien sûr !" ai-je ri.

Le bonheur pétillait en moi comme un soda. Je lui faisais un cadeau, et il le recevait, parce qu'il m'aimait.

"Je sais que tu aurais fait la même chose pour moi. Et je crois à Compare, je sais que nous allons devenir millionnaires. Et là, tu devras me rembourser !

— Et comment ! Tout ce qui est à moi est à toi. À nous !"

Il m'a embrassée puis m'a soulevée et portée vers la chambre.

Un an, ce n'était pas si grave. Pour Compare, c'était décisif. Pour mes études, pas autant. J'avais tellement de facilités, alors qu'Henrik avait dû bûcher dur pour obtenir ses bonnes notes. Bien sûr, je détestais essuyer les tables, servir le café, me faire pincer les fesses par des bonshommes qui pensent que la serveuse est comprise dans le prix du café croissant. Mais Jack était l'amour de ma vie. Mon âme sœur. Nous nous épaulions. La prochaine fois, c'est Jack qui serait là pour moi.

J'ai informé l'école de ma décision le soir même, puis appelé mon chef au Café Madeleine. Il était fou de joie. Je savais qu'il avait le projet de s'agrandir, mais avait du mal à s'extraire du train-train quotidien. Il m'a proposé sur-le-champ le poste de chef du personnel. Le salaire mensuel me donnait le vertige. Vingt-deux mille couronnes. J'ai accepté.

La seule à désapprouver ma décision était Chris. Elle est passée au Madeleine à l'heure de la fermeture. Le regard noir :

"Il faut qu'on parle, toi et moi."

Elle m'a entraînée sous la pluie à travers Stureplan jusqu'à un bar. A sifflé au serveur qu'elle voulait deux bières et m'a poussée dans un box.

"Je sais que ce n'est pas ce que tu as envie d'entendre, et tu vas peut-être même être furieuse contre moi. Mais il faut bien que quelqu'un te le dise ! Tu fais une erreur."

J'ai soupiré. Comment Chris pourrait-elle comprendre ? Ce qu'elle vivait avec Henrik n'approchait même pas de loin ce que Jack et moi vivions.

"Je sais que tu ne veux que mon bien. Mais c'est vraiment ce que je dois faire, aujourd'hui. Jack a besoin de se concentrer avec Henrik sur Compare, pour que leur rêve devienne réalité.

— Et *ton* rêve, alors ? Putain, Faye, si Jack et Henrik avaient ensemble eu la moitié de ta capacité cérébrale, ils seraient milliardaires à l'heure qu'il est.

— Tant que j'ai Jack, je suis heureuse. Et ses rêves sont mes rêves.

— Tu as peur qu'il te quitte, si tu ne fais pas ça ?

— Non."

J'ai presque éclaté de rire. Cette idée était tellement absurde. Bien sûr, ses histoires de Londres et New York m'avaient un peu inquiétée, mais pas plus que ça. Jack voulait être avec moi, autant que moi avec lui.

Chris a gesticulé avec impatience pour que le serveur lui apporte un autre verre.

"Ben tiens, a-t-elle marmonné. Pourquoi il ne pourrait pas, lui, mettre Compare au frigo pendant un an pour travailler ? Pourquoi est-ce toi qui dois abandonner tes études pour lui ?"

Chris a allumé une cigarette d'une main tremblante.

"Putain, c'est tellement typique", a-t-elle marmonné.

J'ai tendu la main vers le paquet de Chris. Jack n'aimait pas me voir fumer, alors j'en ai profité pour en prendre une. Il faudrait juste que je pense à acheter du chewing-gum à la menthe avant de rentrer.

“Un an, Chris. Après, je reviens. Jack et Henrik auront alors lancé Compare.”

J'ai soufflé un rond de fumée parfait, qui a entouré l'air sceptique de Chris. Elle n'a pas insisté, mais son regard en disait long.

Six mois plus tard, Compare était lancé, avec un succès immédiat. Les jeunes télévendeurs de Jack et Henrik, avec leur nouvelle façon de travailler, se sont abattus sur la Suède comme une armée d'invasion. Ils ont obtenu des résultats jamais atteints. Les entreprises faisaient la queue pour que Compare gère leurs ventes par téléphone. L'argent pleuvait. Au bout d'à peine un an, nous étions millionnaires.

Ni moi, ni Jack ne voyions plus l'intérêt que je reprenne mes études. Nous avions déjà atteint notre but. Ensemble. Pourquoi me donner du mal à passer des examens, quand tout allait déjà si bien pour nous ?

On bûche pour réussir, et nous, c'était déjà fait. L'avenir était si brillant qu'il m'aurait fallu des lunettes de soleil.

La catastrophe approchait. Bien sûr, elle aurait dû en voir les signes. Ouvrir les yeux. On dit que rien ne nous rend plus aveugles que l'amour, mais Faye savait que rien ne nous rend plus aveugles que le *rêve* d'amour.

L'espoir est une drogue puissante.

Elle décida de changer de tactique. Au lieu de rester à la maison comme un chiot malheureux à attendre Jack, elle allait lui laisser du champ et le temps de regretter son absence.

Il restait deux semaines avant sa fête d'anniversaire. Les gens de l'agence événementielle lui avaient communiqué un horaire, rien de plus. Elle avait en outre reçu le *dress code* : tenue de soirée. Elle avait quant à elle imaginé un thème un peu plus réjouissant, quand elle pensait encore organiser l'anniversaire de son mari : "*The Great Gatsby*" ou "Studio 54". Mais visiblement, Jack ne voulait rien dans ce goût-là. Parfois, elle se demandait si elle n'avait pas juste *imaginé* le connaître. Elle semblait désormais tout prendre à contrepied. Du moins en ce qui concernait Jack.

Faye frappa à la porte de son bureau dans la tour, entendit un "Ouiiii" irrité et entra.

Elle décocha un sourire. Non que cela ait la moindre importance : Jack n'avait pas quitté son écran des yeux.

"Pardon, je ne voulais pas te déranger. Mais je voulais juste te prévenir que je pars quelques jours avec Julienne."

Il leva le regard, étonné. Son beau profil se reflétait dans le carreau de la fenêtre.

"Ah bon ?

— Oui, tu es si occupé en ce moment. Et moi… pas vraiment. J'ai loué une maison à Falsterbo."

Elle se prépara aux protestations de Jack, il n'était jamais particulièrement enthousiaste quand elle voulait faire des choses par elle-même. Mais à son grand étonnement, il parut presque soulagé.

"Excellente idée. Ça te fera du bien de changer d'air après, euh, les tracas que tu as eus."

Il évita son regard. Quand il était rentré tard le soir de son avortement, il s'était contenté de lui servir l'excuse d'une urgence au travail. Rien d'autre. Pas de roses cette fois. Pas de larmes. Et une fois de plus elle avait avalé, accepté ce qu'elle ne pouvait pas changer, même si ça lui laissait un arrière-goût amer. Mais en allant se coucher, elle avait encore senti la main fraîche de Chris contre sa joue.

"Tu trouves ?"

Elle gardait une voix neutre. Toujours regarder devant. Jamais en arrière. Elle allait retourner cette situation. Elle avait plus de force que Jack ne le soupçonnait. Elle avait assez longtemps joué le sexe faible. Parce que c'était ce dont Jack avait besoin. Mais maintenant, elle voyait qu'il était temps qu'elle prenne les commandes, à l'insu de son mari. Ce n'était pas le genre d'homme qui voulait être dirigé.

"Oui, vraiment", dit Jack en lui souriant.

Son visage lui sembla plus jeune, plus léger. Elle se détendit. Elle était sur la bonne voie. Ils avaient juste besoin d'une petite période de séparation.

"C'est chouette aussi d'avoir un peu de temps pour votre relation mère-fille, Julienne et toi", ajouta Jack. Ça sonnait un peu forcé, mais elle prenait les miettes qu'on daignait lui donner. "Un voyage entre filles, quoi. Quand elle aura commencé l'école, ce sera plus difficile."

Il joua avec un stylo et demanda nonchalamment :

"Et vous partez pour combien de temps ?

— Cinq nuits, j'avais pensé."

Elle tendit une main vers lui, et il la prit, à son grand étonnement. Et soulagement.

"Vraiment, ça te va ?

— Absolument ! Même si vous allez bien sûr me manquer."

Elle lui envoya un baiser de loin avant de s'en aller.

"Toi aussi, tu nous manqueras."

Et elle était sincère. Il lui manquait déjà.

*

La circulation sur l'E4 était clairsemée, principalement des poids lourds. Faye prenait plaisir à conduire, et Julienne semblait tout excitée de partir à l'aventure.

"On pourra se baigner ? demanda-t-elle.

— La mer est très froide. On verra ce que tu diras en y trempant les pieds."

Réponse diplomatique. Elle savait pertinemment que Julienne trouverait l'eau bien trop froide. La baignade ne serait pas possible avant un bon moment.

Julienne se plongea dans son iPad. Faye doubla un camion DHL dont le chauffeur lorgna avec envie sa Porsche Cayenne, puis se rabattit sur la file de droite.

Le téléphone sonna. C'était Jack.

"Comment ça se passe ?"

Il avait l'air enjoué. Faye fit un grand sourire. Cela faisait longtemps qu'elle n'avait pas entendu autre chose que de l'irritation dans sa voix.

"Papa ! s'exclama Julienne.

— Salut ma chérie ! Ça va ?

— Oui, super ! dit Julienne, avant de revenir à son iPad.

— Vous êtes où ?

— On passe au niveau de Norrköping, dit Faye. On ne va pas tarder à faire une pause, dans cet endroit avec les arches jaunes…

— McDonald's !" s'écria Julienne, ravie.

Impossible de la tromper.

Jack éclata de rire et Faye sentit les mauvais souvenirs balayés, dispersés comme les pissenlits sur lesquels elle soufflait, enfant.

Une fois l'appel terminé, elle se concentra sur la conduite. Elles avaient encore un bon bout de route.

"Maman, je me sens pas bien."

Faye jeta un coup d'œil à Julienne, qui avait un inquiétant teint verdâtre.

"Essaie de regarder par la fenêtre. Je crois que c'est l'écran de ta tablette qui te barbouille."

Faye lâcha le volant de la main droite, pour la poser sur le front de Julienne. Il était chaud et poisseux.

"Tu as faim ? Il y a une pomme dans le sac, à tes pieds.

— Nan. Je me sens mal.

— On peut s'arrêter au McDonald's dès maintenant, si tu veux."

Julienne resta silencieuse, le regard fixé sur la route. Ça passe, se dit Faye.

Après quelques minutes, sa fille commença à tousser et, avec une grimace, Faye freina sur la bande d'arrêt d'urgence. Au moment où la voiture s'immobilisa, Julienne vomit dans la boîte à gants.

Faye se hâta de faire le tour du véhicule pour gagner la portière passager. Elle souleva Julienne, qui geignit lamentablement, et lui souleva les cheveux tandis qu'elle vomissait à nouveau.

Un camion passa, son souffle secoua la voiture.

Faye rassit Julienne sur la banquette, vida un sac plastique et le plaça sur ses genoux. Trouva un rouleau d'essuie-tout dans le coffre et essuya le gros des dégâts dans l'habitacle. L'odeur retournait l'estomac, et elle n'osait pas penser à ce que Jack allait dire quand il saurait. La voiture serait envoyée en reconditionnement avant qu'elle ait le temps de dire ouf.

"Si tu dois encore vomir, essaie de le faire dans le sac, ma chérie."

Faye baissa la vitre et respira par la bouche. La puanteur était terrible quand elle fit démarrer la voiture. Whitney Houston chantait qu'elle aimerait toujours, Faye baissa le volume. Elle préférait la version originale de Dolly Parton.

Quelques kilomètres plus tard, elles s'arrêtèrent à une station-service. Faye posa Julienne sur une chaise tandis qu'elle achetait du détergent et une éponge. Elle entreprit alors de nettoyer le vomi, tout en se maudissant pour avoir voulu faire le trajet en voiture.

Elles auraient pu prendre l'avion, louer une voiture à l'aéroport. Pourquoi se compliquer la vie ? Jack avait raison. Elle était complètement nulle. Comme épouse et comme mère.

Sa bonne humeur était comme balayée.

Faye récupéra Julienne, acheta une banane qu'elle mangea en regagnant la voiture, jeta la peau dans une poubelle et réinstalla sa fille à bord.

"Comment ça va, ma chérie ?

— Je veux rentrer à la maison. S'il te plaît, on peut rentrer ?

— Essaie de dormir un peu, tu verras, ça ira mieux."

Julienne était trop fatiguée pour protester. Elle appuya la tête contre la portière et ferma les yeux. Faye posa la main sur sa cuisse et s'engagea sur l'autoroute.

À trente kilomètres de Jönköping, elle se lassa de Whitney Houston. Sans quitter la route des yeux, elle chercha à tâtons son téléphone pour mettre un podcast, mais impossible de le trouver.

Elle ralentit, se plaça derrière une Golf rouge et tendit le bras vers son sac qu'elle avait mis sur la banquette arrière à l'abri du vomi. Elle fouilla d'une main, la voiture tangua. Julienne geignit, fit claquer sa langue, mal réveillée, puis sombra à nouveau dans le sommeil.

Faye stoppa. Grelottant de froid, elle fouilla ses poches, tâtonna sous les sièges. Mais son portable avait disparu. Il pouvait être n'importe où. Sur le bas-côté où elle s'était arrêtée. À la station-service. Elle étouffa un cri pour ne pas réveiller Julienne. Frappa le volant, frustrée. Le nom et l'adresse de la voisine qui devait lui donner les clés de la maison étaient dans son téléphone.

Faye fit demi-tour sur une route secondaire et rebroussa chemin vers Stockholm. Jeune, elle ne renonçait jamais mais, ces dernières années, elle avait eu beaucoup d'occasions de s'y entraîner.

Matilda n'aurait jamais renoncé. Mais Faye savait très bien le faire.

Faye portait Julienne d'un bras et le sac avec toutes leurs affaires de l'autre. Les portes de l'ascenseur coulissèrent, elle tira la grille. Dans le miroir, elle regarda son visage : poches sombres sous les yeux, teint blême, champignonneux. Perles de sueur au front et sur la lèvre supérieure. Et regard découragé.

Julienne ouvrit les yeux.

"On est où ? murmura-t-elle dans son sommeil.

— À la maison, chérie. Tu as été malade, on ira en Scanie une autre fois."

Julienne fit un sourire las. Hocha la tête.

"Je suis fatiguée, chuchota-t-elle.

— Je sais, ma grande. Bientôt, tu vas pouvoir dormir."

L'ascenseur stoppa avec une secousse. Faye ouvrit la grille et remonta Julienne sur sa hanche. Son poids lui faisait mal aux bras. Julienne s'agrippait à elle, comme un petit singe, et protesta mollement quand Faye la posa à terre pour chercher ses clés.

Jack détestait quand elle le dérangeait en sonnant à la porte.

Elle finit par réussir à ouvrir, et elles entrèrent en titubant dans l'appartement. Avec ses dernières forces, elle ôta les vêtements chauds et les bottes de Julienne, la porta dans son lit et l'embrassa en lui souhaitant bonne nuit. Elle monta ensuite dans la tour pour voir si Jack travaillait.

Le bureau était désert et sentait le renfermé. Elle ouvrit la fenêtre pour aérer, plaça un pot de fleurs dans l'embrasure pour l'empêcher de claquer.

Alors Jack est au travail, pensa-t-elle, soulagée, en se dirigeant vers la chambre pour se doucher et se changer. Elle allait heureusement pouvoir se rafraîchir avant qu'il ne rentre. Elle se sentait dégoûtante, et ne voulait pas qu'il la voie essorée comme une serpillière.

Faye ouvrit la porte et, soudain, la chambre parut s'emplir d'eau. Tout se figea autour d'elle. Elle n'entendait que son souffle court et un bourdonnement de plus en plus fort dans ses oreilles.

Debout au pied du lit, Jack lui tournait le dos. Nu. Faye fixa son postérieur. Le grain de beauté familier sur la fesse droite. Grain de beauté qui bougeait tandis qu'il faisait aller et venir ses hanches en gémissant. Devant lui, à quatre pattes, une femme cambrait sauvagement la croupe, les jambes grandes écartées.

Faye chancela et posa la main sur le chambranle de la porte pour se retenir.

Tout allait si lentement. Les sons étaient étouffés, atténués. Les vêtements étaient jetés tout autour du lit, comme s'ils avaient été pressés de les enlever.

Elle ne savait pas depuis combien de temps elle était là quand ils s'aperçurent de sa présence.

Peut-être poussa-t-elle un cri sans même en avoir conscience. Jack se retourna, Ylva Lehndorf bondit et tenta en vain de se cacher derrière un oreiller.

"Quoi, bordel, je croyais que vous étiez en Scanie ! cria Jack. Putain, qu'est-ce que tu fous ici ?"

Faye cherchait ses mots. Comment pouvait-il être fâché ? Contre elle ? Elle commença par rester muette. Puis déversa un flot de paroles. Julienne, son téléphone, son retour. Elle tenta de s'expliquer, de s'excuser. Jack leva la main et Faye se tut aussitôt.

Jack fit signe à Ylva de s'habiller, et attrapa son peignoir. Il était sûrement frustré de ne pas avoir eu le temps de jouir. Il détestait être interrompu. Il disait que l'orgasme avorté lui pesait toute la journée.

Jack s'assit au bord du lit. Lui jeta un regard ferme et froid :
"Je veux divorcer."
Elle se vida de tout son souffle.
"Non, dit-elle en s'accrochant toujours au chambranle de la porte. Non, Jack. Je te pardonne. N'en reparlons plus, tu as juste fait une erreur. Nous allons surmonter ça."

Ces paroles retentissaient dans son crâne. Rebondissaient entre les hémisphères de son cerveau, sans trouver prise. Mais elle s'entendit elle-même les prononcer. Elle devait donc les avoir dites. Et y avoir cru.

Jack remua la tête d'un côté et de l'autre. Derrière lui, Ylva avait enfilé ses sous-vêtements et regardait fixement par la fenêtre.

Jack dévisagea Faye, la toisa de la tête aux pieds. Elle se passa nerveusement la main dans les cheveux. Bien trop consciente de l'air qu'elle avait. Il serra plus fort son peignoir à sa taille.

"Ce n'est pas une erreur. Je ne t'aime plus, je ne veux plus vivre avec toi.

— Nous pouvons surmonter ça", répéta Faye.

Ses jambes étaient à deux doigts de se dérober sous elle. Les larmes coulaient sur ses joues. Elle percevait elle-même le désespoir dans sa voix.

"Tu n'entends pas ce que je dis ? Je ne t'aime plus. Je… je l'aime, elle."

Il désigna de la tête Ylva, qui se tourna et regarda Faye. Elle était toujours en sous-vêtements. La Perla, gris. Son ventre ferme, ses seins parfaits et ses hanches étroites de garçon riaient au nez de Faye. Elle était tout ce que Faye n'était plus.

Jack soupira, et le regard aux aguets d'Ylva se changea en mépris quand Faye tomba à genoux devant Jack. Le parquet était dur contre ses rotules. Ils avaient changé tous les parquets en emménageant. Faye aurait voulu raboter et huiler le sol d'origine, mais sa proposition avait fait ricaner Jack. Il avait fait importer du plancher d'Italie. Pour plusieurs milliers de couronnes le mètre carré. Mais le parquet de luxe lui faisait aussi mal aux genoux qu'aurait fait l'ancien. Son humiliation était la même.

"Je t'en prie, supplia-t-elle. Donne-moi encore une chance. Je vais changer, je vais m'arranger. Je sais que j'ai été difficile à vivre, méchante… mauvaise… bête. Mais je te rendrai heureux. Tu es toute ma vie."

Faye essaya de saisir la main de Jack, mais il la retira. L'air dégoûté. Elle le comprenait. Elle se dégoûtait elle-même.

Il rejoignit Ylva, assise à présent sur le lit une de ses longues jambes croisée sur l'autre. Avec la fierté du propriétaire, il se plaça à côté d'elle. Posa une main sur son épaule nue. Ylva posa la main sur la sienne. Ensemble, ils regardèrent Faye, qui était toujours à genoux sur le parquet commandé spécialement en Italie.

Jack secoua la tête et dit, sans le moindre tremblement dans la voix :

"C'est fini. Je veux que tu partes."

Lentement, Faye se releva. Sortit à reculons de la chambre, incapable de détacher son regard de la main de Jack posée sur l'épaule osseuse d'Ylva. Elle ne se retourna pas avant de passer devant la porte close de la chambre de Julienne. Savait qu'il fallait qu'elle pense à sa fille, qu'elle prenne une décision, l'emmener, ne pas l'emmener, dire quelque chose, ne rien dire. Mais la seule pensée que son cerveau était capable de formuler était qu'il fallait partir de là. Tout de suite.

L'image des fesses nues de Jack entre les jambes d'Ylva encore sur la rétine, elle tituba dehors et laissa la porte se refermer derrière elle. Ce n'est qu'une fois sur le palier qu'elle s'aperçut qu'elle avait oublié ses chaussures.

*

Faye était assise devant l'appartement de Chris. Son corps secoué de sanglots.

Elle ne savait comment elle avait réussi à haler un taxi. En la voyant, le chauffeur l'avait aidée sans un mot à monter sur la banquette arrière.

Elle avait tambouriné à la porte, dans le vain espoir que Chris la sauve de tout, mais personne ne venant ouvrir, elle s'était effondrée par terre. Elle ignorait si elle aurait jamais la force de se relever.

"Faye ? Mon Dieu, qu'est-ce qui s'est passé ?"

Enfin.

Faye leva les yeux et vit Chris s'approcher précautionneusement. Faye se tendit vers elle, sans plus retenir ses larmes, qui l'empêchaient de voir.

"Aide-moi !" furent les seuls mots qu'elle parvint à articuler.

II

"Comment pouvez-vous être sûre que... que c'est vraiment lui qui l'a fait ?

— À ce stade, je ne peux rien dire, dit la policière sans croiser le regard de Faye.

— Je vous en prie, j'ai perdu ma fille. Que Jack ait pu... bien sûr, nous avons eu nos problèmes, mais je ne peux quand même pas croire que... ce doit être une erreur...

— Je ne devrais vraiment pas..."

La policière jeta un coup d'œil alentour. Son collègue était parti chercher un café pour Faye. À voix basse, elle reprit :

"Nous n'avons pas seulement trouvé du sang dans la voiture. Le GPS indique en outre que Jack s'est rendu dans la nuit jusqu'à un port de plaisance du lac Vättern. Nous y avons trouvé un bateau avec des traces de sang, vraisemblablement celui de Julienne."

Faye hocha la tête en grimaçant, car sa plaie au visage rendait ce geste douloureux. L'interrogatoire était enregistré et elle savait qu'on ne lui disait que ce qu'ils étaient prêts à lâcher. Ils voulaient la mettre en confiance, tisser un lien entre elle et cette femme assise en face, avec son regard compréhensif. Ils voulaient qu'elle coopère. Ils ne comprenaient pas qu'ils n'avaient pas besoin de jouer à ce petit jeu avec elle. Elle allait coopérer. Jack n'allait pas s'en tirer.

"Y a-t-il quelqu'un que nous puissions appeler ? Quelqu'un que vous aimeriez avoir auprès de vous ?"

Faye secoua la tête. Grimaça à nouveau de douleur. On l'avait bandée à l'hôpital, après quelques points de suture.

"Bon, nous pouvons arrêter pour aujourd'hui. Mais nous vous recontacterons certainement pour d'autres questions.

— Vous avez mon numéro, murmura Faye.

— Le pasteur est en route. Si vous voulez, vous pouvez bien sûr rentrer chez vous. Mais je ne suis pas sûre que ce soit une bonne idée de rester seule maintenant.

— Le pasteur ?"

Faye ne comprenait pas de quoi parlait la policière. Pourquoi un pasteur ?

"Eh bien… les gens qui… qui sont dans votre situation ont besoin de consolation, de quelqu'un à qui parler."

Faye leva les yeux et la regarda.

"Les gens dont l'enfant a été tué, vous voulez dire ?"

La policière hésita, mais finit par dire : "Oui."

Un mouvement dans le lit. Quelqu'un s'était assis dessus. Faye se força à ouvrir les yeux et croisa le regard de Chris. À la fois soucieux et déterminé.

"Je t'aime, Faye, mais ça fait deux semaines que tu es dans ce lit. Il suffit de mentionner Jack ou Julienne pour que tu te mettes à pleurer. Ça ne peut plus durer."

D'un signe de tête, Chris indiqua la porte.

"Si tu veux quelque chose, il faudra sortir du lit me le demander. Si tu veux manger, il faudra venir jusqu'à la cuisine te le préparer toute seule. Je n'entrerai plus dans cette chambre, même si tu m'appelles pour me dire que Denzel Washington est attaché tout nu sur le lit."

Le lendemain, Faye gagna la cuisine en titubant, vêtue d'une culotte et d'un tee-shirt Nirvana.

Chris avait une tasse de café à la main, et *Vanity Fair* ouvert sur la table. Elle regarda Faye par-dessus le rebord de sa tasse.

"Tu trouveras de quoi déjeuner dans le réfrigérateur. Moi, je m'en tiens au régime de Lindsay Lohan."

Faye tira une chaise et s'y laissa tomber.

"Et ça ?

— Café, clope, et pilule du lendemain."

Un sourire ironique.

"Mange quelque chose. Je pars bosser. Tu veux m'accompagner ?"

Faye secoua la tête.

"Reste à la maison, va. Regarde un film, pleure un peu, lamente-toi sur ton sort. Je suis déjà bien contente que tu sois sortie de cette chambre. Ça commençait à sentir mauvais là-dedans."

Faye posa la main sur le bras de Chris et croisa son regard.

"Merci, dit-elle. Pour tout. Pour… enfin, tu sais bien.

— N'y pense pas. Dans la *casa* de Chris, tu peux rester jusqu'à ce que tu sois sur pied. Pourvu que tu prennes des douches régulièrement."

Faye hocha la tête. Le deal était honnête.

Faye se sentait misérable. Comme si elle avait la gueule de bois. Une fois Chris partie, elle se coucha dans le canapé, sortit son portable et appela Jack. Elle l'avait fait tous les jours. Naturellement pour parler avec Julienne, mais peut-être plus encore pour entendre sa voix. Chaque fois, il semblait davantage irrité et écourtait de plus en plus la conversation. C'était comme parler avec un étranger.

"Oui ? fit-il sèchement.

— Salut, c'est moi.

— Je vois bien. Julienne n'est pas là. Elles viennent juste de partir à la crèche.

— *Elles ?*"

Jack se racla la gorge. Elle entendait du bruit et des voix à l'arrière-plan.

"Je n'ai pas eu le temps de déposer Julienne aujourd'hui, j'avais à faire, alors Ylva l'a conduite."

Faye n'en croyait pas ses oreilles. Deux semaines à peine s'étaient écoulées, et Ylva et Jack jouaient déjà à papa-maman. Faye était remplacée. Congédiée. Comme n'importe quelle bonne ou baby-sitter.

C'était un crève-cœur de ne plus voir Julienne, mais jusqu'à maintenant elle n'en avait pas eu la force. Elle s'était persuadée qu'il était mieux pour sa fille de rester dans son cadre habituel rassurant, et qu'il serait mauvais pour elle de voir sa maman brisée par le chagrin.

"Allô ? fit Jack.

— Il faut que je passe chercher des affaires, dit Faye en s'efforçant d'avoir une voix normale. Et je veux voir Julienne.

— Ce n'est pas le bon moment.

— Quoi ?

— Que tu passes chercher tes affaires. L'appartement est sens dessus dessous. Nous… j'ai acheté une maison. Nous sommes en plein déménagement."

Faye ferma les yeux. Se concentra sur sa respiration. Ne pas craquer.

"Et *vous* allez déménager où ?

— Gåshaga. Près de chez Henrik et Alice, en fait. Ce n'était pas prévu, mais nous… enfin, voilà, il y a eu une annonce pour un bien fantastique sur internet."

Nous. Il parlait d'eux comme ça. Jack et Ylva. Depuis 2001, c'était Jack et Faye, mais désormais, *nous* était devenu une tout autre personne. Faye dut éloigner l'écouteur pour ne plus entendre. Elle le tannait depuis des années pour qu'ils déménagent dans une maison, lui rabâchait que ce serait bon pour Julienne, mais il n'avait rien voulu savoir. Et voilà qu'apparemment, Ylva et lui avaient trouvé "un bien fantastique sur internet". Comme ça.

"… envoie-moi une liste des affaires qu'il te faut, je te les ferai livrer.

— J'y compte bien, dit-elle en serrant les dents. Et Julienne ? Il faut que je puisse la voir.

— En fait, je pense que ça pourrait attendre que tu aies trouvé un endroit où habiter, mais bon, si tu veux. Tu peux passer la semaine prochaine, quand le déménagement sera fini", concéda-t-il, grand seigneur, avant de raccrocher.

Faye imagina alors Ylva en train de s'amuser avec Julienne, de la gâter, de la déguiser, la câliner, regarder des films, lui tresser les cheveux. Elle était sûrement experte en tresses plaquées. Celles que Julienne réclamait toujours, mais que Faye ne savait que rater.

Et chaque fois qu'elle fermait les yeux, elle revoyait Jack et Ylva devant elle. Ylva avec ses lèvres parfaites et ses seins haut pointés. Elle voyait Jack qui la pénétrait, combien elle était belle, l'entendait gémir son nom en jouissant.

La plus grande ironie, c'était qu'Ylva Lehndorf était tout ce que Faye aurait pu être si Jack n'avait pas dit qu'il voulait une femme au foyer présente pour lui quand il en avait besoin. Pourquoi avait-il changé d'avis ?

C'était lui qui l'avait transformée en quelqu'un d'autre. Quelqu'un qu'elle-même ne reconnaissait plus. Et si elle n'était plus la femme de Jack Adelheim, qui était-elle ? Pendant ces années passées avec Jack, elle avait épluché tout le reste, couche par couche. Il ne restait plus rien.

Faye avait emprunté la voiture de Chris. Ses mains tremblaient tant qu'elle arrivait à peine à tenir le volant. Elle allait voir Julienne. Enfin.

Il n'y avait presque aucune circulation sur Lidingövägen. Le soleil brillait, de légers nuages filaient dans le ciel bleu. Suivant les indications du GPS, elle s'arrêta devant une colline. Tout en haut se dressait une maison en pierre aux airs de palais. Un bien fantastique. Exactement le genre de maison dont elle avait rêvé.

La Tesla de Jack était garée dans l'allée. Quelques hommes déchargeaient des cartons de déménagement d'un gros camion.

Elle sonna à la grille, regarda une caméra et attendit quelques secondes avant qu'elle ne s'ouvre avec un ronronnement sourd. Elle s'avança et alla se garer derrière le camion.

Un contremaître chauve lui hurla de déplacer sa voiture pour ne pas bloquer le passage. Faye s'excusa d'une main levée et obtempéra.

Julienne sortit en courant, et Faye ôta sa ceinture et sauta à terre. Serra sa fille contre elle, huma son parfum. Les larmes lui brûlaient les paupières, alors qu'elle s'était juré de ne pas pleurer. Il fallait qu'elle prenne sur elle, quoi qu'il arrive.

Jack sortit sur le perron. Il portait un chino beige et un pull-over vert d'où dépassait le col bleu clair d'une chemise. Il était plus mignon que jamais.

"Ma chérie, tu m'as tellement manqué, dit Faye en embrassant la tête de Julienne, mais maintenant, il faut que je parle un peu avec papa. Est-ce que tu pourrais jouer un peu toute seule, et je te rejoins très vite ?"

Julienne hocha la tête et regagna la maison en courant.

Jack souriait à Faye, insouciant. Elle chercha chez lui le moindre signe de culpabilité, mais n'en trouva aucun. Une part d'elle aurait voulu lui déchiqueter le visage. Une autre se jeter dans ses bras et presser sa joue contre son pull.

"Qu'est-ce que tu en dis ?" demanda-t-il avec un large geste de la main vers la façade, derrière lui.

C'était totalement bizarre. Il faisait comme si de rien n'était.

"Il faut qu'on parle", lâcha-t-elle.

L'adrénaline affluait dans tout son corps, la faisait se balancer sur place.

"De quoi ?

— De ce qui s'est passé. De... oui, de tout ça.

— Mais tu devais bien t'y attendre, non ? Mon Dieu, ça n'a quand même pas pu être une surprise ?"

Il soupira.

"Mais bon, d'accord, allez, entre un moment."

Il la précéda dans la maison. Des cartons étaient empilés dans l'entrée. Deux hommes portaient un canapé dans l'escalier.

"On va s'asseoir là-bas", dit-il en la conduisant à travers un salon jusqu'à une véranda vitrée avec vue sur la mer.

Faye s'assit dans un fauteuil qu'elle ne reconnaissait pas. Ylva devait l'avoir apporté de chez elle. Ou alors ils avaient tout racheté. Du vent les vieilleries. Place au neuf. Meubles ou femme.

"J'ai besoin d'argent, Jack. Pas beaucoup. Juste de quoi atterrir."

Il regarda ses mains, hocha la tête.

"Bien entendu. Je te virerai quelques billets de mille."

Faye souffla bruyamment par le nez, et Jack leva un sourcil étonné.

Derrière lui, elle voyait l'eau claire. Julienne adorerait courir s'y baigner, en été.

"Il faut que j'achète un appartement. Je suppose que tu souhaites que Julienne soit bien quand elle viendra chez moi ?

— Je ne vois pas en quoi il serait de ma responsabilité de pourvoir à ton logement. C'est à toi de trouver une solution. Mais bien sûr, je comprends que ma fille doive bénéficier d'un certain standing, même si sa mère n'a pas fait une priorité de subvenir elle-même à ses besoins. Je vais te virer un peu d'argent, de quoi te permettre de louer quelque chose. Mais je suggère que tu cherches un travail."

Faye serra si fort les dents qu'elles grincèrent. Cela lui coûtait de demander l'aumône. Mais tous leurs revenus étaient ceux de Jack. Elle n'avait pas d'économies, pas de boulot. Et il fallait qu'elle pense à Julienne. La maternité passait avant la fierté. Il fallait qu'elle se trouve un petit logement bon marché, avant de toucher l'argent du divorce. Combien elle obtiendrait, elle n'en avait aucune idée, mais elle devrait bien récupérer une part correcte de la fortune de Jack ? Elle avait quand même largement contribué à lui permettre de la bâtir. Il avait dit que tout ce qui était à lui était à elle, que le succès était largement partagé. Comment Jack pouvait-il soudain l'avoir oublié ?

Elle le regarda. Ses cheveux étaient plus courts qu'à l'ordinaire. Elle se souvenait de la fois où elle les lui avait coupés, dans leur cuisine de Bergshamra. Ils venaient de se rencontrer. *Si riche que je devienne, ce sera toujours toi qui me couperas les cheveux, j'aime tellement quand tu me prends comme ça,* avait-il déclaré. Encore une promesse non tenue. Ces trois dernières années, il avait fréquenté chez Marre, le salon de coiffure VIP le plus branché de Stockholm.

"Comment faisons-nous avec Julienne ? demanda-t-elle.

— Elle habitera ici jusqu'à ce que tu aies un logement convenable, pas question de faire autrement. Ylva et elle s'entendent vraiment très bien, ne t'inquiète pas."

Jack sourit, satisfait. Par la véranda, on voyait des oies marcher sur le rivage. J'espère qu'elles chient beaucoup, songea Faye.

Elle détacha les yeux des oiseaux qui se dandinaient.

"Tu es vraiment décidé ? demanda-t-elle à voix basse.

— Décidé ?

— Pour elle. C'est ça que tu veux ?"

Jack se gratta le front. La dévisagea, comme s'il avait du mal à comprendre la question.

"Ce n'est pas assez évident ? Je n'étais pas heureux avec toi, Faye."

Faye sentit son cœur se fendre, comme s'il lui avait enfoncé un couteau entre deux côtes. Elle aurait voulu lui demander depuis combien de temps il avait une liaison avec Ylva Lehndorf, mais se retint. Un couteau dans le cœur à la fois, ça suffisait.

Elle se leva brusquement et appela Julienne.

"Donc, tu la ramènes ce soir à six heures ?

— Oui."

Julienne arriva en courant. Faye la prit par la main et l'emmena dehors. Tandis que la voiture s'éloignait, sa fille babillait gaiement au sujet de sa nouvelle chambre. Apparemment, elle était "encore plus belle que la chambre de Barbie".

Faye appuya sur l'accélérateur.

Les semaines passèrent. S'écoulèrent comme un songe. Chaque soir, Faye empruntait la voiture de Chris, roulait jusqu'à Lidingö et se garait à quelque distance de la magnifique villa. À travers la baie vitrée, elle voyait sa vie du dehors, comme un film, à la différence près que ce n'était plus elle qui y tenait le rôle principal. Et que ce n'était plus sa vie. Jack et Ylva défaisaient leurs cartons, buvaient du vin, s'embrassaient, dînaient, riaient. Des chandelles vacillaient dans leur chambre, sans doute avec des bougies parfumées de chez Bibliothèque. "Jamais rien en solde, toujours ce qu'il y a de plus cher", plaisantait souvent Jack – même s'il le pensait vraiment. Parfois, elle apercevait Julienne. Toujours seule. Ou avec la baby-sitter que Jack avait embauchée à plein temps.

Elle disait à Chris qu'elle allait juste faire un tour en ville, mais son amie la connaissait assez pour ne pas s'y tromper. Le chagrin la submergeait encore parfois, mais Faye se répétait que ce n'était que passager. Jack était sa drogue et, quand elle aurait passé la période de manque, elle se relèverait et, avec le temps, la douleur s'estomperait. Comme par le passé.

Elle se souvenait vaguement d'avoir jadis été l'élément fort de la famille. Cette force devait bien être encore quelque part. Jack ne pouvait pas lui avoir aussi volé ça.

Faye était assise dans la cuisine de Chris quand Jack appela. Une seconde, elle s'imagina qu'il allait lui dire que tout avait été une erreur, et la supplier de revenir. Ou que la période qui venait de s'écouler n'avait été qu'un long cauchemar. Elle serait revenue à lui sans hésiter. Contente comme un chiot. Elle lui aurait sautillé tout autour en remuant la queue.

Au lieu de quoi, Jack lui annonça qu'elle n'obtiendrait absolument aucun argent.

"Le préambule du contrat de mariage prévaut, conclut-il après un long exposé. Et tu l'as toi-même signé. Je pensais bien que c'était bétonné, mais je voulais d'abord vérifier avec mes avocats. Résultat, oui, ça tient la route."

Faye refoula de son mieux sa colère, mais entendait bien combien sa voix était forcée.

"J'ai quitté Sup de Co pour t'entretenir pendant qu'Henrik et toi vous lanciez Compare. Tu t'en souviens ? Et ensuite, quand j'ai voulu travailler, tu as dit que ce n'était pas la peine, que je ne devais pas m'inquiéter. Tu m'avais promis que ce préambule n'était qu'une formalité. Pour satisfaire la direction. Que j'aurais bien entendu ma part. Puisque toute l'idée de cette entreprise venait quand même de moi !"

Jack ne répondit pas.

"Ça vient d'elle, hein ? reprit-elle.

— Je ne comprends pas ce que tu veux dire.

— C'est elle, Ylva, qui ne veut pas que j'aie un sou. Tu ne trouves pas que vous m'avez assez humiliée comme ça ? Je n'ai absolument rien, Jack. Ma vie est détruite.

— Ne mêle pas Ylva à tout ça. Cet argent est à moi, c'est moi qui l'ai gagné pendant que tu te la coulais douce à la maison. Ce ne sont pas tes longs déjeuners chez Riche avec tes copines qui ont rapporté de l'argent." Jack ricana. "Putain, tu n'as qu'à bosser, comme tout le monde. Vivre un peu dans la réalité, pour changer. Les gens ne passent pas leur vie en vacances comme toi ces dernières années. Pendant que moi je travaillais dur pour assurer la subsistance de la famille."

Faye se força à garder son calme. Inspira. Expira. Refusait de croire qu'il puisse comme ça effacer d'un trait de plume toutes leurs années communes. Tout ce qu'ils avaient vécu, fait.

Jack la tira de ses pensées.

"Si tu continues à faire des vagues, je t'écraserai. Laisse-nous en paix, Ylva et moi."

Quand il eut raccroché, Faye demeura un long moment le téléphone à la main. Puis, à son propre étonnement, elle se mit à hurler. Un cri primal qu'elle n'avait pas entendu depuis de nombreuses, très nombreuses années, dans une autre vie. Il se répercutait à présent entre les murs, tel un puissant écho.

Faye se tut, pantelante. Se cala en arrière dans sa chaise. S'appuya voluptueusement au dur dossier. Accueillit la colère qui déferlait en elle comme une force surgie du fond des âges.

Elle sentit la noirceur familière sourdre par tous les pores de son corps, la noirceur qu'elle n'avait jamais réussi à oublier. Elle avait fait comme si elle n'avait jamais existé, comme si elle n'avait jamais été une part d'elle. Mais à présent, elle commençait lentement à se rappeler qui elle était, qui elle avait été.

La haine était familière et rassurante. Elle l'emmitouflait dans un cocon chaud, lui donnait un but, une raison d'être, lui faisait reprendre pied. Elle allait montrer à Jack. Elle allait se relever.

Faye prit le métro pour la première fois depuis plusieurs années. Elle y monta à Östermalmstorg, roula jusqu'au terminus Norsborg et le reprit dans l'autre sens. Elle descendit à T-Centralen et traversa à pied la place Sergelstorg, où on vendait toujours de la drogue, exactement comme à son arrivée à Stockholm, treize ans plus tôt.

Mais la ville lui semblait toute neuve. Il y avait tant à voir et à explorer à Stockholm, maintenant qu'elle n'avait plus besoin de se soucier des "ça n'est pas convenable" de Jack. Faye avait trente-deux ans, mais se sentait renaître.

Au niveau de la plaque commémorative d'Olof Palme, elle coupa en traversant Sveavägen.

À une terrasse près du cimetière, quelques courageux penchés au-dessus de leurs bières fumaient en bravant les vents printaniers. Pauvres, chômeurs, exclus. De la racaille, aurait dit Jack.

Faye poussa la porte et entra. Le barman haussa un sourcil en toisant son manteau, visiblement luxueux. Jack lui avait au moins laissé sa garde-robe, quand il avait vidé leur appartement.

Elle commanda une bière et s'installa dans un coin. Elle avait un goût de lavasse. Les pensées tournaient dans sa tête. Jusqu'à quel point avait-elle été humiliée ? Tout ce que lui avait dit Jack n'était-il qu'un mensonge ? Ylva avait-elle été la seule, ou y en avait-il eu d'autres ? Elle n'avait encore pas eu le courage d'y réfléchir. À présent, il fallait qu'elle se vautre dans ces idées, qu'elle engraisse sa colère. Évidemment qu'il y en avait eu d'autres. Elle connaissait Jack. Malgré tout.

Elle sortit son portable de son sac et composa le numéro d'Alice.

"Tu as un moment ?" demanda Faye quand Alice finit par répondre.

Faye entendit son hésitation.

"Je veux te poser quelques questions. Et je veux que tu me répondes sincèrement.

— Attends un peu…"

Derrière elle, des cris d'enfants. Alice appela la baby-sitter, ferma une porte, et le bruit s'estompa.

"Bon, je t'écoute, dit-elle.

— Tu sais ce qui s'est passé avec Ylva. Je suppose que ça durait depuis un moment. Je veux savoir depuis quand, et s'il y en a eu d'autres.

— Faye, je…

— Laisse tomber le baratin, Alice. Je vois bien que tu es au courant depuis le début. C'est OK. Je ne cherche pas la bagarre. Je veux juste savoir la vérité."

Alice se tut un long moment. Faye patienta. Alice finit par inspirer à fond.

"Jack te trompe depuis que je connais Henrik. Avec tout le monde, Faye. Jack baise tout ce qui bouge. Parfois, j'avais juste envie de te coller le nez dessus, de te faire redescendre sur terre, quand tu te permettais de juger Henrik. Et moi. Mais je ne l'ai jamais fait. Parce que je sais ce que ça fait."

Alice se tut. Elle devait s'être rendu compte de son aveu : l'indifférence qu'elle était si encline à afficher était un leurre. Cette indifférence à laquelle Faye, au fond d'elle-même, n'avait jamais cru.

Faye digéra ce qu'elle venait d'entendre. Ça ne faisait pas aussi mal qu'elle l'aurait imaginé. Elle se sentait plutôt soulagée. Quelque part, elle devait le savoir.

"Je suis désolée, hésita Alice.

— Ça va. Je m'en doutais.

— Tu ne dis rien à Jack de cette conversation, hein ?

— Promis.

— Merci.

— Tu devrais quitter Henrik, reprit Faye d'une voix sèche et objective. Nous valons mieux que cette merde, nous faire piétiner et exploiter de cette façon. Je crois qu'un jour tu le comprendras. Ce n'était pas de mon plein gré, mais j'y suis arrivée. Et quand on est passée de l'autre côté, c'est en fait une libération.

— Mais je suis heureuse.

— Je l'étais aussi. Je le croyais. Mais le temps nous rattrape, Alice. Tôt ou tard, tu échoueras là où je suis aujourd'hui, et ça aussi, tu le sais."

Faye raccrocha sans attendre de réponse. Elle savait que son amie n'en avait pas à lui donner. Que rien de tout ce qu'elle avait dit n'était nouveau pour Alice, qui se débattait avec ces mêmes pensées sûrement mille fois par jour. Mais c'était le problème d'Alice. Pas le sien.

Désormais, elle était prête pour la guerre.

Faye savait qu'elle avait dans son arsenal la meilleure arme : sa féminité. Elle poussait les hommes à la sous-estimer, à la chosifier, la prendre pour une idiote. Jack ne gagnerait jamais ce match. Elle était plus maligne que lui. Depuis toujours. Elle l'avait juste laissé l'oublier, et l'avait, elle aussi, oublié.

Mais elle allait le lui rappeler, le leur rappeler à tous les deux.

Pour commencer, elle devait le laisser croire que rien n'avait changé – qu'elle était toujours la même Faye, soumise, désespérément amoureuse et naïve. Ça, c'était la partie facile. Elle jouait ce rôle depuis si longtemps qu'elle le connaissait comme sa poche.

Mais en secret, elle allait bâtir sa propre entreprise, devenir riche et enfin écraser Jack. Pour le moment, elle ne savait pas comment cela allait se passer, et il y avait toute une série de questions pratiques à régler. Avant tout, il lui fallait un logement : elle ne pouvait pas indéfiniment s'incruster chez Chris. La question était juste : où ? Elle était trop fauchée pour le centre-ville mais, en même temps, ne devait pas trop s'éloigner de la maternelle de Julienne. Ensuite, elle devait bâtir un capital, retrouver la forme, mettre à jour ses connaissances sur le monde de la finance, créer son propre réseau. Il y avait mille choses à faire. Mille objectifs à atteindre avant que Jack ne soit écrasé. C'était exaltant.

"Je peux avoir du papier ? demanda-t-elle au barman. Et de quoi écrire."

Il posa un stylo sur le comptoir et lui indiqua une pile de serviettes en papier. Faye nota une liste de choses à régler. Puis elle appela Jack pour faire la paix. Cela ne lui coûtait même pas, c'était juste un jeu. Un premier mouvement aux échecs. Elle avait besoin d'un cessez-le-feu pour rassembler et redéployer ses forces.

Elle se fit une voix de velours, un peu fragile. Comme le souvenir qu'il en avait.

"J'étais tellement triste. C'est pour ça que je me suis mal comportée avec toi. Mais ça y est, j'ai atterri, et j'ai réalisé que tu avais raison pour beaucoup de choses. Est-ce que tu pourras me pardonner ?"

Elle but une gorgée de bière. Elle était presque finie, et Faye fit signe au barman qu'elle en voulait une autre.

"Oui, je comprends que ça a été dur pour toi", dit Jack avec un mélange d'étonnement et de générosité grandiloquente.

Faye but la dernière gorgée de bière au moment où on en posait une autre devant elle. Elle traça des ronds dans la mousse. Se souvint de la fois où Chris avait dessiné un cœur sur la buée du verre.

"C'est vrai. Mais ça n'excuse rien. Mais maintenant, je vais me reprendre. Pour Julienne. Et pour toi. La mère de ta fille ne va pas s'abaisser à te réclamer de l'argent. Je ne sais pas quelle mouche m'a piquée. Je... je n'étais pas moi-même."

Elle se tut, sentant qu'elle en faisait peut-être trop. Mais Jack était tellement habitué à l'entendre tout le temps lui donner raison et dire qu'elle avait tort.

Jack voulait se voir comme le héros sur son cheval blanc. Elle lui donnait à présent une possibilité de confirmer cette image qu'il avait de lui-même. Comme tous ceux qui l'entouraient l'avaient toujours fait.

"Ça va. Essaie juste de ne pas être si... casse-pieds, c'est tout", dit Jack.

Quand ils eurent raccroché, Faye descendit sa bière et en commanda une autre. Personne ne lui ferait plus de remarques. Elle commença à pouffer, incapable d'arrêter. Ivre d'alcool et de liberté.

La villa à un étage construite dans les années 1920 était dans un quartier résidentiel idyllique d'Enskede. Faye poussa une grille peinte en vert, traversa un jardin bien entretenu et sonna à la porte.

La femme qui vint lui ouvrir avait les pommettes hautes, des cheveux blancs attachés en chignon et portait un pantalon de tailleur et un polo noir. Sa posture était stricte, presque militaire. Elle tendit une main noueuse.

"Kerstin Tellermark. Entrez", dit-elle en faisant un pas de côté.

Faye fut conduite à travers un petit vestibule orné de photos noir et blanc jusqu'à un séjour agréablement meublé. Des tableaux, marines et paysages, décoraient le papier peint brun, quelques fauteuils fatigués se serraient contre un mur et il y avait un vieux piano dans un coin.

"Comme c'est joli chez vous, dit Faye. Sincèrement.

— C'est un peu démodé, s'excusa Kerstin, mais Faye vit que le compliment lui faisait plaisir. Voulez-vous du café ?"

Faye secoua la tête.

"Bon. Vous voulez donc habiter ici avec votre fille ?

— Oui, Julienne. Elle a quatre ans.

— Divorce ?"

Faye hocha la tête.

"La bonne sorte ?

— Non."

Kerstin haussa les sourcils.

"Vous avez un travail ?

— Pas encore. Mais je vais m'en occuper. Je… j'ai fait Sup de Co. J'ai d'abord besoin de me poser."

Kerstin se leva et invita Faye à monter un escalier. L'étage était constitué d'un salon plus petit et de deux chambres. C'était parfait, exactement ce qu'il lui fallait.

"Cinq mille couronnes par mois.

— Je prends."

Deux jours plus tard, Chris l'aida à déménager. Bras croisés sur le perron, Kerstin les regarda porter les trois cartons qui contenaient tout ce que Faye possédait. Elle avait vendu la plupart des vêtements qu'elle avait récupérés de l'appartement dans une boutique d'occasion un peu chic de Karlavägen. Pour avoir un peu d'argent.

Elle ne voulait plus rien recevoir de Jack. Juste lui prendre. Ce serait plus amusant.

Une fois Chris repartie, Kerstin frappa à sa porte. Faye était en train de sortir ses vêtements des cartons et l'invita à entrer, mais Kerstin resta sur le seuil.

"La fille dont vous avez parlé, où est-elle ?

— Chez son père. Elle viendra plus tard dans la semaine, dit Faye en étendant une chemise.

— Il vous a quittée ?

— Oui.

— La faute à qui ?

— À qui ?

— C'est toujours la faute de quelqu'un.

— Dans ce cas, la sienne. Il fourrait sa bite partout, et j'ai été assez bête pour m'en rendre compte."

Faye sursauta en réalisant ce qu'elle venait de dire, mais Kerstin se contenta de hocher la tête.

Faye pendit ses vêtements dans le placard, passa l'aspirateur, changea les draps et s'étendit sur le lit, les bras croisés derrière la tête. Il fallait qu'elle trouve un gagne-pain. Vite. D'abord, pour assurer sa subsistance. Payer son loyer à Kerstin, à manger, tout ce dont Julienne avait besoin. Mais son travail devait lui laisser suffisamment de liberté pour qu'elle puisse commencer à réfléchir à côté à un business plan. Elle ne pouvait pas avoir un chef sur le dos.

Faye alla à la fenêtre. Un homme blond d'une cinquantaine d'années passa avec un grand Rhodesian ridgeback qui semblait répondre au nom de Hasse. Le chien tiraillait sa laisse, et son maître avait fort à faire pour se maintenir debout.

Faye le suivit longtemps du regard.

Quelques heures plus tard, Kerstin l'invita à un dîner de bienvenue. Des steaks hachés avec des pommes de terre et une sauce brune. Elle avait posé sur la table ronde de la salle à manger de la confiture d'airelles et du concombre mariné.

"Très bon, dit Faye.

— Merci."

Kerstin resservit Faye.

Sur le rebord de la fenêtre, une photo de Kerstin, jeune. Des cheveux bruns coupés au bol, une courte robe blanche.

Elle suivit le regard de Faye.

"Londres, fin des années 1960. J'étais baby-sitter dans une famille, là-bas, et amoureuse d'un Anglais, Lord Kensington. De belles années.

— Et pourquoi ne pas y être restée ?

— Parce que la mère de Lord Kensington, Lady Ursula, ne trouvait pas convenable que son fils unique veuille vivre avec une baby-sitter suédoise. Quelques années plus tard, il a épousé une fille de bonne famille, Mary.

— Quel dommage, dit Faye.

— C'est comme ça. Je ne me plains pas.

— Vous avez été mariée ?

— Oh oui. Avec Ragnar."

Kerstin détourna les yeux. Remonta sans s'en rendre compte le col de son polo.

Faye la regarda et chercha autour d'elle. Aucune photo de Ragnar. Ni de Ragnar et Kerstin.

Les couverts de Kerstin tintèrent quand elle les posa sur son assiette. Elle se leva, disparut dans le séjour et revint avec une photo. Elle la posa sur la table devant Faye. Elle représentait un homme torse nu en short blanc, sur une chaise longue.

"Ragnar, dit-elle. Palma, 1981.

— Beau, dit Faye. Ça doit être dur de perdre quelqu'un avec qui on a vécu si longtemps. Depuis combien de temps a-t-il disparu ?

— Disparu ?" Kerstin écarquilla les yeux et la regarda, interloquée. "Non, non. Ragnar est en vie. Ce salaud pourrit dans une maison de retraite de Södermalm.

— Je ne comprends pas.

— Il a eu une attaque il y a trois ans.

— Alors vous vivez seule ?"

Kerstin hocha la tête.

"Oui. Mais ça me va, dit-elle en se fourrant une pomme de terre dans la bouche. C'est calme, j'aime ça. La seule chose qui dérange ma tranquillité d'esprit, c'est qu'il respire encore."

Elle regarda la photo. Puis la retourna et dit :

"Reprenez du steak haché. Bien manger, c'est un baume pour l'âme."

Faye hocha la tête et prit le plat qu'elle lui tendait. C'était la première fois depuis longtemps que la nourriture avait du goût.

Le matin suivant, Faye se réveilla tôt. Elle descendit l'escalier qui craquait et fut accueillie par une odeur de café frais.

Kerstin était déjà levée. Elle avait *Dagens Nyheter* ouvert devant elle et, sur la table, un exemplaire plié de *Dagens Industri*. La photo de Ragnar de la veille avait disparu.

"Bonjour, dit Kerstin. Prenez-en une tasse."

Faye s'assit et prit *Dagens Industri*. Lut l'éditorial. Parcourut un article de débat. La page suivante, elle tomba face aux yeux bleus de Jack. Elle sursauta, envisagea un moment de tourner la page, mais ses yeux furent automatiquement attirés par le titre. Du carburant. Elle avait besoin de carburant.

"Adelheim dément les rumeurs de cotation en Bourse." Kerstin devait l'avoir entendue retenir son souffle, car elle leva les yeux de son journal et dévisagea Faye.

"Mauvaises nouvelles ?

— Non, rien. Juste une personne que je connaissais."

Dans l'article, Jack affirmait dans une courte déclaration qu'une cotation en Bourse de Compare n'était pas à l'ordre du jour. Mais il confirmait que sa directrice financière, Ylva Lehndorf, avait quitté l'entreprise pour commencer à travailler pour le fournisseur de contenu musical Musify. Jack parlait d'une décision prise d'un commun accord, et lui souhaitait bonne chance dans sa carrière. Pas un mot sur le fait qu'il vivait avec elle. Ils devaient sûrement le savoir, mais les journalistes de *Dagens Industri* étaient trop bien élevés pour mélanger ragots et affaires.

Il a déjà commencé à transformer Ylva, pensa Faye. L'étape suivante sera qu'elle arrêtera complètement de travailler. Faye ne savait trop qu'en penser. Se réjouir de son malheur ? La plaindre ? D'une certaine façon, elle aurait préféré pouvoir se dire qu'Ylva valait mieux qu'elle. Qu'elle était plus intelligente, plus forte. Mais Ylva avait déjà commencé à se soumettre. Et ainsi, elle lui apparaissait encore davantage comme la putain de Jack. Achetée par son argent et son charme.

Faye parcourut à nouveau l'article, puis continua à feuilleter le journal. Elle ne savait pas encore quel usage elle pourrait en faire, n'avait pas de projet clair. Pour le moment, elle se contentait de rassembler l'information.

"Quels sont vos projets pour aujourd'hui ? demanda Kerstin.

— Je comptais faire une promenade. Au fait, savez-vous s'il y a un endroit dans le coin où on peut laisser des petites annonces ?

— Des annonces ?

— J'ai l'intention de lancer une petite activité.

— Ah ?"

Kerstin posa son journal et dévisagea Faye.

"Oui, un service de *dog-sitting*. Dans ce quartier, tout le monde a l'air d'avoir un chien. Mon idée, c'est de les promener pendant la journée, tout en réfléchissant à mon projet. Après, on verra. En attendant, ce sera un moyen rapide et simple de gagner de l'argent."

Kerstin l'observa attentivement. Puis elle retourna à son journal.

"Essayez la bibliothèque de Dalen", dit-elle.

Faye imprima vingt petites annonces, qu'elle plaça dans tous les points stratégiques d'Enskede. Elle songeait à ce qu'Alice et ses amies auraient dit en la voyant. Elle se réjouit de constater qu'elle s'en fichait comme d'une guigne. Elle n'avait pas les moyens de se payer un club de gym : passer ses journées à promener des chiens lui ferait faire l'exercice dont elle avait besoin pour perdre du poids. Et en même temps elle gagnerait de l'argent, ce dont elle avait vraiment besoin pour avancer.

Chris lui ferait sans hésiter un prêt, si elle le lui demandait. Mais Chris en avait assez fait. Il fallait que Faye se débrouille toute seule désormais, pour se montrer à elle-même et aux autres qu'elle en était capable. Et pour la première fois depuis des années, elle se sentait combative. Son passé, finalement, se révélait être une ressource. Plus seulement quelque chose qui la faisait se réveiller avec des sueurs froides en pleine nuit, l'image de Sebastian sur la rétine. Son père, elle refusait d'y penser. Elle avait encore cette force.

Elle hâta le pas, s'arrêta devant un réverbère à côté d'une villa jaune et sortit le rouleau de scotch acheté au supermarché ICA.

Deux fillettes de l'âge de Julienne sautaient sur un trampoline sur la pelouse du jardin de la villa. Elles riaient et criaient.

Faye resta longtemps à les regarder.

Combien de fois seraient-elles trompées ? Verraient-elles leurs rêves brisés ? Devant elles, le long chapelet des méchancetés qu'allaient leur infliger les hommes. L'expérience d'être mises à l'écart, jugées d'après leur apparence, l'effort pour se couler dans le moule, plaire – voilà ce qui unissait les femmes de tous les âges, tous les pays et toutes les époques.

Elle en eut alors la révélation. Il y avait là toute une armée. Qui n'attendait que l'occasion de passer à l'attaque. La plupart des femmes – si riches et brillantes soient-elles – ont été trahies par un homme. La plupart ont cet ex, ce salaud infidèle, ce menteur, ce traître qui leur a brisé et piétiné le cœur. Ce chef qui a promu un collègue moins qualifié et moins compétent. Toutes ont connu les remarques, les mains poisseuses à la fête de Noël de l'entreprise. La plupart des femmes sont des blessées de guerre. D'une certaine façon.

Et pourtant, elles se sont retenues. Ont pris sur elles. Fait preuve de grandeur d'âme. Montré de la compréhension, excusé. Consolé leurs enfants quand il n'était pas là comme promis. Passé l'éponge sur ses paroles méprisantes. Continué d'inviter ses parents aux anniversaires des enfants, alors qu'ils avaient choisi leur camp lors du divorce et ne lui avaient pas épargné leurs commentaires ravis sur les fantastiques qualités de la nouvelle femme de leur fils. Car c'est ainsi que font les femmes. Elles tournent leur colère vers l'intérieur. Contre elles-mêmes. Elles n'occupent pas de place, ne réclament pas justice. Les filles comme il faut ne se battent pas. Les filles comme il faut ne haussent pas la voix. C'est ce que les femmes doivent apprendre dès le début. Les femmes encaissent, passent l'éponge, assument, tiennent leur couple à bout de bras, ravalent leur orgueil et s'aplatissent, à la limite de la disparition.

Faye n'était pas la première femme de l'histoire de l'humanité à être humiliée par son mari, traitée comme une idiote, remplacée par une plus jeune.

Mais maintenant, c'est fini, se dit Faye. Ensemble, nous sommes fortes, et nous n'avons plus l'intention de nous taire.

Faye n'eut pas le temps de franchir le seuil de la maison que son téléphone sonnait déjà. Au cours de la soirée, quatre autres personnes la contactèrent pour lui demander si elle avait le temps de s'occuper de leurs chiens. Elle avait eu du nez. Il y avait une forte demande pour ce service.

Au rez-de-chaussée, on entendait du bruit à la cuisine. Faye avait proposé de préparer le dîner, mais Kerstin avait insisté pour s'en charger. Elle avait en tout cas accepté que Faye verse chaque mois deux mille couronnes pour une caisse nourriture commune. Une solution qui les satisfaisait toutes les deux.

Faye déplia l'écran de son ordinateur, ouvrit Excel et créa un tableau simple pour gérer son activité. Dès le lendemain, elle avait deux promenades réservées. Elle prenait cent vingt couronnes de l'heure. Le tableau calé, elle enregistra une société simple à son nom. Le jour où elle la transformerait en société par actions, elle avait déjà trouvé un nom.

La pluie tombait à torrents, traversait son manteau, entrait partout. Faye ne se souvenait pas d'avoir jamais été aussi mouillée. Zorro et Alfred tiraient sur leur laisse, la pluie ne semblait pas les déranger.

Si, quelques mois plus tôt, quelqu'un lui avait dit qu'elle fêterait son anniversaire sous une pluie battante en compagnie de deux golden retrievers, elle aurait pensé avoir affaire à un fou.

Mais la vie était pleine de virages inattendus. Plus que quiconque, elle était bien placée pour le savoir.

Ces dernières semaines, elle avait établi une nouvelle routine. Elle se levait à cinq heures et demie tous les jours, se douchait, petit-déjeunait d'un œuf avec du caviar de cabillaud en tube, puis sortait. Ses deux promenades de chiens quotidiennes étaient vite passées à huit, certains propriétaires faisant appel à elle deux fois par jour. Kerstin n'avait rien contre le fait qu'elle garde aussi un chien certains soirs.

Faye éternua. Elle avait tellement envie de rentrer se mettre dans une baignoire d'eau brûlante, comme elle le faisait tous les soirs après la dernière promenade.

"Bon, maintenant ça suffit, les gars", dit-elle quand le déluge redoubla.

Après avoir ramené les chiens chez leur propriétaire Mme Lönnberg, Faye rentra aussi vite qu'elle put. Voilà longtemps qu'elle n'avait pas eu les pieds aussi fatigués.

Elle ouvrit doucement la porte pour ne pas déranger Kerstin, qui avait l'habitude de lire dans son fauteuil à cette heure-là, et monta doucement à l'étage. En entrant dans la salle de bains, elle trouva la baignoire déjà prête. À côté du lavabo, dans un vase, un bouquet de fleurs du jardin.

Kerstin apparut derrière elle.

"Merci, murmura Faye.

— J'ai pensé que vous… que tu pourrais avoir besoin de ça, dit-elle. C'est… je t'ai acheté quelque chose. Un petit cadeau. C'est sur la table de la cuisine.

— Comment savais-tu que… ?

— Que c'était ton anniversaire ? C'est dans le contrat de location. Je suis vieille, mais pas encore aveugle. Allez, saute dans ton bain."

Quand Faye ressortit de la baignoire, son ventre criait famine. Elle se glissa en bas de l'escalier, ouvrit le réfrigérateur, sortit quelques œufs durs, les coupa en tranches, les noya sous le caviar et les disposa sur des biscottes. Elle s'assit à table avec son en-cas dans une petite assiette et ouvrit le paquet-cadeau vert.

Une paire de Nike noires.

Les yeux de Faye se mouillèrent.

Elle les chaussa et fit un tour du séjour. Elles étaient moelleuses et épousaient parfaitement la forme de son pied. Elle s'arrêta devant la porte de la chambre de Kerstin. De la lumière passait en dessous, alors elle frappa.

Kerstin était au lit avec un livre. Faye s'assit au bord et leva le pied pour lui montrer les chaussures.

"Elles me vont parfaitement, merci !"

Kerstin referma son livre et le posa sur son ventre.

"Je t'ai raconté comment j'avais rencontré Ragnar ?"

Faye secoua la tête.

"J'étais sa secrétaire. Il était marié. Dix ans de plus que moi, directeur et millionnaire, un sourire qui me faisait presque m'évanouir. Il m'emmenait déjeuner dans des restaurants chics, m'offrait des fleurs, me couvrait de compliments."

Elle marqua une pause. Lissa la couverture de la main.

"Je suis tombée amoureuse. Lui aussi. Il a fini par se séparer de sa femme, elle a quitté leur villa en emmenant les enfants. Et ma petite personne y a emménagé. J'ai démissionné de mon poste. Je consacrais mes journées à jouer au tennis, à m'occuper de la maison et de Ragnar. L'été, nous partions en voyage, en Espagne, en Grèce. Une année, nous sommes allés aux États-Unis. Quatre années ont passé. Cinq. Six. Il ne me venait même pas à l'idée d'avoir honte de ce que j'avais fait à son ex-femme. Pas le courage de protester en voyant la façon dont il les traitait, elle et leurs enfants. Au contraire, j'appréciais de ne pas avoir à le partager avec eux. Je me persuadais qu'ils l'avaient mérité. Qu'ils ne l'avaient jamais aimé comme moi je l'aimais."

Elle s'humecta la lèvre inférieure de sa langue.

"Le reste… le reste est venu comme sournoisement. La noirceur. La violence. Les premières fois, c'étaient des événements isolés. Il me servait des excuses. Des explications. Et moi, je les acceptais de bonne grâce. Mais peu à peu, ça s'est accéléré. Et je ne pouvais pas y échapper. Ne me demande pas pourquoi, je ne le sais pas moi-même."

Kerstin toussa dans son poing fermé.

"Je n'avais pas le courage de m'en aller", continua-t-elle. Sa voix était à la fois faible et forte. "Même si je me suis mise à le haïr de toutes les fibres de mon être. L'infidélité, c'était supportable. Ce n'était rien en comparaison de mon corps toujours plus martyrisé. Et ce qu'il m'a pris. Nous… j'attendais un enfant. Mais il m'a tellement battue que je l'ai perdu. Après ça, j'ai souhaité sa mort. Chaque seconde, je rêve qu'il meure. Cesse de respirer. Quand il a eu son attaque, j'ai d'abord songé à ne pas appeler l'ambulance. Je le voyais devant moi, se tortiller par terre. Ses yeux me suppliaient. Ça me réjouissait de le voir vulnérable, à ma merci. J'ai songé à le laisser là, par terre, mais un voisin qui l'avait entendu crier est venu sonner. J'étais forcée de lui ouvrir, et forcée à la fin d'appeler une ambulance. J'ai bien joué le rôle de l'épouse sous le choc, mais quand ils ont emporté Ragnar sur une civière, j'ai bien vu dans ses yeux qu'il avait compris. Et qu'il me tuerait s'il guérissait un jour."

Faye ne savait pas si Kerstin pensait la choquer, mais rien de la brutalité des hommes ne l'étonnait plus.

Kerstin écarta une mèche blanche qui s'était détachée.

"Je sais qui tu es, dit-elle. Et je comprends à peu près ce qui s'est passé. Tu étais la femme de Jack Adelheim."

Faye hocha la tête.

Kerstin tritura le couvre-lit. Puis elle tourna le regard vers Faye.

"J'ai compris que tu préparais quelque chose. Je t'ai vue, avec tes carnets de notes, tes listes et tes schémas d'avenir. Dis-moi ce que tu veux que je fasse, et je t'aiderai."

Faye se cala mieux au bord du lit, appuya l'arrière de la tête au chevet et observa sa logeuse. Ce que Kerstin lui avait raconté était bouleversant, même si elle en avait deviné les grandes lignes. Que Kerstin ait souffert elle aussi ne faisait aucun doute, mais pouvait-elle pour autant lui faire confiance ? Faye savait qu'elle allait dépendre de l'aide des autres, et elle avait décidé de faire confiance à la solidarité entre sœurs. Mais cela ne voulait pas dire que toutes les femmes étaient dignes de confiance. Elle n'était pas naïve à ce point. Mais la haine dans la voix de la vieille femme avait la même noirceur que la sienne. Elle ferma alors les yeux, se jeta à l'eau et lui exposa comment elle comptait s'y prendre pour écraser Jack.

Son plan de bataille s'était formé au cours de toutes ces heures passées à promener des chiens dans le quartier, qui lui permettaient de fourbir tranquillement sa stratégie.

Kerstin écoutait en hochant la tête. Souriait parfois.

"Je suis douée pour organiser. Je pourrais t'être d'une grande aide", dit-elle.

Sèchement. Objectivement. Puis elle reprit son livre et continua sa lecture. Faye le prit comme le signal de rentrer chez elle.

Tout était mis en branle. Sans retour. Et elle n'était plus seule.

Avec l'aide de Kerstin, Faye développa son activité. Les mois filaient, l'entreprise croissait. Elles embauchèrent deux femmes à mi-temps, augmentèrent leur rayon d'action, aménagèrent le sous-sol pour pouvoir garder des chiens la nuit.

Kerstin aidait Faye pour tous les aspects administratifs, et ce qu'elle ne savait pas faire après tant d'années comme femme au foyer, elle l'apprenait sur internet. Elle était un miracle d'efficacité et, avec son aide, les résultats ne tardèrent pas à se faire sentir. Rassembler le capital dont avait besoin Faye serait long : elle s'était fixé l'objectif de deux cent mille couronnes, mais elle s'armait de patience. Ça prendrait le temps qu'il faudrait.

Bien entendu, Faye ne pouvait pas constituer son capital avec les seuls revenus du *dog-sitting* : elle investissait la moindre couronne de bénéfice. Elle suivait la presse économique et lisait les quotidiens pour se tenir au courant, et investir en connaissance de cause. Elle avait un penchant naturel pour l'économie, mais ne prenait pas de risques exagérés. Elle se maintenait à un niveau qui lui permettait d'augmenter lentement mais sûrement son capital.

Elle avait perdu quinze kilos depuis que Jack lui avait annoncé qu'il voulait divorcer. Non qu'elle s'en soucie, mais elle connaissait les faiblesses de Jack. Les faiblesses des hommes : être mince était une étape nécessaire pour atteindre l'objectif qu'elle s'était fixé.

Elle flottait dans ses vêtements, Kerstin avait dû faire quelques trous supplémentaires dans la ceinture qui tenait son jean.

Faye lui avait ri au nez quand elle lui avait dit qu'elle méritait quand même de s'acheter quelques vêtements. Jamais de la vie. Deux cent mille couronnes. D'ici là, elle ne dépenserait pas un centime en futilités.

Depuis qu'elle s'était installée chez Kerstin, Faye avait Julienne une semaine sur deux, mais il semblait clair qu'Ylva Lehndorf s'était lassée de jouer à papa-maman aux confins de Lidingö. Et elle savait déjà que Jack ne tenait pas à prendre Julienne plus que nécessaire. Compliquer ses contacts avec sa fille n'était qu'une façon de plus d'enfoncer Faye. Jack l'appelait de plus en plus souvent pour lui demander de s'occuper de Julienne.

Kerstin était folle de joie d'avoir un enfant à la maison. Elle faisait tout ce que la fillette demandait, et se chargeait plus que volontiers d'aller la déposer à la maternelle le matin.

Faye et Kerstin partageaient la responsabilité de Julienne. Comme une petite famille. Quand Faye demanda si Julienne ne lui prenait pas trop de temps, Kerstin la regarda comme si elle était folle :

"Ta fille est l'enfant dont j'ai toujours rêvé, je suis tellement heureuse de ne pas rester seule, dit-elle en montrant le séjour où Julienne dessinait, accroupie. Elle est un miracle, un ange, et je redoute le jour où vous déménagerez d'ici."

Faye, étonnée, réalisa qu'elle aussi.

Le soleil d'août brillait sur Faye et Chris qui passaient devant le stade d'Enskede avec trois chiens : un schnauzer nain et deux golden retrievers. À leur grand étonnement à toutes les deux, Chris tenait la laisse du schnauzer Ludde. Chris avait toujours détesté les animaux.

"Au fond, je pourrais en prendre un pareil, dit Chris. Comme ça, plus besoin de perdre de temps à essayer de dénicher l'homme avec qui passer le reste de ma vie.

— Pas bête. Maintenant que j'ai un élément de comparaison, je dois dire que je préfère les chiens aux hommes, tous les jours de la semaine.

— À propos de Néandertal… Comment ça va ? Tu as l'air dans une forme insolente."

Faye croisa son regard.

"C'est vrai.

— Ça me fait plaisir de te voir comme ça, même si j'imagine bien que tu ne comptes pas passer le restant de tes jours à promener des chiens. Regarde le bien que t'ont fait ces quelques mois sans cette ordure."

Faye regarda un des golden retrievers de Mme Lönnberg pisser contre un réverbère.

"J'ai une affaire à te proposer, dit-elle. Une opportunité d'investissement.

— Ah oui ? Je t'écoute.

— Pas ici. Pas comme ça."

Elle montra de la tête le chien baveux qui faisait la fête au schnauzer nain. Elle tira sur la laisse pour les séparer.

"Tu aurais le temps pour un dîner ce week-end ? Je voudrais te montrer mon business plan.

— Bien sûr. Mais à une condition.

— Dis voir.

— Qu'après, on sorte toutes les deux. Qu'on aille boire du vin, voir des gens, bavarder, draguer. Je réserve une table. Et c'est moi qui invite. Tout ce que tu as à faire, c'est te pointer avec ton business plan et ce beau sourire qui m'a tant manqué. Si possible en emballant ce corps dans quelque chose de très moulant. Si tu n'as rien, tu peux m'emprunter. Je te ferai porter quelques trucs. Il est grand temps de te dépoussiérer un peu. Bientôt, il faudra un ouvre-boîte pour aller voir entre tes jambes. Tu sais que ça peut se refermer si on ne l'utilise pas pendant longtemps, hein ?"

Chris ricana et Faye se fendit d'un large sourire. Une soirée avec Chris, ça lui disait bien. Elle avait enfin la force de recommencer à vivre.

Quand Jack appela, comme d'habitude au dernier moment, pour lui demander si elle pouvait prendre Julienne le week-end, Faye, pour la première fois, refusa.

"Pourquoi ?

— Parce que je sors avec Chris.

— Mais nous partons Ylva et moi, nous avons réservé la suite de l'hôtel des Navigateurs à Sandhamn.

— Quelle chance qu'ils aient un excellent buffet enfant, alors.

— Mais…

— Pas de mais, Jack. Je suis désolée, mais tu ne peux pas appeler un vendredi matin pour demander une chose pareille. Amuse-toi bien à Sandhamn."

Sans écouter ses protestations, elle raccrocha.

Au Gril du Théâtre, le maître d'hôtel la salua aimablement de la tête et la plaça. Faye sentit les regards dans son dos tandis qu'elle traversait la salle. Elle portait une courte robe noire qui lui moulait la taille et des talons hauts. Tous deux prêtés par Chris. Ses cheveux étaient libres. Cela faisait des années qu'elle ne s'était pas sentie aussi sexy.

Chris se leva en applaudissant de façon théâtrale. Les types en costumes à double boutonnage et taille extensible la regardaient avec des yeux ronds tout en se gavant de foie gras et d'huîtres.

"Mon Dieu, que tu es belle !

— Tu n'es pas trop moche non plus, dit Faye en passant la main sur sa robe à paillettes argentées.

— Chanel, dit Chris en s'asseyant. Puisque l'idée est de joindre l'utile à l'agréable, je propose qu'on s'y mette. Parce que je veux pouvoir boire sans me faire embringuer dans tes lubies farfelues. Je n'ai jamais pris mes meilleures décisions sous l'emprise de l'alcool. Les plus amusantes, certainement, mais pas les meilleures."

Faye s'assit en face de Chris dans l'alcôve arrondie aux banquettes de velours rouge.

Un serveur vint remplir le verre de Faye tandis qu'elle pêchait le papier où était résumé son business plan.

"Et voilà", dit-elle en le faisant glisser sur la table.

Chris prit la feuille et lut l'unique mot qui y était inscrit : *REVENGE*. Elle éclata de rire.

"Qu'est-ce que… ?

— Tu te souviens de ce que tu as dit, quand tu voulais m'embaucher ? Que je comprenais les femmes. J'ai passé ces derniers mois à analyser leurs besoins et leurs désirs. Et sais-tu ce qu'elles veulent ? La vengeance. Pour toutes nos sœurs qui ont été brisées par des idiots, pour tous les maris infidèles qui nous ont jetées pour une plus jeune. Pour tous les mecs et les hommes qui nous ont exploitées, sous-estimées et trompées."

Chris semblait très amusée.

"Et comment comptes-tu te venger ?" demanda-t-elle en sirotant son champagne.

Elle mêlait luxe et intelligence. Une combinaison mortelle.

"Je vais montrer à Jack que je suis plus intelligente que lui, et reprendre son entreprise. Et je le ferai en bâtissant un empire. Avec d'autres femmes. Tu as déjà songé à toutes les fantastiques entrepreneuses qu'on a, dans ce pays ? À la tête de grands magasins, d'agences de communication et de sociétés financières ? Même si elles sont hélas trop peu, elles commencent à se faire une place. Je vais créer un modèle économique dans lequel je possède 51 % de l'entreprise et je vends les quarante-neuf parts restantes à des investisseuses. Je vais choisir quarante-neuf femmes d'affaires et leur proposer chacune 1 %. Je vais aller les voir l'une après l'autre, raconter mon histoire, écouter la leur – et les convaincre d'investir. Mais le plus important, c'est les réseaux sociaux. La moindre fille active sur Instagram, la moindre blogueuse, toutes renverront un lien vers ma collection Revenge, tout simplement parce qu'elles seront d'accord avec moi. Nous n'aurons aucun mal à créer quelque chose de viral autour de ce concept.

— Mais qu'est-ce que tu veux vendre ?"

Chris héla le serveur pour ravoir du champagne. Son verre s'était vidé en trois gorgées. Un groupe d'hommes d'affaires attablés dans l'alcôve voisine s'étaient mis à leur jeter des œillades, et Chris leur tourna le dos.

"Des produits de soin pour la peau et des parfums", dit Faye.

Chris hocha lentement la tête, mais semblait toujours sceptique.

"Un marché difficile, fit-elle sèchement. Extrêmement encombré. La concurrence est rude. Et c'est un secteur qui exige de gros investissements, avant tout en marketing et en communication. C'est un énorme risque.

— Oui. Je sais tout ça. Peut-être que ça va complètement foirer. Mais je ne crois pas. Et je voulais te demander si tu voulais bien être ma première investisseuse à 1 %.

— Combien ça coûte ?

— Cent mille couronnes.

— Où est-ce que je signe ?"

Chris leva son verre, et le serveur le remplit à ras bord. Faye leva aussi le sien. Elle savait que Chris comprendrait. Le premier pour cent, le plus simple, était acquis. Il n'en restait plus que quarante-huit.

Après avoir dîné, elles demandèrent au maître d'hôtel de leur réserver une table au Café Riche. On les fit passer par la cuisine, le passage secret réservé aux initiés. Lumière vive, ordres des cuisiniers lancés par le passe-plat, bruits de vaisselle, pas précipités.

Comme d'habitude, le Riche était bondé. Chris commanda d'emblée une bouteille de *cava*. À ce stade, elles étaient trop ivres pour boire du champagne. C'était jeter l'argent par les fenêtres, et, au fond, Faye préférait le *cava* ou le *prosecco* au champagne. À l'aveugle, elle n'aurait sans doute même pas remarqué la différence.

Une masse de viande ivre tanguait devant le bar. La plupart de ces femmes avaient quelques années de plus qu'elle. Pas étonnant que cet endroit soit surnommé le *ravin du divorce* : un marché de la viande pour divorcées d'âge mûr. Où la taille du porte-monnaie comptait plus que celle de la queue. Et où des femmes abusant du botox tentaient désespérément de s'accrocher à l'illusion qu'avec le bon éclairage elles paraissaient avoir vingt ans.

La bouteille arriva dans un seau à glace et Faye leva son verre à Chris.

"À la liberté !" dit-elle, se trouvant légèrement plus solennelle qu'elle ne l'aurait voulu.

L'alcool réduisait sa capacité à éviter la banalité.

Mais Chris la regarda gravement dans les yeux :

"Oui, il ne t'a fallu que quelques années pour le comprendre. Mais maintenant, tu es libre. Santé. À Jack ! Dieu ait pitié de lui."

Elle pouffa.

"Tu crois que je vais réussir ? demanda Faye en posant son verre. Avec Revenge ?

— Je crois que le début, chercher des investisseuses, c'est la partie facile. Comme tu l'as dit tout à l'heure, nous avons toutes été trompées. D'une façon ou d'une autre. Nous voulons toutes rendre les coups, et pouvons toutes nous identifier avec ton message, c'est un angle de communication et de marketing génial. La vengeance vend."

Un sourire en coin, Chris visa son verre. Le serveur s'empressa de le resservir. Ici, ils étaient habitués aux femmes assoiffées.

"Ça va prendre des années. Est-ce que je suis insensée ? Consacrer tant de temps à me venger ?"

Faye eut un moment de doute.

"Non. Vu ce qu'il a fait, non. Tu as un cas de conscience ?"

Sans laisser à Faye le temps de répondre, Chris continua en levant son verre.

"N'oublie pas que tu as participé à la fondation de Compare. Sans toi, Jack et Henrik n'auraient jamais réussi. Divorcer, d'accord, ce sont des choses qui arrivent, mais pas en laissant son ancienne compagne et la mère de son enfant sur la paille. Après tout ce que tu as fait et supporté. Toutes les saloperies qu'il t'a infligées. Et je ne parle pas seulement d'après la séparation.

— Tu as raison. Je sais que tu as raison.

— Un homme n'aurait jamais pensé comme toi. Il aurait mis la gomme, sans hésiter une seconde."

À cet instant, quelqu'un s'arrêta au bout de leur table. Faye leva les yeux. Un garçon d'environ vingt-cinq ans croisa son regard. Il portait un tee-shirt moulant noir et un pantalon assorti. Ses bras étaient couverts de tatouages. Cheveux rasés, bouche charnue. Insupportablement mignon. Un jeune Jack.

"Pardon de vous déranger, dit-il, mais avec mes camarades, on en a assez de s'agglutiner au bar avec tous ces losers. On se demandait si on pouvait demander l'asile à votre table. Ou au moins un permis de séjour temporaire ?"

À quelques mètres de là, deux autres garçons les saluèrent de la main.

"Juste un instant, dit Chris.

— Bien sûr, j'attends", dit-il avant de rejoindre ses copains. Chris rit.

"Qu'est-ce que t'en dis ?"

Faye haussa les épaules.

"Pourquoi pas ?

— Parce que je te rappelle qu'il y a quelques mois, tu trouvais pitoyable de frayer ici avec des jeunes mecs mignons.

— À l'époque, j'étais mariée. Et puis les hommes se sont toujours frottés sans se gêner à des femmes plus jeunes. À notre tour, à présent, et…"

Elle se tut en croisant le regard d'Alice. Elle était avec d'autres convives, à quelques tables de là. En voyant que Faye l'avait remarquée, elle détourna aussitôt les yeux.

"Laisse-les venir, ça sera marrant", dit-elle en vidant son verre.

Tandis qu'elle se faisait resservir, elle sentit de côté le regard d'Alice comme une brûlure et entendit chuchoter à sa table.

Chris commanda deux autres bouteilles de *cava* et se poussa pour faire de la place aux garçons. Les trois gars, qui n'en croyaient pas leurs yeux, étaient sympathiques et impressionnés. Faye se dit que cette génération d'hommes était différente de celle de Jack. Pour eux, des femmes qui avaient du succès n'avaient rien d'effrayant. Ils les traitaient avec une curiosité bienveillante et posaient des questions sur les affaires de Chris, en montrant une réelle admiration pour ce qu'elle avait accompli.

En même temps, Faye comprenait le charme qu'il y avait à être entourée de belles et jeunes personnes. C'était enivrant.

La conversation était facile. Restait superficielle. Rien n'était compliqué pour ces garçons encore épargnés par le poids de l'existence. Ils flirtaient sans gêne. Les joues de Faye rougissaient sous l'effet conjugué du vin et de leurs compliments. Elle sentait qu'Alice et ses amies ne quittaient pas des yeux tout ce qui se passait à leur table. Aucun botox au monde n'aurait pu masquer leurs mines effarées. Allaient-elles seulement réussir à rabaisser leurs sourcils ?

Jack serait furieux, il lui aboierait dessus, mais ne pouvait plus lui faire de mal. Il n'avait plus son mot à dire sur ce qu'elle faisait. Ni avec qui. Cette pensée l'enivrait encore plus que le *cava*. Et pour la première fois depuis des mois, elle sentit la chaleur monter entre ses jambes. Elle saisit le garçon au tee-shirt noir, celui qui les avait abordées, l'attira vers elle et l'embrassa. Sentir sa langue contre la sienne et ses mains sur ses cuisses la fit mouiller. Tout ce temps, elle gardait les yeux fixés sur Alice.

Ce baiser ne dura que quelques secondes. Quand leurs visages se séparèrent, elle salua Alice de la tête en levant son verre. Alice la dévisagea quelques secondes, puis se tourna démonstrativement vers sa voisine de table.

"Comment tu t'appelles ?" rit Faye en se tournant vers le garçon au tee-shirt noir.

Elle perçut dans son regard qu'il la voulait et, en lorgnant vers le bas, elle vit sa braguette tendue. Elle dut se retenir pour ne pas caresser son érection là, sous la table du Riche. Au lieu de ça, elle se pencha vers lui pour qu'il profite mieux de son décolleté. Elle savait que ses tétons se dessinaient nettement, durcis sous l'étoffe. Comme d'habitude, Chris l'avait convaincue de renoncer au soutien-gorge.

"Robin, répondit-il en fixant sa poitrine. Je m'appelle Robin.

— Moi Faye. Et j'ai l'intention de rentrer avec toi ce soir."

Elle se pencha et l'embrassa à nouveau.

Faye se réveilla avec un mal de crâne carabiné. Des flashs de la veille défilèrent quand elle s'étira. Sa main heurta un bras tatoué aux muscles durs. Faye sortit du lit et alla regarder par une fenêtre. Un parking et quelques immeubles. Le ciel était gris. Derrière elle, le garçon bougea, appuyé sur son bras tatoué. Robert ? Robin ?

"Quelle heure il est ? marmonna-t-il, mal réveillé.

— Aucune idée, dit Faye. Mais il est sûrement temps que je m'en aille."

Elle se sentait mal à l'aise dans ce studio de Solna.

"Dommage."

Il s'étira dans les draps noirs et la regarda avec des yeux de chien battu. Quelques images heurtées de la nuit écoulée surgirent à l'esprit de Faye. Mon Dieu, ça ne datait pas d'hier, baiser sur un lit simple, dans un petit studio, avec tous les accessoires du célibataire – table basse en verre, canapé en cuir noir, yucca et l'obligatoire collection de bouteilles de vodka Absolut sur une étagère. Les jeunes mecs semblaient résister à tous les effets de mode.

"Ah, tu trouves ? dit-elle en cherchant des yeux ses vêtements. Et qu'est-ce que tu vas faire, aujourd'hui ?

— Rien, chiller. Regarder un peu le foot.

— Chiller, ne put-elle s'empêcher de l'imiter. Désolée, mais la vieille peau n'a pas le temps de *chiller* aujourd'hui. Il faut que je rentre.

— Tu n'es pas une vieille peau…" Il sourit aussitôt, à la fois mignon et sexy. "Je peux quand même avoir ton 06 ?

— Désolée, mon cœur. C'était bien agréable. Mais là, en ce moment, les hommes ne sont rien pour moi."

Elle entendait elle-même son ton amer. La soirée de la veille était loin, la gueule de bois tambourinait à son front et sa langue était pâteuse.

Il rit en lui jetant un oreiller. Elle l'évita d'un bond.

"Tu es drôlement sexy, tu sais ?" dit-il.

Il sortit du lit. Nu. Ses tablettes de chocolat saillantes. Elle le suivit du regard. Elle avait oublié à quel point les jeunes garçons récupéraient vite. La nuit restait dans le brouillard, elle se souvenait juste d'avoir perdu le compte du nombre de fois qu'il l'avait prise.

Il s'avança vers elle, qui recula en souriant jusqu'à la fenêtre. Le verre était frais contre ses fesses. Robin l'embrassa. Se pressa contre elle. Elle sentit son érection contre sa cuisse. Sentit son cœur crier encore. Elle s'assit sur le rebord de la fenêtre. Il parcourut tout son corps de sa bouche. Mordilla, embrassa, chatouilla. Les cuisses, l'aine, le ventre. Elle gémit fort, lui saisit la tête et l'enfonça entre ses jambes. Se pencha en arrière et se laissa aller à jouir, et rien d'autre. Sans se sentir obligée d'être à la hauteur. Il était heureux de la satisfaire, était excité par sa jouissance. Quelque chose qu'elle n'avait pas éprouvé depuis longtemps.

Après l'orgasme, elle lui caressa la nuque en éclatant de rire.

C'était une nouvelle époque de sa vie : à son tour de jouir !

Faye regarda les arbres défiler par la fenêtre. Elle était dans le train pour Västerås, avec des esquisses dans un sac. Hier, elle avait confié à Kerstin sa société de *dog-sitting*, et allait rendre visite à une entreprise de design d'emballages.

Ses produits devaient être de qualité, mais il y avait encore plus important si elle voulait vraiment réussir. Les réseaux sociaux. Le tout était de sortir du lot, d'être visible dans le flux, de devenir viral. Et l'emballage était une façon simple de créer le désir de possession et d'amener les relais d'influence à faire sa publicité dans leurs flux Instagram et Facebook. Le produit devait donner au consommateur le sentiment d'être élu, et devait bien rendre sur des photos prises avec les téléphones portables.

Faye avait décidé que ses pots de crème pour la peau seraient noirs, avec un couvercle rond marqué d'un R doré et chantourné. L'emballage n'était que l'apparence des pots. Derrière, il fallait une histoire. Tous les produits à succès, aujourd'hui, avaient une histoire. Comme l'Eight Hour Cream d'Elizabeth Arden. Peu importait qu'il soit exact qu'elle se soit servie de cette crème pour soigner la jambe blessée d'un de ses chevaux de course et que la plaie ait guéri en huit heures. Que les clients aient envie de *croire* à l'histoire, c'était tout ce qui comptait. Tout le monde adorait les bonnes histoires. Et Faye avait une putain de bonne histoire.

Tandis que le train filait dans la vallée du Mälar, elle n'éprouvait rien d'autre qu'un pur et simple bonheur. C'était cela qu'elle désirait tant : bâtir une entreprise à partir de rien. Le rêve que Jack lui avait arraché. Sans qu'elle proteste. Quand l'avait-il trompée pour la première fois ? Lui avait-il jamais été fidèle ? Même quand elle était convaincue qu'il l'aimait et la désirait ?

Elle s'était longtemps demandé pourquoi Jack l'avait remplacée par une carriériste comme Ylva, alors qu'il voulait que Faye reste à la maison, mais elle commençait de plus en plus à comprendre que c'était la chasse qui était intéressante pour des hommes comme Jack. Ils voulaient toujours un nouveau joujou.

Elle avait aussi compris qu'il jouissait de son pouvoir. De réussir à la transformer en ce qu'elle n'était pas.

Elle ne laisserait plus jamais un homme la posséder.

Une pluie fine tombait sur Västerås quand elle sortit de la gare. Elle trouva un taxi, monta à bord et donna l'adresse au chauffeur. Västerås était beaucoup plus grand que Fjällbacka mais, pour quelque raison, les gens lui firent songer à sa ville natale. Auparavant, elle refoulait toujours ces souvenirs quand ils surgissaient. Mais après les turbulences de ces derniers mois, quelque chose avait changé. Les personnages de son enfance et de son adolescence défilaient souvent. Le regard de papa quand quelque chose n'était pas comme il le voulait. Le visage fermé de Sebastian. Le malheur qui avait affecté toute la localité. Les bras pâles de maman et ses pleurs bruyants. Les regards des camarades de classe après ce qui s'était passé ensuite. Compatissants. Curieux. Intrusifs.

Elle avait tout laissé derrière elle. Mais y échapperait-elle jamais ?

Tandis qu'elle était perdue dans ses souvenirs, la voiture s'était arrêtée. Le chauffeur se tourna vers elle. Sa bouche bougeait, mais Faye n'entendait rien.

"Pardon ?

— Carte ou liquide ?

— Carte", dit-elle en fouillant son sac à main à la recherche de son portefeuille.

À sa descente du taxi, un bâtiment industriel beige s'élevait devant elle. Elle poussa la porte et entra dans un hall. Une réceptionniste à permanente rouge leva les yeux vers elle.

"Bienvenue", dit-elle, mais son ton signifiait plutôt : *Je vous en supplie, emmenez-moi loin d'ici.* Elle était entièrement occupée à se limer les ongles quand Faye entra.

"Merci, j'ai un rendez-vous avec Louise Widerström Bergh."

La réceptionniste hocha la tête. Tapa sur son ordinateur.

"Installez-vous là-bas." Elle lui indiqua un groupe de fauteuils près de la fenêtre. "Un café ?"

Faye secoua la tête. Des magazines s'empilaient sur le rebord de la fenêtre, derrière le fauteuil. Elle prit un *Voici & Voilà* vieux de trois semaines qu'elle feuilleta. D'après un article, John Descentis venait de rompre avec sa petite amie. Faye étudia la photo. C'était la même femme qui l'accompagnait chez Riche, Suzanne Lund, bien sûr. Le journaliste affirmait qu'elle était mannequin et chanteuse.

"Je ne suis pas facile à vivre", expliquait John dans une citation. Non, mais qui l'est ? pensa Faye en se souvenant de cette baise désespérée et absurde au cinéma. Ce qu'elle avait de sale, de dégoûtant. Qui était tout ce qu'elle estimait mériter, à l'époque. Aujourd'hui, après coup, elle regrettait de ne pas l'avoir raconté à Jack, le lui avoir envoyé à la figure. Elle avait plusieurs fois failli, mais s'en était abstenue. De peur de ne rencontrer qu'indifférence.

Des pas retentirent dans le couloir. Une femme en corsage et pantalon de costume s'approcha. Une certaine froideur, un regard qui toisa Faye de la tête aux pieds.

"Louise Widerström Bergh, dit-elle avec une poignée de main molle et un peu moite.

— Faye. Faye Adelheim."

Au moment où elles entrèrent dans le bureau, son téléphone sonna.

C'était Jack. Probablement voulait-il lui crier et lui aboyer dessus pour son exhibition au Café Riche. Elle refusa l'appel et sortit ses esquisses. Elle ne savait pas dessiner, mais Chris l'avait aidée, en attendant d'avoir les moyens de faire appel à un pro. Louise s'était installée derrière son bureau tandis que Faye prenait place dans le fauteuil visiteur.

"Ça ne devrait pas être un problème, dit Louise en posant des lunettes de lecture sur son nez. Un petit projet sympa pour s'occuper ?

— Pardon ?

— Oui, je sais évidemment qui vous êtes. Je suppose que c'est pour une fête ou quelque chose comme ça ?"

Faye inspira à fond.

"Je veux trente mille de chacun des trois emballages que vous voyez sur cette esquisse. Pouvez-vous me fournir ça, ou dois-je aller voir ailleurs ?"

Louise grimaça.

"Trente mille ? De ça ? Je suppose que vous avez des garanties ? Le marché pour ce genre de produits est déjà surchargé, vous savez, et nous n'avons pas les moyens d'avoir de l'argent dehors pour des marchandises qui ensuite ne nous sont pas payées, j'espère que vous le comprenez. Bon, si vous aviez été encore mariée, ç'aurait été tout différent. Jack Adelheim est un bon garant, mais maintenant, vous êtes divorcés, à ce que je comprends…

— Vous n'avez pas lu ma description du concept ? Celui que j'ai envoyé par mail ? Vous n'avez pas vu ce qu'a d'unique ce que je peux proposer sur un marché difficile ?"

Faye sentait la frustration lui brûler la gorge.

Louise Widerström Bergh pouffa et ôta ses lunettes de lecture. Elle sourit à Faye avec indulgence.

"Oui, mais, encore une fois, je pensais qu'il s'agissait d'une fête à thème, ou quelque chose comme ça. Je sais bien la vie que vous menez, vous les femmes au foyer d'Östermalm : vu d'ici, ça n'a pas grand-chose à voir avec la réalité. Très franchement, pour moi, l'idée de commercialiser une marque basée sur une forme de *girl power* montre bien que vous n'avez pas les pieds sur terre. Il n'y a que dans les grandes villes que vous avez les moyens pour ça. Ici, en province, on laisse les femmes être des femmes et les hommes, des hommes. Non, je ne vais pas prendre le risque de lancer la production de ces emballages et ensuite devoir vous courir après pour me faire payer."

Elle se mit à rire, et Faye se leva. Ses tempes tambourinaient.

"J'ai les fonds pour payer comptant toute cette commande. Vous auriez pu avoir cet argent sur votre compte dès demain. Et si les choses vont comme je l'espère, vous auriez pu avoir une source de revenu confortable et stable pour votre entreprise.

Ça vous aurait peut-être payé quelques semaines supplémentaires de vacances chaque année pour vous et votre famille. Ou une belle maison de vacances au bord de l'eau. Ou autre chose dont vous rêvez. Mais je vais aller voir ailleurs. Et offrir à quelqu'un d'autre une résidence secondaire ou un voyage aux Maldives. Et croyez-moi, je leur demanderai de vous envoyer une carte à Noël."

Elle tourna les talons et s'en alla. Elle sentit en partant le regard de Louise lui brûler le dos.

Elle avait vingt appels manqués de Jack, mais Faye attendit pour le rappeler que son train soit parti de Västerås. Après une longue harangue sur le thème "à quoi tu joues ?", il se lança dans une dissertation sur ce qu'il y avait d'inconvenant à fréquenter en public des déchets de l'assistanat.

"Mais qu'est-ce qui te fâche à ce point, à la fin ?" demanda Faye quand il marqua une pause pour respirer.

L'irritation et la frustration de ce rendez-vous raté étaient encore là.

Dehors, le paysage défilait de plus en plus vite. La colère de Jack ne lui faisait aucun effet. Elle ferma les yeux et se remémora sa nuit avec Robin. Elle avait malgré tout fini par lui laisser son numéro et avait déjà reçu cinq SMS où il lui disait tout ce qu'il aimerait lui faire. La voix de Jack la tira de ses fantasmes et elle ouvrit les yeux, irritée. Il rabâchait d'une voix aigre et geignarde. Comme un enfant à qui on a cassé son jouet favori.

"Tu vas au Café Riche bécoter un jeune qui pourrait être ton fils. En public. Ce genre de merde me rejaillit dessus.

— Ah, tu parles de Robin ? Il a vingt-cinq ans. J'en ai trente-deux. Je l'aurais eu à sept ans. Toi qui aimes les chiffres, Jack, qu'est-ce que tu penses de ça : il y a une plus grande différence d'âge entre Ylva et toi qu'entre Robin et moi.

— Mais bordel, ça n'a rien à voir !

— Ah, bon, pourquoi ? Là, je suis curieuse.

— Moi, en tout cas, je ne vais pas me comporter comme une foutue pute au café, sans penser à la réputation de ma famille.

— Non, tu la baisais juste dans mon dos, sous notre toit, dans notre lit. Et très franchement, je ne sais pas de quelle famille tu parles, Jack."

Il grommela. Un peu plus mollement.

"Putain, ne refais jamais ça.

— Je fais exactement ce qui me plaît. Tu n'as aucun mandat pour me dire comment vivre ma vie, avec qui je dois coucher et où. Salut, Jack."

Elle raccrocha. Ferma les yeux. Imagina la langue de Robin frétiller sur son clitoris. Son téléphone bipa. Encore un SMS de Robin. Elle hésita, mais finit par répondre : *Je rentre de Västerås. Chez toi dans quelques heures. Qui pourrait refuser pareille proposition ?*

Faye but encore une gorgée de vin. Elle sentait sur elle les regards de plusieurs clients du Sturehof, mais s'en fichait. Qu'ils se demandent ce qui s'est passé entre Jack et moi, pensa-t-elle, qu'ils ragotent à tort et à travers : un jour, je leur montrerai.

Elle jeta à nouveau un coup d'œil à sa montre. Sophie Duval était sérieusement en retard.

Si elle voulait trouver un nouveau partenaire, maintenant que Louise Widerström Bergh avait refusé, Faye devait pouvoir montrer qu'elle avait des investisseurs. Des investisseurs qui contribueraient non seulement au capital, mais aussi au mythe de Revenge.

Elle avait à plusieurs occasions rencontré Sophie Duval avec Jack. Elle s'était toujours montrée très expansive avec Faye et serait parfaite parmi les premières investisseuses, juste après Chris. Elle jouait dans la cour des grands du monde des affaires, était jeune, photogénique, une proie pour la presse. Elle faisait les gros titres, toujours un nouvel homme à ses côtés, toujours un nouvel investissement en tête.

Faye n'avait jamais apprécié Sophie, mais maintenant, il s'agissait d'affaires, et elle était persuadée de réussir à la convaincre de l'intérêt d'investir dans Revenge.

Faye avait eu le temps de finir son verre quand Sophie se pointa.

"Une flûte de champagne, s'il vous plaît. Et aujourd'hui, je crois que j'aurais envie du plateau de fruits de mer", dit Sophie en s'installant, sans regarder le serveur.

Elle agita ses cheveux sombres et se tourna vers Faye.

"Que ça me fait plaisir d'avoir de tes nouvelles ! La dernière fois qu'on s'est vues, c'était pour les cinquante ans d'Oscar à Cannes, n'est-ce pas ?"

Avant que Faye ait eu le temps de répondre, Sophie cherchait des yeux le serveur en claquant dans ses mains pour attirer son attention.

"Il faut tout ce temps pour se faire servir du champagne ?" Elle fusilla du regard l'homme qui accourait avec une flûte et une bouteille. "Ce n'est peut-être pas encore l'heure du champagne, mais je suis arrivée de Hong Kong hier et je suis toujours en décalage horaire."

Faye soupira en silence en entendant le rire strident de Sophie. Tant qu'elle investissait, elle pouvait être aussi maniérée qu'elle le voulait.

Le plateau de fruits de mer arriva en même temps que l'omble chevalier de Faye.

"Mooooooon Dieu, que c'est bon ! dit Sophie en aspirant voluptueusement une huître. Mieux que le sexe, si tu veux mon avis."

Elle but une grande gorgée de son troisième verre de champagne et regarda Faye.

"Mais raconte-moi, ma chérie, comment ça va ? Tu t'es posée ? Les divorces, ça n'est jamais drôle, je suis bien placée pour le savoir. J'ai rencontré Jack et Ylva à Båstad le week-end dernier, c'était très sympa. D'après ce qu'ils m'ont dit, votre petite Julienne est un parfait amour. Bon, ils étaient déçus de ne pas avoir pu s'arranger avec toi pour l'avoir avec eux."

Elle s'essuya la bouche sur sa serviette de lin.

"Si tu veux mon conseil, on doit penser au bien de l'enfant dans ce genre de situations, quand bien même on serait triste ou blessée." Sophie posa la main sur celle de Faye. "Le bien-être de nos enfants, c'est plus important que tout, n'est-ce pas ?"

Faye déglutit plusieurs fois, elle ne pouvait pas montrer combien elle était irritée. C'était le week-end de Jack, mais, trois heures avant, il avait averti Faye par SMS qu'il ne pouvait malheureusement pas prendre Julienne en raison d'un voyage d'affaires de dernière minute.

Elle sourit à Sophie. Le plus important était de garder en tête l'idée générale, de faire entrer l'argent et les investisseuses dont elle avait besoin.

"Merci, Sophie", dit-elle en se penchant pour sortir le classeur contenant ses prévisions pour Revenge.

Sophie tendit la main vers un demi-homard et fit un signe évasif de la main.

"Mangeons un peu d'abord, on parlera affaires plus tard."

Faye remit le classeur dans son sac et prit à contrecœur une bouchée de son omble. Son appétit commençait à lui passer, mais Sophie était comme absorbée par la nourriture. Elle se léchait bruyamment les doigts en lançant un strident "Ma chériiiiiie, comment vas-tu" chaque fois qu'elle apercevait une connaissance.

Elle eut le temps de commander encore deux flûtes de champagne avant que le plateau soit fini et qu'elle se cale au fond de son siège.

"Bon, et si on parlait un peu affaires, maintenant ? dit Faye en tendant à nouveau le bras vers son classeur.

— Mais bien sûr, ma chérie", dit Sophie.

Elle jeta un œil à sa montre.

"Mais mon Dieu, il est déjà si tard ? Je suis en retard pour mon prochain rendez-vous ! Chérie ! C'est bien simple, on a passé un trop bon moment, le temps a filé ! Il faut qu'on remette ça à une autre fois ! Appelle ma secrétaire, on trouvera un créneau. Mais compte que ce ne sera pas avant trois quatre semaines, je dois prochainement me rendre à Paris, Londres, New York et Dubaï ! Ah, mon Dieu, j'habite décidément le salon VIP d'Arlanda !"

Un dernier rire strident, et elle disparut.

Faye resta un moment stupéfaite. Avec une addition qui représentait ce qu'elle gagnait en une semaine.

Au début, Faye ne savait pas bien ce qu'était ce sentiment de vide qu'elle traînait. Puis elle comprit : du découragement. Pour la première fois, elle éprouvait un profond et irrépressible découragement.

Julienne ronronnait calmement à côté d'elle. Les cils comme des éventails posés sur ses joues, le visage détendu et paisible, elle fronçait un peu le nez dans son sommeil. La même mine qu'elle avait bébé dans son berceau. À l'époque, cela faisait rire Faye, qui lui trouvait un air de petit lapin. Mais aujourd'hui, elle n'avait la force que d'un faible sourire. Elle était lasse jusqu'au fond de l'âme, ses rendez-vous avec Louise et Sophie l'avaient vidée.

À quoi s'attendait-elle ? Évidemment, elle ne pouvait pas escompter que toutes les femmes comprennent automatiquement ce qu'elle voulait faire, ce qu'elle voulait dire, rien que parce qu'elles étaient des femmes. Mais même si c'était naïf, elle l'avait pourtant espéré. À présent, elle ne savait pas bien comment recharger ses batteries. Restait le rendez-vous le plus important. Et si elle échouait, là aussi ? Alors, tout s'effondrerait. Elle ne parviendrait pas à accomplir son dessein. Jack continuerait à vivre sa vie, indemne, sans payer. L'idée même lui donnait des démangeaisons.

Le bruit que faisait Kerstin à la cuisine interrompit sa rumination. Kerstin avait insisté pour préparer à dîner ce soir, et Faye savait avec la plus grande certitude qu'elle allait lui préparer un de ses plats préférés. Sans doute des choux farcis.

Julienne avait déjà mangé avant d'aller dormir, Kerstin voulait qu'elles puissent parler tranquillement toutes les deux. Dès son retour, plus tôt dans la soirée, Faye avait compris qu'on voyait à ses traits qu'elle était à plat. D'habitude, Kerstin arrivait à lui remonter le moral mais, cette fois, Faye se demandait si elle n'allait pas y échouer. Le doute lui collait à la peau comme un goudron poisseux.

Julienne s'agita dans son sommeil. Faye ne la laissait pas souvent dormir dans son lit mais, cette nuit, elle voulait avoir sa fille près d'elle. Elle allait dîner avec Kerstin, parler de tout ce qui s'était passé, puis se glisser à nouveau dans le lit à côté de Julienne et s'endormir au son de sa respiration. Elle contempla sa fille, couchée dans sa légère chemise de nuit blanche ornée d'un rhinocéros, posa délicatement sa main sur sa poitrine et sentit son cœur battre. Toc. Totoc. Totoc. Lentement, son propre cœur commença à prendre le même rythme. Cela lui éclaircit les idées. Dans la cuisine, elle entendait Kerstin entrechoquer poêles et casseroles. L'odeur de nourriture se répandit dans la chambre, et Faye entendit son ventre gargouiller. À nouveau, elle sentit le battement rythmique du cœur de sa fille sous sa paume. Toc. Totoc. Totoc. Le découragement et la frustration de ces rendez-vous ratés s'estompaient peu à peu. Tout n'était pas encore perdu. Il lui restait le rendez-vous le plus important. Et elle n'avait pas l'intention d'échouer.

Faye avançait dans les rues pavées en direction de Blasie-holmen. Elle se sentait nerveuse. Ce rendez-vous avec Irene Ahrnell était particulièrement important. *Via* sa société Ahr-nell Invest, elle possédait de grosses parts dans trois des principales chaînes de grands magasins en Suède. En plus de son investissement dans Revenge, elle pouvait, grâce auxdits magasins, mettre en circulation les produits. Dès le début, Faye savait qu'il dépendrait d'Irene que Revenge soit un succès, ou juste l'une des milliers d'entreprises avortées dans le secteur des produits pour la peau et des parfums.

Au fond, c'était une folie de se lancer sur ce marché. Un des plus durs qui soient. Surtout pour quelqu'un comme Faye, sans la moindre expérience ni le moindre appui dans le domaine.

Même si ses rendez-vous avec Louise Widerström Bergh et Sophie Duval ne s'étaient pas déroulés comme elle l'espérait, Irene Ahrnell avait infiniment plus d'importance pour la réussite de Faye. Avec Irene derrière elle tout devenait possible. Même à l'international.

Faye s'était documentée, jusqu'à tout savoir sur elle. Née à Göteborg, de parents riches, formée à Yale et Oxford. Elle donnait généreusement à des organisations de femmes et soutenait les entrepreneuses. Elle avait un impressionnant réseau qui s'étendait sur toute l'Europe, et jusqu'aux États-Unis. Si Faye avait pu obtenir un entretien, c'était probablement parce qu'Irene était curieuse d'elle, après tout ce qui s'était écrit sur son divorce d'avec Jack.

Quel qu'en soit le motif, elle avait un rendez-vous. Faye se fichait éperdument du comment et du pourquoi. Désormais, tout le reste était entre ses mains.

Ahrnell Invest occupait le cinquième étage d'un bel immeuble du début XIXᵉ. La vue sur la baie était magnifique. On mit un café dans les mains de Faye, et on la conduisit dans une petite salle de conférences.

Il y avait six sièges autour de la table. Elle demeura debout, hésitant où s'asseoir. Elle avait prévu une entrée en matière coup-de-poing. La question était de savoir comment Irene allait réagir. Il y avait un risque que cela soit considéré comme un manque de professionnalisme. Mais le rendez-vous avec Sophie lui avait fait comprendre qu'elle ne pouvait se permettre de se faire éconduire. Il fallait commencer par un feu d'artifice, et exiger l'attention qu'elle méritait. Pas attendre gentiment qu'on la lui prête.

Faye sentit la sueur lui couler sur les reins. Et se mit à faire exactement ce qu'il ne fallait pas : douter de son idée et se remettre en question.

Irene entra dans la pièce vêtue d'un tailleur bleu marine. Un chemisier en soie crème en dépassait, un modèle à rosette de Vesna W. supposa Faye. Elle rêvait d'avoir le même, mais devrait attendre d'avoir rassemblé son capital de départ pour se le payer. Le costume Stella McCartney qu'elle portait était emprunté à Chris. Voilà quelques mois, elle n'aurait pas réussi à remonter le pantalon au-dessus des genoux, mais aujourd'hui il lui allait comme un gant. Elle n'avait pas osé demander à son amie ce qu'il avait coûté.

Irene posa sur la table une tasse de café du même modèle que celle de Faye et tendit la main.

"Irene, dit-elle d'un ton neutre. Nous avons dix minutes avant que je doive partir."

Les pieds des chaises raclèrent le sol, et elles s'assirent face à face.

Faye inspira à fond pour calmer son trac. Se rappela pourquoi elle faisait tout ça. Évoqua la vision des fesses de Jack en train de besogner entre les jambes d'Ylva sous leur toit, dans leur lit.

"Combien de fois dans votre vie avez-vous été trompée par un homme ?" demanda Faye en se forçant à regarder Irene calmement dans les yeux.

Elle avait encore sur la rétine l'image de Jack. Les battements de son cœur ralentirent. Son hésitation disparut. La première salve était tirée.

Irene parut d'abord déstabilisée, mais se ressaisit rapidement. L'expression de son visage passa d'étonnée à offusquée.

"C'est une question bien trop personnelle pour que je puisse y répondre dans ce contexte."

Elle paraissait sur le point de se lever de sa chaise.

Faye ne la lâcha pas des yeux. Refusait de se laisser effrayer par la première réaction d'Irene. Son intention était de choquer, et elle avait à coup sûr réussi à captiver l'attention de son interlocutrice. Elle se pencha en avant, joignit les mains sur la table de conférence.

"La réponse à cette question est le socle de mon idée, dit Faye. Mais avant tout : notez que je ne vous ai pas demandé *si* vous aviez été trompée. Je pars du principe que oui. Et pourquoi est-ce si honteux que vous réagissiez ainsi ? Vous n'avez pourtant rien fait de mal."

Irene étira le cou, s'avançant elle aussi. Elle paraissait à la fois amusée et un peu secouée. Elle sembla prendre une décision.

"Deux fois", murmura-t-elle.

Les traits de son visage s'adoucirent un instant avant qu'elle ne se ressaisisse. Dehors, quelques voitures klaxonnaient furieusement sur Strandvägen.

Faye hocha la tête.

"Et vous êtes loin d'être la seule. Nous, les femmes, quelle que soit notre position sociale, nous avons en moyenne été trompées au moins une fois par un homme. Et pourtant, c'est nous qui éprouvons de la honte. Qui nous demandons quelle faute *nous* avons commise. Pourquoi en va-t-il ainsi ?

— Je ne sais pas. Et vous ?"

L'intérêt d'Irene était décidément éveillé. La porte était entrebâillée, il fallait maintenant que Faye la franchisse. Et soit invitée à rester.

"Eh bien, j'ai eu l'occasion d'y réfléchir, dit-elle. Parce qu'il est humiliant d'être envoyée à la casse et répudiée. Parfois parce que nos hommes ont trouvé quelqu'un d'autre avec qui vivre le restant de leurs jours, d'autres fois pour une minable partie de jambes en l'air dans une chambre d'hôtel lors d'une conférence à Örebro. Amour, enfants, temps et travail investi : tout peut être jeté à la poubelle pour un coup tiré en état d'ivresse dans un palais des congrès. Nous sommes interchangeables. Et on dirait même qu'ils n'éprouvent aucun remords. Comme si c'était leur droit de nous piétiner. Et ils ont un réseau invisible auquel nous n'avons pas accès. Où ils s'échangent des avantages dont nous sommes privées. Parce qu'ils nous considèrent comme inférieures."

Irene ne dit rien quand Faye s'arrêta pour reprendre haleine. Mais l'expression dure de son visage s'était adoucie. Elle semblait curieuse.

"N'avez-vous jamais rêvé de vous venger d'un homme qui vous a trompée, piétinée, maltraitée ? demanda Faye.

— Bien sûr que si, comme nous toutes", dit Irene, le visage soudain nu et vulnérable.

Faye devina qu'elle revoyait des images. De celles avec lesquelles il fallait vivre le restant de ses jours, comme des cicatrices de guerre, mais au cœur, pas sur la peau.

"Et vous l'avez fait ?

— Non.

— Pourquoi donc ?"

Irene réfléchit.

"À vrai dire, je ne sais pas.

— Mon ex-mari, Jack Adelheim, le financier, m'a trompée pendant des années. Avec combien de femmes, je l'ignore. Le printemps dernier, je l'ai surpris avec sa directrice financière, Ylva, dans notre lit. Et ce n'est là qu'une partie de sa trahison. Au fond la moindre. Je l'ai aidé à bâtir son empire. Je pourrai vous raconter toute l'histoire une autre fois, autour d'un verre de vin. Mais en bref, il m'est redevable d'une bonne part de ce qu'il est aujourd'hui. Et pourtant, il m'a non seulement trompée, mais laissée sans le sou sur la paille. Et vous savez quoi, Irene ? J'ai prié et supplié de pouvoir le pardonner, et que tout redevienne comme avant. J'aurais tellement voulu sauver notre famille. Même s'il m'avait tout pris : carrière, foyer, confiance et estime de soi. J'ai fini par décider que ça suffisait.

— Et maintenant ?

— Maintenant, je vais tout lui reprendre. Et un peu plus.

— Comment ?"

Les rôles étaient inversés. Irene posait les questions. Signe certain qu'elle était intéressée. Elle se pencha encore plus près de Faye.

"En cessant d'avoir honte, dit Faye en glissant une esquisse d'emballage Revenge sur la table. Et en captant un énorme groupe cible. Un marketing intelligent qui appuie là où personne n'a encore appuyé. Du marketing personnalisé, poussé à l'extrême. *Storytelling* et produits de bonne qualité."

Irene prit l'esquisse et l'examina de près.

"Et ce R ?

— R comme Revenge.

— Je comprends, dit-elle avec un sourire en coin. Et pourquoi avez-vous besoin de moi ?

— Pour la distribution et des campagnes de publicité dans les magasins où vous avez des parts. Je m'occupe du reste. Je vais associer au projet autant de femmes qui ont réussi que possible, et j'ai mis au point une stratégie qui ne ressemblera à rien de ce qui a été fait jusqu'à présent. Surtout en lien avec ce genre de produits. Et je ne vous demande pas d'investir par je ne sais quel militantisme idéologique. Je vous expose ma façon de penser pour vous faire comprendre l'énorme potentiel de ce projet. Le groupe cible de nos produits n'est pas seulement les femmes, mais les femmes qui en ont assez d'être trahies par les hommes."

Les yeux d'Irene se mirent à briller. Elle prit à nouveau l'esquisse, la regarda pensivement.

Faye resta silencieuse. La laissa réfléchir.

Elle avait décidé de ne pas lui faire de proposition, mais de la laisser aborder elle-même la question. La part d'Irene serait supérieure au 1 % qu'elle comptait proposer aux investisseuses. Irene aurait davantage. Faye avait déjà donné à Kerstin 5 %

de l'entreprise. En fait, elle lui avait proposé dix, mais Kerstin avait refusé.

"Je veux 10 %, dit Irene.

— Vous en aurez cinq", dit Faye. Elle sentit son cœur s'emballer.

"Sept.

— Tope là !"

Elle dut se faire violence pour ne pas crier et danser de joie. À la place, elle se leva, et Irene fit de même. Elles se retrouvèrent au milieu de la pièce et se serrèrent la main.

Irene pêcha une carte de visite au fond de son sac à main.

"Appelez-moi si vous avez besoin de quoi que ce soit. C'est mon numéro direct. Pas besoin de passer par ma secrétaire."

Quand Faye fut revenue dans la rue, son portable vibra. Elle aurait voulu ne pas être dérangée, jouir de cet instant, mais en voyant que c'était Chris, elle répondit.

"Elle est à bord, Chris ! Irene Ahrnell, putain !

— Merveilleux, s'enthousiasma Chris. Alors je suppose que tu es contente ?

— Contente ? fit Faye en se dirigeant vers Stureplan. Je suis folle de joie. Revenge sera distribué dans tous ses magasins. Et elle a promis de faire jouer tous ses contacts à l'international si le lancement est réussi en Suède. Tu mesures combien c'est extraordinaire ?

— Oh oui. Mais on fêtera ça plus tard. J'ai là deux personnes qui veulent te parler.

— Ah ? hésita Faye.

— Attends, je mets le haut-parleur.

— Bonjour Faye, je suis Paulina Dafman, dit une voix rauque. Je suis là avec mon amie Olga Niklasson. Tu as un moment ?"

Le cœur de Faye fit un bond. Olga Niklasson et Paulina Dafman étaient, et de loin, les deux principaux profils Instagram en Suède. Ensemble, elles avaient trois millions de *followers*.

"Oui, bien sûr.

— Eh bien voilà, nous sommes en train de boire du *cava* au Grand Hôtel avec Chris. On l'adooooore ! Et elle nous a raconté ce qui t'est arrivé avec ce porc infidèle, elle nous a parlé de ton projet, et ça nous a beaucoup intéressées. Y aurait-il moyen pour nous d'en être et de t'aider ?

— Vous voulez participer ?

— C'est clair, dirent-elles en chœur. Et on pourra sûrement mettre sur le coup quelques autres belles nanas avec un bon compte Insta. Tu sais, on les connaît toutes, celles qui valent quelque chose.

— Et c'est vrai, intervint Chris. Elles me connaissent, moi, par exemple…"

Faye étouffa un gloussement.

Elle bondit encore de joie en raccrochant. Une femme âgée, un petit teckel dans les bras, la regarda, interloquée. Faye se contenta de lui adresser un grand sourire, et la dame se dépêcha de passer son chemin.

Faye s'arrêta un instant, vit son reflet dans la vitrine de la boutique Svenskt Tenn : elle sut alors qu'elle regardait une gagnante.

III

Une aération ronronnait bien trop fort, gâchant un peu l'impression de luxe que le bureau d'avocat essayait de donner.

Jack avait demandé à être autorisé à la voir pendant qu'il était incarcéré. L'avocate de Faye soupira en secouant la tête après le lui avoir rapporté :

"Je ne comprends pas où il trouve le culot de demander ça. Comment peut-il s'imaginer que vous puissiez être d'accord ? Après ce qu'il a fait."

Faye ne répondit pas. Elle touillait lentement sa tasse, dans la salle de réunion. Regardait, comme hypnotisée, les tourbillons dans le thé rouge, maelstrom dont le centre semblait tout avaler.

L'avocate posa une main compatissante sur son épaule.

"Le procureur va requérir la perpétuité. Aucun risque qu'il écope de moins, avec les preuves qui pèsent contre lui. Après le procès, vous n'aurez plus jamais à le voir.

— Mais sera-t-il possible de prouver quoi que ce soit ? Sans son…"

La voix de Faye se brisa.

"Sans son corps ?

— Les preuves sont quand même suffisantes. Et puis il y a les coups qu'il vous a portés. Croyez-moi. Il ne ressortira pas de sitôt."

Faye cessa de touiller. Elle posa la cuillère sur une serviette blanche, porta doucement la tasse à sa bouche. Le breuvage lui brûla la langue, mais cette douleur était la bienvenue. Désormais, elle était son amie. La douleur demeurait dans l'eau trouble où elle gardait tous ses secrets.

La journaliste de *Dagens Industri* Ingrid Hansson picorait une salade César. Faye se contentait d'un thé vert. Le dictaphone était placé entre elles, le voyant de l'enregistrement était allumé.

"C'est vraiment un incroyable voyage que vous avez fait avec Revenge, dit Ingrid Hansson. Après votre divorce d'avec Jack Adelheim, vous êtes passée de femme au foyer à PDG et propriétaire d'une entreprise dont le chiffre d'affaires est estimé pour cette année à un demi-milliard de couronnes. Quel est votre secret ?"

Faye porta sa tasse à ses lèvres et but une petite gorgée.

"Un dur travail, je dois dire. Et des investisseuses compétentes et engagées.

— Mais tout a bien commencé avec le divorce ?"

Faye hocha la tête.

"Quand nous nous sommes séparés, Jack et moi, je ne savais pas trop quoi faire de ma vie. J'ai lancé un service de dog-sitting, dont je m'occupais pendant la journée. Le soir, j'affûtais mon projet d'entreprise.

— Il s'agissait d'un divorce *sale*, si on songe au nom « Revenge » ?"

La question était posée d'un ton neutre, mais Faye flaira le piège. Faye connaissait le jeu médiatique. Le pire, c'étaient ces journalistes qui faisaient semblant de copiner, qui jouaient la sympathie. Qui, une fois l'enregistreur éteint, restaient volontiers pour causer un peu, en "off".

Dans le monde des médias, il n'y avait pas de "off" ni de "n'écrivez pas ça". Ils n'avaient aucun scrupule. Mais Faye savait comment les utiliser. Elle croisa les jambes et joignit les mains sur ses genoux. Elle avait désormais les moyens d'avoir sa propre garde-robe, c'était pour elle un uniforme, une armure. Par ses vêtements, elle signalait son pouvoir et son succès. Aujourd'hui, elle avait choisi une veste Isabel Marant et une jupe Chanel. Son chemisier, en revanche, avait été acheté en soldes chez Zara. Elle aimait mélanger, ne pas être habillée de pied en cap par des stylistes de luxe.

"Sale, non. Par contre, difficile. Comme tous les divorces.

— Comment décririez-vous votre relation, aujourd'hui ?

— Nous avons eu une fille ensemble, et avons partagé plus de dix ans de notre vie. Et maintenant que Compare va être coté en Bourse, je vais sans doute acheter quelques actions.

— Ah bon ?

— Oui, j'étais présente, les premières années. Pour moi, soutenir cette entreprise aujourd'hui, ça va de soi."

Ingrid Hansson s'essuya la bouche.

"Le nom Revenge n'a donc rien à voir avec votre divorce ? J'ai entendu beaucoup de rumeurs sur la façon dont vous avez vendu l'idée à vos investisseuses."

Faye rit.

"Tous les bons produits sont accompagnés d'une bonne histoire. Histoires ailées qui se répandent à la vitesse du vent grâce à internet et aux réseaux sociaux. Je mentirais en disant que ce divorce a été un handicap. C'est tout simplement du *smart business* d'utiliser un dénominateur commun à beaucoup de femmes."

Ingrid hocha la tête et passa à son sujet principal, le dernier bilan comptable, l'expansion et les prix prestigieux que Revenge avait obtenus pour son marketing. Et quelques questions sur les investissements privés de Faye, en particulier dans l'immobilier, qui avaient fortement augmenté sa fortune personnelle. Faye partageait volontiers informations et conseils. Elle n'avait rien à cacher. En tout cas au sujet de ses finances.

Une demi-heure plus tard, l'interview était terminée. Ingrid Hansson quitta les bureaux de Faye, installés dans un immeuble cossu de Birger Jarlsgatan. Adossée au renfoncement de la fenêtre, Faye regarda la journaliste partir, s'accordant une rare minute de pause.

Quand le manège s'était mis à tourner, tout avait pris une vitesse vertigineuse. Les trois années écoulées depuis le divorce avaient dépassé toutes ses attentes. Revenge était un gigantesque succès. Plus grand même qu'elle n'en avait rêvé. Elle avait sous-estimé l'impact qu'auraient ses campagnes d'idées et ses produits. Les femmes avaient aimé son angle d'attaque et, au bout de seulement six mois, de grands magasins en France et en Grande-Bretagne avaient acquis des licences pour pouvoir vendre ses produits. Aux États-Unis, un contrat venait d'être signé avec l'un des plus gros revendeurs.

La grande percée de la marque avait eu lieu grâce à Instagram. L'influence de Paulina Dafman, d'Olga Niklasson et de leurs amies prescriptrices sur une nouvelle génération de femmes s'était avérée plus forte qu'elle n'aurait jamais osé l'espérer. Pour des centaines de milliers de femmes, partout en Suède, elles représentaient un nouvel idéal. Les Sophia Loren, Marilyn Monroe et Elizabeth Taylor des années 2010. Tout ce qu'elles portaient, d'autres femmes voulaient le porter. Tout ce qu'elles achetaient, d'autres femmes voulaient l'acheter. Ambassadrices de Revenge, elles avaient rédigé des textes inspirants sur le *girl power* et fait de la publicité pour des produits portés par le vent féministe qui soufflait sur la Suède. Revenge n'aurait pas pu être plus en phase avec son époque.

Dans ses moments cyniques, Faye se demandait en silence quel message féministe pouvaient bien véhiculer des images de femmes en bikini tournant leurs fesses fermes vers l'objectif, ou des publicités pour des tisanes amaigrissantes. Mais Chris lui avait brutalement fait remarquer qu'il fallait parfois se contenter du féminisme qu'on trouvait, et que le chemin vers le féminisme ne pouvait pas être entièrement féministe. D'ailleurs, le net grouillait de prescripteurs qui se photographiaient torse nu pour promouvoir des poudres protéinées. Alors où était la différence, au fond ?

La boutique en ligne qu'elle avait lancée, avec un forum dédié où les femmes pouvaient partager leurs histoires de vengeance contre des hommes, avait eu fort à faire pour parvenir à répondre à la demande. Et le forum était inondé de récits. Chaque jour, il s'en déversait de nouveaux, cela semblait ne jamais finir. Un autre outil qui s'était révélé décisif était Facebook. Il avait été possible de cibler précisément leurs annonces vers le groupe visé : des femmes conscientes, diplômées du supérieur. Des clientes qui disposaient de revenus confortables, ce qui avait permis de fixer des prix élevés et d'empocher une marge plus importante sur chaque produit vendu.

Au début, les ventes se faisaient exclusivement en ligne. Le moment venu pour les grands magasins d'Irene Ahrnell de proposer Revenge dans leur assortiment, Faye avait compris qu'il fallait un plus pour entretenir la mode et le mystère créés sur le Net. Elle avait donc demandé à une dizaine de femmes, artistes, écrivaines et actrices, de dessiner un emballage chacune. Avec une totale liberté artistique, adossée à une énorme campagne sur les médias sociaux. Le tout lancé avec un concept magique : *limited edition*.

De jeunes femmes faisaient la queue devant les grands magasins pour se procurer les produits Revenge véhiculant le message et la sororité de leurs idoles. Soudain, Revenge touchait de nouveaux groupes de clientes. Avec ce forum limité, de dimensions modestes, elles avaient créé un sentiment révolutionnaire.

Kerstin se racla la gorge à la porte.

"Tu dois aller chercher Julienne à 16 heures.

— Des rendez-vous, d'ici là ?

— Non, tu as demandé un après-midi libre.

— Ah oui. Merci.

— À ce soir à la maison", dit Kerstin en refermant derrière elle.

Elle semblait un peu tendue aujourd'hui, Faye se demanda pourquoi. Puis elle réalisa que Kerstin était allée voir Ragnar à l'heure du déjeuner. Chaque fois qu'elle lui rendait visite, elle revenait perturbée. Quand Faye lui avait demandé pourquoi elle continuait à y aller, Kerstin avait répondu : "Je suis sa femme, malgré tout. J'y vais pour que le personnel ne commence pas à me téléphoner pour me bassiner. Et puis ça me procure une certaine satisfaction de le voir étendu là.

Impuissant. Mais chaque fois, je fantasme, un jour, de lui mettre un simple oreiller sur le visage et d'attendre qu'il ne respire plus."

Faye regarda à nouveau par la fenêtre. Dehors, la circulation était fluide. Octobre approchait : après des années de spéculations, Compare allait être coté en Bourse. L'heure était venue de lancer la phase suivante de son plan. Après tout ce dur labeur, tout allait se jouer maintenant. Elle sortit de son sac un ordinateur Dell tout neuf et quitta le bureau. Dans le centre commercial Sture, elle trouva un café dont la majeure partie de la clientèle était constituée d'élèves des lycées huppés du quartier qui séchaient les cours.

Elle écouta distraitement les conversations. Il y était question de quel sac Gucci on désirait en cadeau d'anniversaire, un autre se plaignait de devoir aller avec ses parents passer Noël aux Maldives, parce que là-bas "il n'y a rieeeeeeeeen à faire". Elle commanda un café à une serveuse blasée, s'installa dans un coin, déplia l'écran de son ordinateur et se connecta au wifi. Jack avait conservé le même mot de passe depuis la naissance de Julienne. Durant tout le temps qu'ils avaient passé ensemble, il n'en avait pas changé plus de deux fois. Et en plus il est nostalgique.

Ou du moins l'était.

Les premiers documents concernant Compare étaient conservés sous forme de PDF sur son compte Gmail. Mais pour y accéder, il fallait donc que son mot de passe soit toujours *Julienne2010*. Faye porta la tasse blanche à ses lèvres et but une gorgée de café. Sa main tremblait. Tout ce qu'elle avait fait ces trois dernières années la menait à cet instant. Tout dépendait de savoir si Jack était toujours une personne routinière, trop paresseuse pour changer de mot de passe.

Elle entra les lettres et les chiffres dans la fenêtre et cliqua sur *se connecter*.

Mot de passe erroné.

Elle réessaya.

Mot de passe erroné.

Elle étouffa un cri de frustration. Le salaud avait fini par en changer. Elle referma violemment l'écran et quitta le café.

Que faire ? Il fallait qu'elle entre dans sa boîte mail.

Dix minutes plus tard, elle était de retour au bureau. Au moment même où elle franchit le porche, les premières gouttes de pluie se mirent à tomber. Kerstin la regarda, pleine d'espoir.

Faye secoua la tête.

"Demande à Nima de passer me voir", dit-elle en se hâtant de gagner son bureau.

Nima, un garçon filiforme au teint blême et aux bras poilus, était le technicien informatique de Revenge. Socialement incompétent, mais parfaitement brillant pour tout ce qui relevait des nouvelles technologies.

Faye pendit son manteau et attendit derrière son bureau.

Quelques minutes plus tard, il apparut dans l'embrasure de la porte.

"Tu avais besoin d'aide ?"

Faye sourit.

"Entre", dit-elle en lui indiquant le fauteuil des visiteurs.

Il s'assit. Se tordit les mains d'un geste inquiet.

"Il y a un problème ?

— Pas du tout, le rassura-t-elle avec un sourire désarmant. Au contraire. J'ai besoin que tu m'aides pour un truc. C'est un peu délicat.

— Oui ?

— C'est Julienne, ma fille. Elle a eu un ordinateur, et je crains qu'elle entre sur des sites inappropriés. Je veux contrôler ce qu'elle fait. Je suis une vraie mère poule, je m'inquiète pour tout."

Nima hocha la tête.

"Je comprends.

— Est-ce qu'on peut faire quelque chose ?

— Quel genre d'infos veux-tu avoir ?

— Son mot de passe sur Facebook, ce genre de trucs. On s'inquiète si facilement, les enfants peuvent parler avec n'importe qui, et ils sont si naïfs."

Nima fronça brièvement les sourcils.

"Ça peut s'arranger. Je te propose d'installer un *keylogger* sur son ordinateur. Comme ça, tu pourras tout voir, sans même avoir besoin de te loguer sur ses comptes sociaux.

— Et comment fonctionne un… ?

— *Keylogger*. Alors voilà : tu en actives un dans son ordinateur. Puis tu peux télécharger tout ce qui passe par son clavier sous forme de fichier texte ordinaire. Ça enregistre toutes les touches enfoncées, tout simplement. Comme ça, pas besoin de te loguer sur son Facebook ou son Snapchat.

— Et il n'y a aucune chance qu'elle le découvre ?

— Non, pas si tu le dissimules parmi d'autres fichiers. C'est caché au fond de l'ordinateur. Et ça enregistre tout en douce.

— Très bien. Et comment je me procure un *keylogger* de ce genre ?

— Un instant", dit Nima en se levant.

Il revint aussitôt avec une clé USB noire.

Faye écarta son fauteuil, il inséra la clé dans son ordinateur et lui montra comment l'installer.

"J'ai un enfant, moi aussi. Alors je sais ce que c'est", dit-il.

Faye le regarda, étonnée. Elle n'imaginait même pas qu'il ait une copine.

"Je l'ignorais.

— Astrid, dix ans, tout le temps fourrée sur internet. C'est clair qu'on s'inquiète, en tant que parents.

— Tu devais être très jeune quand tu l'as eue.

— Vingt ans. Et c'était planifié, curieusement. J'ai toujours été un peu vieux jeu.

— Et tu es toujours avec… ?

— Johanna." Il s'éclaira en disant son nom. "Nous sommes mariés."

Faye haussa les sourcils. Les gens la surprendraient toujours.

L'argent agit sur les gens. À l'époque où Faye était encore "Mme Adelheim", les parents des autres enfants appelaient plus ou moins chaque week-end pour inviter Julienne à des fêtes ou des sorties. Ils se forçaient au point de presque faire dans leur pantalon pour faire croire que c'étaient leurs gamins qui voulaient voir Julienne. La vérité était qu'ils voulaient les approcher, elle et Jack. Ou plutôt juste Jack, pour le dire brutalement. Elle n'était qu'un biais, une façon d'atteindre l'homme qui avait réussi.

À travers Julienne, ils voulaient être invités à des dîners, se contempler à leur lumière, dans l'espoir qu'une partie de leur succès déteigne sur eux.

Après le divorce, les visites avaient cessé. Le téléphone ne sonnait plus. À leurs yeux, Enskede aurait aussi bien pu être Mogadiscio ou Bagdad. Aucun parent de Lidingö n'aurait accepté d'y envoyer son enfant, même avec un garde du corps et une piqûre de vaccin. Ils préféraient téléphoner à Jack. Lequel déléguait leurs appels à Ylva, qui passait une partie de son temps à coordonner invitations et sorties les week-ends où ils avaient Julienne, ce qui n'était pas plus d'une fois par mois.

Rien n'aurait pu être plus différent pour Faye après le succès de Revenge.

Julienne avait commencé à fréquenter l'école d'Östermalm. Jack aurait préféré l'école privée Carlsson, où étaient allés les enfants du roi, ou celle du château de Fredrikshov, où la rumeur disait que le footballeur Zlatan Ibrahimović prévoyait de mettre ses fils, mais Faye avait refusé. Elle ne voulait pas qu'ado Julienne se lamente à grands cris sur ses vacances de luxe.

Certes, les cas sociaux manquaient un peu à l'école d'Östermalm, mais on y trouvait malgré tout quelques enfants pour lesquels il n'allait pas de soi de passer l'été à Marbella ou à New York, les vacances de Noël aux Maldives et les vacances d'hiver dans un chalet de Verbier ou de Chamonix.

Et Julienne s'y plaisait énormément. Faye était son soleil et Kerstin sa lune. Elle se réjouissait toujours beaucoup des week-ends chez Jack, mais elle en revenait invariablement renfermée. Comme d'habitude, il promettait plus qu'il ne pouvait donner.

Faye se gara dans Banérgatan. Julienne attendait sur un banc près de l'ascenseur, penchée sur son iPad. Faye s'assit à côté d'elle sans se faire remarquer. Ce n'est que lorsque Faye lui donna un coup de coude qu'elle leva les yeux.

Julienne éclata de rire et embrassa Faye.

"À quoi tu joues ?

— Aux Pokémon", dit Julienne en rangeant son iPad dans son sac à dos.

Faye prit sa main.

"Ça s'est bien passé, aujourd'hui ? demanda-t-elle en se dirigeant vers la voiture.

— Oui.

— Tu sais que tu vas chez papa ce week-end ?

— Mmm."

Elle ouvrit la portière, attacha la ceinture de sécurité de Julienne.

"C'est bien, non ?

— Assez bien.

— Tu n'aimes pas y aller ?

— Des fois. Ils se disputent beaucoup, c'est pas très drôle. Et papa passe surtout son temps à travailler.

— Les adultes se disputent parfois, Julienne. Papa et moi le faisions aussi. Mais ça n'a rien à voir avec toi, même si je comprends que ça puisse être pénible à écouter. Et c'est pour toi que papa travaille autant."

Elle caressa la joue de Julienne.

"Tu veux que je lui en parle ?"

Julienne secoua violemment la tête.

"Papa serait fâché.

— Mais pourquoi ? demanda Faye en la serrant contre elle.

— Ah, rien, dit tout bas Julienne.

— Tu es sûre ?"

Collée à sa poitrine, Julienne hocha la tête.

Quand Faye ouvrit la porte de l'appartement, Julienne la doubla pour se précipiter à la cuisine.

Le grand quatre-pièces de cent soixante-dix mètres carrés sur Karlavägen, en face du supermarché ICA Esplanad, avait coûté quinze millions. Mais il était à elle. Et à Julienne.

"Kerstin, on est rentrées ! lança Julienne, que Faye suivit dans la cuisine.

— Coucou, ma petite fille", dit Kerstin en soulevant Julienne dans ses bras.

Faye sourit. Elle avait aidé Kerstin à acheter l'appartement voisin, et elles dînaient ensemble presque tous les soirs. Si Faye était obligée de rester travailler, Kerstin gardait Julienne plus que volontiers. Il n'y avait plus de baby-sitter dans sa vie et celle de Julienne.

Kerstin gâtait beaucoup trop sa fille. Au fond, Faye n'aimait pas ça, mais n'avait pas le cœur de le relever. Kerstin était son axe, son ancre.

Pendant que Faye mettait de l'eau à bouillir et rangeait la vaisselle dans la machine, Julienne fila dans le séjour.

"Qu'est-ce qui n'a pas marché ? chuchota Kerstin.

— Il a changé de mot de passe. J'ai trouvé une autre solution, mais ça peut prendre plus de temps que je n'avais prévu."

Dans le séjour, la télévision s'alluma.

"Il y a juste un problème, poursuivit Faye.

— Lequel ?

— Il faut que je me fasse aider par…"

Elle fit un signe de tête en direction du boucan de la télé.

Kerstin écarquilla les yeux.

"Tu ne lui as quand même pas parlé de… ?

— Bien sûr que non. Elle n'y sera pas mêlée, en tout cas pas consciemment.

— Tu sais, Faye, je n'ai rien contre la plupart de ce que tu entreprends, je te soutiens et t'admire, mais là, je n'aime pas ça.

— Moi non plus, dit Faye. Mais je n'ai aucune autre façon d'accéder à son ordinateur."

La bouilloire cliqua. Elle sortit deux tasses et les posa sur la table.

"C'est sans garantie, dit-elle à voix basse. Je ne sais même pas si les documents sont encore là. Mais c'est notre meilleure chance. Le plus important est d'éviter les actes désespérés et les erreurs qui pourraient permettre de remonter jusqu'à moi.

— Jusqu'à nous, dit Kerstin en soufflant sur son thé. Nous sommes deux sur ce coup-là. Je te soutiens en tout, mais quand même, je n'aime pas ça."

Faye hocha la tête. Elle avait elle-même une profonde réticence à se servir de Julienne. Mais elle n'avait pas le choix.

Elles étaient couchées sur le lit de Julienne et lisaient à haute voix *Les Frères Cœur-de-Lion*. Dans la cuisine, le lave-vaisselle ronronnait.

Avant d'aller se coucher, Faye avait montré à Julienne la clé USB.

"Ma chérie, il y a une chose que je voudrais te demander de faire pour m'aider, avait-elle dit, alors qu'elles étaient encore à table. Je prépare une surprise à papa.

— Quoi, comme surprise ?"

Faye lui avait montré la clé USB.

"Je ne peux pas encore te le dire, mais tu sais que papa laisse toujours le grand ordinateur de son bureau allumé quand il regarde le journal télévisé ? Je veux que tu branches ça à son ordinateur. Ensuite, quand c'est fait, je veux que tu appuies sur ce bouton."

Elle lui avait montré.

"C'est tout, en fait. Après, tu peux l'enlever.

— Et pourquoi je ne dois rien dire à papa ? Il dit qu'il ne veut pas qu'on ait de secrets l'un pour l'autre. On a juste des secrets pour toi."

Faye avait froncé les sourcils à ces mots de sa fille. Que voulait-elle dire ?

"Parce que sinon, la surprise sera gâchée, avait-elle répondu. Et après, quand tu auras fait ça et que je viendrai te chercher, j'aurai une surprise pour *toi*.

— Quoi ?

— Quelque chose que tu veux depuis longtemps.

— Un portable ?

— Tu ne perds pas le nord, toi. Oui, un téléphone tout à toi. Comme ça, tu n'emprunteras plus le mien à tout bout de champ.

— Quand est-ce que je l'aurai ?

— Dimanche. Il t'attendra à ton retour, si tu m'aides."

Faye se sentait infâme. Mais elle n'avait pas le choix. Il fallait qu'elle mette la main sur ces fichiers.

Une fois Julienne endormie contre elle, Faye posa le livre sur la table de nuit et embrassa la tête légèrement humide de sa fille. Son visage était paisible dans le sommeil, mais elle avait un peu changé, ces derniers temps. Elle s'était mise en retrait, était plus silencieuse. Faye sentit l'inquiétude la ronger et ne put s'empêcher de se demander quel genre de secret Jack et sa fille partageaient. C'était probablement une trivialité, par exemple que Julienne avait eu de la glace au petit-déjeuner. Mais et si elle lui cachait quelque chose de grave ?

Faye était couchée sur le dos dans son lit : depuis son opération des seins, elle avait encore du mal à dormir à plat ventre. Il faisait lourd dans la chambre, difficile de respirer. Elle se leva, attrapa son peignoir et fit coulisser la porte du balcon. L'air d'automne était frais sur sa peau. Elle alluma une cigarette et se laissa tomber sur le fauteuil en rotin. Une voiture passait de temps à autre sur Karlavägen mais, pour le reste, Stockholm dormait.

Trois années s'étaient écoulées. Trois années fantastiques, laborieuses, heureuses. En prenant un moment pour se retourner sur son parcours, elle était comme toujours bouleversée.

Elle avait construit une entreprise formidable, fait des investissements avisés, acheté un appartement pour Julienne et elle, un autre pour Kerstin, elle s'était relevée. Assez absurdement, elle se demandait pourtant parfois si Jack ne lui manquait pas, malgré tout. Ou en tout cas Jack tel qu'elle l'avait rêvé.

Était-ce pour cela que sa haine n'était jamais rassasiée ? Était-ce la raison pour laquelle elle poursuivait le plan qu'elle avait établi trois ans plus tôt ? Certes, il y avait eu d'autres hommes entre-temps, mais tant que Jack n'était pas effacé, elle n'osait s'engager dans rien de sérieux. Il ne fallait pas qu'elle se disperse. C'était le but qu'elle poursuivait qui donnait son sens à tout.

Parfois, elle se demandait si elle n'aurait pas dû se contenter de ce qu'elle avait. Car rien ne lui manquait. Elle avait retrouvé le succès. L'argent. Un statut social. Julienne. Mais quelque part, elle savait que cela ne suffisait pas. Il lui avait pris tellement plus. Il l'avait piétinée jusqu'à ce qu'elle puisse à peine se relever. Elle ne pouvait pas le lui pardonner.

Et sa haine s'était nourrie de toutes ces histoires de femmes recueillies ces dernières années. Elle avait pris l'habitude de commencer chaque journée en allant lire les nouvelles histoires déposées sur le forum de la boutique en ligne et sur le compte Instagram de Revenge. Il y avait là un tel besoin de compensation, de restaurer une fierté perdue, de rendre, de reprendre, de se venger.

Il y avait quelque chose de primitif dans ce désir. Dans l'Ancien Testament, on parle déjà de vengeance. Œil pour œil, dent pour dent. Rendre justice. Faye n'était plus seulement mue par sa propre haine, elle était renforcée par les voix de milliers et de milliers de femmes. Elle avait réveillé quelque chose qui somnolait depuis longtemps.

Leur colère était la sienne. Et sa colère était la leur.

Faye souffla sur un peu de cendre tombée sur son peignoir, attrapa son portable et ouvrit Spotify. *Alice*, d'Eldkvarn, à bas volume.

Maman avait toujours aimé ce groupe. Combien de fois n'avait-elle pas raconté comment elle l'avait un jour entendu en live et attrapé au vol le médiator du chanteur Plura Jonsson ? C'était avant de rencontrer papa. Après, la musique s'était tue pour elle.

Cette chanson et la cigarette projetaient Faye dans un voyage long de trente ans. Vers son enfance, vers Fjällbacka, de retour dans la petite maison où ils vivaient. Elle, Sebastian, maman et papa.

Devant elle, sur la table basse, elle avait posé le courrier du jour. Sur le dessus de la pile, encore une lettre de papa. Toutes les personnes qu'elle avait jadis connues avaient disparu. Ne restait que lui. Il l'avait reconnue quand les journaux s'étaient mis à parler de Revenge. Et les lettres avaient recommencé à arriver, après plusieurs années d'interruption. D'abord une par semaine. Puis deux. Puis trois. Faye ne les ouvrait jamais.

Elle avait demandé à son avocat de bien surveiller le dossier judiciaire. Il ne fallait pas qu'il soit libéré. Elle savait ce qu'il en était en Suède, la perpétuité n'existait pas dans les faits. Même pour son père. Tôt ou tard, il serait relâché. Mais pas maintenant. Surtout pas maintenant. D'abord, il fallait qu'elle ait le temps de faire ce qu'elle s'était fixé.

Elle prit la lettre et en approcha sa cigarette. Son soulagement en la voyant prendre feu était indescriptible.

FJÄLLBACKA – JADIS

Le bruit du ressac à la fenêtre de ma chambre ne couvrait pas les voix dans la cuisine. Des voix de plus en plus fortes. Celle de papa, pleine de colère, et celle de maman, suppliante. Qui espérait encore arrêter l'inévitable. C'était ma faute s'ils se disputaient. J'avais oublié de ranger après le goûter, pris à mon retour de l'école. Comment avais-je pu ? Je savais bien pourtant que papa ne supportait pas de voir traîner quoi que ce soit. Sauf quand c'était lui qui avait mangé quelque chose. Il ne ramassait jamais, après, mais nous, nous devions toujours veiller à ce que tout soit propre, rangé, clinique. Moi, maman et Sebastian.

Maman endossait toujours tout. Je l'aimais pour ça. Et j'espérais si ardemment grandir, gagner en force, qu'elle n'ait plus à payer pour moi. Mais jusqu'à présent j'étais si petite qu'il n'osait pas me punir. Il lui arrivait de serrer les poings quand j'avais mal fait quelque chose, mais il redoutait de briser mes frêles os, de me frapper si fort qu'on ne puisse me sauver. Alors maman faisait l'affaire. Elle supportait mieux les coups.

La première fois que j'ai réalisé que tout le monde avait peur de papa, je devais avoir cinq ans et il m'avait laissée l'accompagner au supermarché ICA. Comme à son habitude, il avait acheté deux paquets de cigarettes, une grande tablette de chocolat et un numéro d'*Expressen*. Ni moi, ni Sebastian ne goûtions jamais à ce chocolat.

À la caisse, un homme s'était précipité pour passer devant lui. Sous son nez, l'homme avait jeté ses courses sur le tapis roulant. À sa tenue, on voyait que c'était un vacancier. Le regard effrayé de la caissière m'avait marquée. Sa peur de la colère de papa.

Papa n'avait pas accepté qu'un putain de baigneur, comme il les appelait, lui grille la priorité. Plus tard, j'ai appris que l'homme avait fini à l'hôpital d'Uddevalla avec deux côtes cassées.

Le livre de maths était resté ouvert à la même page depuis que les coups avaient commencé à la cuisine. La division. Simple, au fond. J'avais des facilités avec les chiffres. Mais quand les coups ont commencé, j'ai lâché mon stylo et je me suis bouché les oreilles.

Une main posée sur mon épaule m'a fait sursauter. J'ai ignoré Sebastian. J'ai gardé les mains sur les oreilles. Du coin de l'œil, je l'ai vu s'asseoir au bord de mon lit. Il s'est appuyé à la cloison, les yeux clos, tentant comme moi de faire barrage au monde du dehors.

Je restais dans ma bulle. Il n'y avait pas de place pour qui que ce soit d'autre.

Faye retrouva Chris au Grand Hôtel pour dîner et boire quelques verres. Au fond, elle n'en avait pas envie, elle aurait juste voulu que le week-end soit fini pour savoir si Julienne avait réussi. Mais il valait mieux passer du temps avec Chris, s'enivrer, draguer ou se faire draguer, plutôt que rester à la maison à grimper aux murs. Le maître d'hôtel leur avait dressé une table sur la véranda, avec vue sur l'eau et le château. Le brouhaha circulait dans le restaurant. Au piano-bar, à l'opposé, une belle voix de femme chantait *Heal the World*.

Chris commanda un burger, tandis que Faye s'en tint à la salade César. En même temps que leurs mojitos arrivaient, deux filles dans les vingt-cinq ans vinrent demander à prendre un selfie avec elle.

"On vous aime, piaillèrent-elles, exaltées, avant de disparaître. Vous êtes un sacré exemple pour nous.

— La prochaine fois, il faudra réserver un cabinet privé, si on veut avoir une chance de parler avec toi, s'amusa Chris en touillant son mojito avec sa paille.

— Toi non plus, tu n'es pas tout à fait une inconnue", dit Faye.

Chris sourit en coin.

"Et ces nichons, ça va ?

— Inhabituel", lâcha Faye.

En fait, elle se contentait très bien des anciens, mais elle avait fait ce qu'il fallait faire. Son corps était un outil pour atteindre son but.

"Tu les as essayés en situation critique ?"

Faye haussa les sourcils.

"Avec un homme, quoi.

— Non, pas encore.

— Essaye un coup. C'est bon pour l'âme." Chris balaya la salle du regard. "Mais c'est clair, ça va être difficile, ici. La plupart des hommes présents n'ont sûrement pas eu la trique de façon naturelle depuis la chute du mur de Berlin."

Faye rit en observant la clientèle. Chris avait raison. Beaucoup d'argent, peu de cheveux, grosse consommation de pilules bleues – ainsi pouvait se résumer la situation.

Chris se pencha en avant.

"Où en sommes-nous, concernant Jack ? La cotation en Bourse ne devrait plus tarder, maintenant.

— Après avoir rencontré un petit problème, nous devrions être à nouveau sur les rails, dit-elle, avant d'expliquer à Chris ce qu'était un *keylogger*. Mais assez parlé de moi. Comment va la vie, de ton côté ?"

Chris but une gorgée de son mojito, en faisant un peu claquer sa langue.

"Il y a quelques mois, j'ai sérieusement songé à prendre ma retraite dans un pays chaud. Le groupe Queen vole de ses propres ailes, et je n'ai pas besoin de gagner plus d'argent. Mais j'ai changé d'idée.

— Ah ?

— Oui, dit Chris sans croiser son regard.

— Bon, tu me racontes, ou il faut que je te tire les vers du nez ?

— Si gênant cela soit-il, je suis amoureuse. Totalement, éperdument amoureuse, merde !"

Faye faillit avaler de travers une feuille de menthe. Elle toussa.

"Amoureuse ? répéta-t-elle bêtement. De qui ?

— Tu ne le croiras pas. Il s'appelle Johan et il est professeur de suédois en collège.

— Ça semble très… normal, dit Faye, qui se serait attendue à un participant tatoué du jeu Paradise Hotel, avec des biceps gonflés et bénéficiant toujours des réductions de la carte jeune.

— C'est justement ça qui est bizarre, soupira Chris.

— Comment vous êtes-vous rencontrés ?

— Il est venu dans notre salon de coiffure de Sturegallerian avec sa nièce. Il portait même une de ces vestes ringardes, avec des renforts aux coudes. Une fois sur le fauteuil, la nièce a réclamé une crête. Ça m'a rendue curieuse. Comment allait-il réagir ? Mais il s'est contenté de hocher la tête en disant : « Moi aussi, j'aurais voulu la même chose, ça déchire. »"

Chris se tut et regarda par la fenêtre.

"Dommage que ce salaud soit pris, j'ai alors pensé, en supposant qu'il s'agissait de sa fille. Mais je suis restée dans le salon, rien que pour pouvoir lui parler. Et quand il s'apprêtait à payer, la gamine a demandé quand papa allait venir la chercher. Là, je me suis vraiment découragée. J'ai supposé qu'il était gay.

— Mais ?

— La gosse a été récupérée devant le salon par un type chauve dont le visage a viré au rouge en voyant la coiffure de sa fille. Ils se sont dit au revoir et moi, je… eh merde, autant que je te dise ce qu'il en est. J'ai annulé tous mes rendez-vous de l'après-midi et j'ai entrepris de le suivre.

— Tu l'as pris en filature ?"

Faye, amusée, fixait son amie. C'était vraiment dingue, même venant de Chris.

"Oui, un petit peu, comme ça.

— Comment ça, un petit peu ?

— Jusqu'à Farsta.

— Mais tu n'es plus sortie extra-muros depuis…

— Depuis l'an de grâce 2006, je sais. Bref. Au centre de Farsta, il a fini par se tourner vers moi. Je ne suis pas James Bond, hein, alors il avait remarqué mon petit jeu depuis Stureplan.

— Et qu'est-ce qu'il a dit ?

— Qu'il était flatté de cette attention, et supposait que je devais avoir soif après cette filature. J'ai admis que oui, et il m'a alors proposé de m'offrir un café.

— Mon Dieu, Chris. Je suis tellement contente pour toi."

Chris ne put retenir un sourire.

"Moi aussi.

— Et ensuite ?

— Ensuite, il m'a donc offert un café et je suis tombée éperdument amoureuse. Nous sommes allés chez lui, et j'y suis restée deux jours."

Elle rit, et Faye sentit combien cela lui faisait chaud au cœur.

"Et maintenant ?

— Je suis toujours aussi éperdument amoureuse. C'est lui, Faye, l'homme que j'ai attendu toute ma vie."

Un dixième de seconde, son sourire se transforma en grimace. Quelqu'un qui n'aurait pas connu Chris depuis aussi longtemps que Faye n'y aurait vu que du feu.

Quelque chose clochait.

"Chris, qu'est-ce qu'il y a ?

— Comment ça ? fit-elle, l'air interloqué.

— Je te connais. Qu'est-ce qui ne va pas ?"

Chris leva son verre et but une gorgée. Puis le reposa.

"J'ai un cancer", dit-elle, la voix serrée.

Le temps s'arrêta, tous les bruits alentour disparurent, les contours s'estompèrent, les angles vifs s'arrondirent.

La voix de Chris était sourde, étrange.

Faye n'arrivait pas à réaliser. Chris, si vivante, si énergique, Chris ne pouvait pas avoir un cancer. Et pourtant si. Une forme inhabituelle du cancer de l'utérus. Ce que Chris trouvait ironique, vu le peu d'usage qu'elle avait fait de cet organe. Autour d'eux, les verres tintaient. L'entrée de la baie de Stockholm miroitait devant elles au soleil, et le château qui s'élevait de l'autre côté de l'eau tenait comme d'habitude davantage de la maison d'arrêt que du palais de conte de fées. C'était une belle journée d'automne qui avait jeté les Stockholmois dehors par hordes. À la table voisine, des convives partageaient des petits fours dans un plat en argent, en faisant tinter leurs bijoux en or. Faye se demanda comment ils pouvaient encore rire, tandis que son monde venait d'exploser.

"En fait, je ne comptais pas en parler avant d'en être débarrassée. Mais maintenant, c'est comme ça."

Chris haussa les épaules. Si les médecins ne parvenaient pas à le stopper, elle ne survivrait pas. Faye cherchait des signes indiquant qu'elle la faisait marcher, attendait un de ses éclats de rire tonitruants et libérateurs. Mais rien ne vint.

"Allons-nous-en", dit-elle. Elle avait du mal à respirer. "On ne peut pas rester ici à grignoter une putain de salade César pendant que tu nous racontes que tu as un cancer."

Elle regretta aussitôt. Elle comprenait que Chris devait être terrifiée, qu'elle luttait pour tenir le coup. Ce n'était vraiment pas le bon moment pour dire ce qu'elle voulait, *elle*. Ni le moment de s'apitoyer sur son propre sort.

"Pardon. Mais je suis tellement désolée…" dit-elle.

Chris sourit. Tristement, cette fois. Une expression que Faye avait rarement, sinon jamais vue sur le visage de sa chère amie. Elle se força à avaler un morceau de poulet. Ce fut comme s'il lui restait en travers de la gorge. Elle posa ses couverts, attrapa au vol un garçon et commanda deux gin tonics.

"Forts, s'il vous plaît."

Elles se turent jusqu'à ce qu'on les serve.

"Veux-tu seulement en parler ? demanda Faye quand elles eurent bu une gorgée.

— Je ne sais pas. Je crois que oui. Mais je ne sais pas faire.

— Moi non plus. Mais il faut que tu guérisses.

— Oui, bien sûr, que je vais guérir. Le timing est juste complètement foireux, avec Johan et tout ça. Enfin, on tombe amoureuse, et paf, une tumeur à l'utérus vient tout chambouler. Là-haut, il y a quelqu'un qui a de l'humour."

Le rire de Chris n'atteignit pas ses yeux.

Faye hocha la tête. Arrondit les lèvres autour de la paille et aspira encore de l'alcool. Le sentit se répandre, chauffer, faciliter sa respiration.

"Tu as peur qu'il te quitte, c'est ça ?

— Évidemment. Je serais plutôt étonnée qu'il ne le fasse pas. Nous ne nous sommes rencontrés que depuis quelques semaines, et si je dois vaincre cette maladie, ça me prendra toutes mes forces. Je serai moche, plus de sex-appeal, plus de libido, fatiguée. Je… C'est clair que je m'inquiète. Je l'aime vraiment, Faye, je l'aime tellement.

— Est-ce que tu as peur…

— … peur de mourir ? Morte de peur. Mais ça n'arrivera pas. Je veux rester avec Johan, voyager, vieillir avec lui. Je n'ai jamais eu autant envie de vivre."

Une nouvelle grimace. Faye se sentait gauche et hésitante. Elle finit par poser la main sur celle de Chris. Cette main qui lui avait donné la force pendant son avortement. Elle tremblait, glacée.

"Tôt ou tard, il faudra lui dire. Qu'il te quitte ou non."

Chris hocha la tête et vida son gin tonic. Faye garda sa main sur la sienne.

Quand Faye eut récupéré Julienne, le dimanche, sa fille la regarda, les yeux pleins d'espoir. Faye avait complètement oublié ce qu'elle lui avait demandé de faire – la maladie de Chris avait tout chamboulé.

"Où il est ? demanda Julienne.

— Quoi ?

— Mon portable. J'ai fait tout comme tu m'as dit, chez papa.

— Très bien, ma chérie. Tu l'auras demain."

Julienne commença à protester, mais Faye lui expliqua qu'il fallait attendre. Julienne alla bouder dans sa chambre, mais Faye n'avait pas la force de la faire revenir.

Ni celle de se réjouir à la perspective imminente de mettre la main sur le mot de passe de Jack.

Chris lui avait demandé de ne parler à personne de son cancer. Elle ne voulait pas qu'on lui exprime sa sympathie, ni, selon son expression, qu'on lui colle l'étiquette "cancéreuse" sur le front. Elles étaient convenues que Faye l'accompagnerait à sa première séance de traitement, et que d'ici là elles n'en parleraient pas.

Mais impossible de penser à autre chose.

Une vie sans Chris ? Elle qui avait toujours été là, forte quand Faye aurait juste voulu se cacher. Aujourd'hui, les rôles étaient inversés. Maintenant, c'était Chris qui allait avoir besoin d'elle. D'elle tout entière.

Faye avait de l'argent. Une entreprise prospère. Elle avait montré à Jack et au reste du monde qu'elle était capable de marcher sur ses propres jambes. Allait-elle laisser ce *keylogger* installé sur l'ordinateur de Jack enregistrer ses mots de passe, tout ce qu'il écrivait sur son clavier, sans rien en faire ? Allait-elle juste laisser tomber ?

C'était tout simplement impossible. L'idée de ne pas se venger complètement la rendait malade. Elle ne pouvait pas lâcher. Ne voulait pas lâcher. Quel genre de personne cela faisait-il donc d'elle ? Sa meilleure amie était malade. Peut-être mortellement. Et elle pensait encore au moyen d'écraser Jack.

FJÄLLBACKA − JADIS

J'avais douze ans, la première fois que papa m'a frappée. Maman était à ICA, elle venait de partir. J'étais assise à la cuisine, papa à côté de moi, en bout de table, plongé dans des mots croisés. Je voulais juste me retourner, mais j'ai accroché mon bol. Au ralenti, je l'ai vu se renverser, en sentant encore l'endroit où ma main l'avait heurté.

Le chocolat chaud a coulé sur le journal de papa et ses mots croisés presque résolus. C'était comme un coup du destin, comme pour me dire que maintenant, c'était mon tour.

Papa avait l'air presque blasé en lançant sa main, qui m'a frappée en plein sur l'oreille. Pourtant, la douleur a rempli mes yeux de larmes. J'ai entendu Sebastian s'enfermer dans sa chambre, il n'oserait pas en ressortir avant le retour de maman.

Un autre coup a suivi presque aussitôt. Papa s'était levé et, cette fois, a touché ma joue droite. J'ai fermé les yeux pour me réfugier en moi-même, dans une obscurité accueillante. La même qui m'accueillait, à l'école, quand je m'isolais du chahut et des cris.

La paume de papa rebondissait sur ma peau. J'étais presque choquée de constater à quel point je réussissais à résister à la douleur.

En entendant enfin les pas de maman dans l'entrée, j'ai su que c'était fini. Pour cette fois.

Faye retrouva Chris à l'hôpital universitaire Karolinska. Un couvercle de nuages encapsulait la ville. Stockholm était noyé dans la grisaille humide, comme souvent en automne. Les feuilles qui commençaient à tomber formaient de petites flaques brunes et poisseuses sur le sol.

Chris grelottait devant l'entrée.

"Le pire, c'est que je n'avais presque aucun appétit ce matin, et de préférence, il ne faut pas être à jeun, grommela-t-elle en lorgnant le gobelet 7-Eleven de Faye rempli d'un mauvais *caffè latte*. Rien que penser à un café me donne la nausée."

Faye jeta le gobelet dans une corbeille verte.

"Tu n'étais pas obligée, dit Chris, tandis qu'elles franchissaient les portes coulissantes.

— On est toutes les deux sur ce coup-là. OK ?

— Oui, fit Chris avec un regard de gratitude.

— Si c'était moi qui étais malade, tu m'aurais sûrement charcutée pour m'extraire toi-même la tumeur, dit Faye. Malheureusement, j'ai peur du sang, et je me contenterai donc de te tenir compagnie en m'abstenant de boire ce café pisseux. Ce n'est pas cher payé pour passer quelques heures avec sa meilleure amie."

Elle serra Chris contre elle.

"Comment ça va ?

— Comme une cancéreuse. Et toi… chuchota Chris à son oreille… toi, tu n'as peur de rien. Mais merci de faire semblant. Pour moi."

Faye ne dit rien. Car tout ce qu'elle aurait pu répondre était que si, elle avait peur. Que sa meilleure amie meure.

Quand elles quittèrent l'hôpital, Chris était si fatiguée que Faye dut la soutenir contre son épaule. Faye ne savait pas si cette fatigue était physique ou mentale. Elle ne savait rien du cancer. Ni des traitements existants.

Chris aurait dû prendre un taxi, mais Faye décida de la conduire chez elle et de rester avec elle pour la nuit. Elle envoya un SMS à Kerstin qui répondit qu'elle allait emmener Julienne au cinéma.

Chris appuyait la tête contre la vitre, les yeux mi-clos, tandis que la ville défilait.

"Johan est chez toi ? demanda Faye.

— Non, je lui ai dit… je lui ai dit que j'avais des réunions tout le week-end, et pas le temps de le voir.

— Il faut que tu lui dises.

— Je sais."

Chris gratta la portière de la voiture de son ongle verni en rouge.

"Mais je veux d'abord que tu le rencontres. Si jamais il…

— Si jamais quoi ?

— Si jamais il me quittait.

— Merde, quel genre d'homme ce serait, s'il te quittait ?

— L'homme typique, répondit Chris, les yeux fermés, avec un sourire las. Tu es la mieux placée pour le savoir. Pourquoi Johan serait-il différent ?"

Faye ne savait pas quoi répondre, elle avait les milliers d'histoires de son forum comme autant de glaçons sur le cœur. Toutes ces trahisons. Tous ces mensonges. Toute cette indifférence, cet égoïsme. Elle ne pouvait pas être crédible en disant à Chris qu'elle se trompait certainement. Quand bien même elle l'aurait voulu.

Le petit trajet entre le parking et l'ascenseur parut durer une éternité. Une fois dans l'appartement, Chris courut vomir aux toilettes. Faye lui retint les cheveux. Cela faisait quinze ans qu'elles n'avaient pas été dans cette situation. Toute une vie, lui semblait-il.

Naturellement, après sa brève crise de doute, Faye avait résolu d'utiliser ce qu'elle pourrait tirer du *keylogger*. L'installation du *keylogger* était une bonne avancée, mais il lui fallait encore trouver le moyen d'aller récolter sur une clé USB les fichiers texte accumulés. Après, il fallait espérer que tout était encore enregistré sur son compte Gmail. Le Jack qu'elle connaissait faisait rarement le ménage. Il voulait tout garder, à tout hasard, car "on ne savait jamais quand on en aurait besoin".

Elle espérait profiter de la fête d'anniversaire de Julienne, le week-end suivant.

Et puis il y avait Ylva. Même si Jack l'avait réduite à l'ombre d'elle-même, Faye ne pouvait pas oublier le regard de mépris qu'Ylva lui avait lancé. Dans sa chambre. Nue, tout juste baisée par le mari de Faye. Mince, athlétique, avec des seins parfaitement siliconés.

Lentement, mais sûrement, elle avait conquis le territoire d'Ylva, tandis que cette dernière avait commencé à se transformer en copie de ce qu'était Faye auparavant. Le corps de Faye était mince et athlétique. Ses seins tout neufs. Et Jack avait remarqué le changement. Chaque fois qu'ils s'étaient vus en venant chercher Julienne chez l'un ou l'autre, il avait fait glisser son regard sur son corps. Comme au début. Comme à l'époque, quand il n'était jamais rassasié d'elle. Elle avait beau le haïr, il lui faisait toujours un curieux effet. Et elle ne s'était jamais habituée à le voir avec Ylva. Sans doute n'y arriverait-elle jamais.

Sa vie amoureuse se limitait à des liaisons sans lendemain avec des hommes généralement plus jeunes qu'elle rencontrait dans des bars, et avec qui elle couchait deux ou trois fois avant de rompre. Aucun n'avait le droit de l'approcher. Ni de rester. Dans ses moments de faiblesse, elle rêvait d'écraser Jack, une bonne fois pour toutes… puis de le reprendre. Encore un de ses secrets sales et honteux. Les eaux noires montaient sans cesse.

Personne ne pouvait reprocher à Jack d'être près de ses sous, songea Faye en roulant vers la maison. Julienne avait souhaité que son septième anniversaire soit un "gala", et Jack avait engagé une société spécialisée dans les fêtes pour enfants, qui avait décoré le jardin avec des ballons roses, un barnum et sa scène avec évidemment un tapis rouge, rose en l'occurrence. Et un photographe professionnel pour prendre à leur arrivée des photos de tous les enfants, qui seraient exposées sur un mur. La table dressée dans le jardin croulait déjà sous les cadeaux et les victuailles. Même à l'échelle de Lidingö, c'était somptueux.

Mais, en même temps, Jack avait davantage besoin de se mettre en avant que n'importe quel autre papa du voisinage.

Julienne poussa un petit cri, sauta de la voiture et courut dans l'allée. Jack et Ylva sortirent sur le perron pour l'accueillir. Faye descendit et gravit la petite pente. Elle avait choisi une robe moulante et décolletée d'Hervé Léger, couleur chair et à manches courtes : elle sentit les regards de Jack. Ylva parut le remarquer elle aussi. Elle ouvrit démonstrativement les bras à Julienne. Faye sentit son ventre se serrer en voyant Julienne l'embrasser, mais se força à continuer à sourire.

"Vous avez bien fait les choses, dit-elle.

— Nous voulions vraiment quelque chose de spécial pour elle aujourd'hui", dit gaiement Ylva en embrassant Faye sur les joues.

Elle sentait bon le shampoing et le parfum. Elle aussi avait commencé à adopter des manières conciliantes et artificiellement familières avec Faye quand les succès de Revenge étaient devenus trop importants et visibles pour pouvoir être ignorés.

Faye observa Ylva quand elle se dégagea de ses bras. Ne commençait-elle pas à avoir les mêmes traits amers autour de la bouche que Faye avait vus chez elle-même, les derniers temps de sa vie avec Jack ? Et un peu trop de botox au front ?

"Dépêche-toi d'aller voir dans ta chambre, il y a une première surprise pour toi", dit Jack à Julienne avec une petite tape sur la joue.

Julienne s'élança dans la maison, le bruit de ses pas retentit dans l'escalier. Jack se tourna vers Faye.

"Ylva a engagé une… comment, déjà… ?

— Une maquilleuse, compléta Ylva. En fait, c'est la fille qui s'occupe de Carola depuis l'Eurovision."

Un jeune homme se pointa, se présentant comme le magicien. Jack disparut avec lui dans la maison, tandis que Faye et Ylva restèrent là à regarder le jardin. Deux hommes transportaient une table.

"Vous avez vraiment bien fait les choses", répéta-t-elle pour rompre le silence.

Elle ne mentait pas. La maison était belle, le jardin charmant. Le jardinier méritait une prime. Ils semblaient aussi avoir chassé les oies qui conchiaient la plage devant la maison. Une rumeur disait que Jack avait payé quelqu'un pour les abattre de nuit.

Ylva sourit.

"Tu voudrais rester ? July veut sûrement qu'on soit le plus possible en retrait, mais ce serait sympa, non ?"

Les compliments de Faye sur sa maison semblaient avoir provoqué chez elle un élan spontané de générosité. Elle parut aussitôt le regretter, mais ce qui était dit était dit.

Faye avait envie de vomir en entendant Ylva appeler sa fille "July". Mais au lieu de lui faire remarquer que sa fille n'était pas un cochon d'Inde, elle hocha la tête. D'une part parce qu'elle espérait réussir à avoir accès à l'ordinateur de Jack, mais aussi parce qu'elle avait remarqué le regret immédiat d'Ylva après son invitation spontanée.

"Volontiers.

— Très bien. Vraiment. Jack s'est arrangé pour que Sean et Ville viennent chanter deux chansons."

Sean et Ville formaient un *boys band* dont Julienne et ses copines étaient folles. Elles connaissaient toutes leurs chansons et ne manquaient jamais leur actualité quotidienne sur YouTube. Certains week-ends, elle forçait même Faye à aller avec elle faire le pied de grue devant leur studio, rien que pour voir ces deux incapables se jeter dans un taxi, sans un regard pour toutes les gamines qui les attendaient en criant d'abord d'excitation, avant de pleurer de déception.

"Ça n'a pas dû être donné ? dit Faye.

— Non, leur manager a demandé quatre-vingt mille couronnes pour quelques chansons. Plus du champagne et des truffes au chocolat…

— Mon Dieu.

— Jack a d'abord hésité, mais je l'ai convaincu. Je veux vraiment que cette journée soit inoubliable pour July. Tu veux un verre de champagne ? Tu pourras toujours laisser la voiture ici et rentrer en taxi. Ou on peut demander à un coursier de la Poste russe de te reconduire dans ta voiture.

— Volontiers.

— Entrons."

Un bar en zinc trônait dans le séjour. Ylva le contourna, se pencha et pêcha une bouteille.

"*Cava ?* proposa-t-elle. Je trouve ça meilleur que le champagne, alors j'en ai toujours quelques bouteilles à la maison.

— Merci, avec plaisir."

Ylva sortit un verre et servit Faye.

"Tu ne prends rien ?"

Ylva secoua la tête.

"Nous n'avons jamais parlé de… eh bien, de ce qui s'est passé", dit-elle.

Elle semblait presque désolée. Faye réalisa aussitôt combien elle la haïssait. Ylva avait pendant des mois couché avec son mari dans son dos. Et elle était là, dans leur putain de grosse baraque, belle et fraîche, même si elle avait un peu forcé sur le botox, qui se la jouait compréhensive et croyait que tout allait être pardonné. Il aurait été plus sincère de sa part de continuer à être aussi sèche et hautaine qu'elle l'avait été, nue dans leur chambre. Faye l'en aurait moins haïe.

Là, elle ne désirait qu'une chose : la voir s'effondrer sous ses yeux.

Ylva et Jack. Ils se méritaient vraiment. Ils méritaient ce qui grondait à l'horizon et allait bientôt anéantir leur vie parfaite.

"Ce n'est pas nécessaire, dit-elle. Jack et toi, vous allez très bien ensemble. Et tout s'est bien passé pour nous trois."

Elle leva son verre.

"Je suis très impressionnée par ce que tu as fait avec Revenge", dit Ylva en s'asseyant dans un grand fauteuil à fleurs.

Josef Frank, de Svenskt Tenn. Jack avait toujours aimé leurs étoffes, alors que Faye trouvait que ça allait mieux chez des retraités.

"Mmm, merci. Et toi ? Tu te plais, chez Musify ?

— En fait, je vais arrêter. Je... je suis à temps partiel depuis quelques années. Le travail de Jack exige un tel soutien, de la représentation, cette maison, Julienne... bon, tu connais ça."

Ylva fit un geste de la main, sans regarder Faye dans les yeux. Et Faye se demanda combien de temps Julienne pouvait lui prendre, les quelques heures par mois qu'ils la gardaient. Mais elle se contenta de s'étonner :

"Ah bon ?

— Nous... eh bien, voilà, Julienne va avoir un petit frère ou une petite sœur. Et tu sais comment est Jack, il préfère que je reste à la maison. J'ai hâte, je n'ai pas de famille, moi, tu sais."

Faye la dévisagea. Elle se demandait quand ce jour-là allait arriver. L'avait redouté. Mais rien n'aurait pu la préparer au coup dans le plexus solaire que lui avait fait cette nouvelle. En même temps, elle voyait bien que c'était le début de la fin pour Ylva. Une partie de Faye la plaignait, mais l'autre aurait voulu la gifler.

"Quelle bonne nouvelle pour vous, félicitations !"

Faye arrangea les traits de son visage, en espérant composer un semblant de sourire, alors que ses tripes se retournaient tant qu'elle aurait voulu se plier de douleur.

Ylva porta ses mains à son ventre invisible, et se tourna vers elle, rayonnante. Faye répondit à son sourire en buvant une grande gorgée. Les souvenirs de l'avortement affluaient. La froideur et l'indifférence de Jack. La naissance de Julienne. Les centaines de messages et de SMS envoyés à Jack restés sans réponse, tandis que, dans la douleur et la panique, elle mettait au monde leur fille.

Elle regarda par la fenêtre : dehors, le nombreux personnel s'affairait fébrilement avant l'arrivée des invités.

"C'est pour quand ? demanda-t-elle.

— Dans six mois."

Ylva s'éclaira en voyant Jack les rejoindre. Il se versa un whisky au bar et s'installa dans l'autre fauteuil, loin d'Ylva. Avec vue plongeante sur le décolleté de Faye.

Ylva le remarqua également.

"Tout est prêt ?" demanda-t-elle. Son ton était sec.

"Dans l'ensemble, oui. Les autres enfants arrivent d'ici quarante-cinq minutes."

Il lui agita sa montre sous le nez. Une Audemars Piguet valant environ un demi-million. Pas une Rolex, que Jack considérait sûrement comme trop *mainstream*. Tout le monde avait une Rolex, aujourd'hui. Les gens qui comptaient vraiment avaient une Audemars Piguet. Ou une Patek Philippe.

"Les stars de la pop débarquent à 15 heures. Mais pas un mot à Julienne, elle n'est au courant de rien."

Il fit un signe de tête à Faye :

"Comment vont les affaires ?

— Très bien, merci. Et pour toi aussi. Super, cette cotation en Bourse.

— Ça va être beaucoup de travail. Mais ça vaut la peine, après tout ce que j'ai traversé."

Faye lui sourit, ainsi qu'à Ylva.

"Félicitations pour le bébé. Ylva m'a dit."

Elle se retourna. S'assit de façon à lui permettre de voir plus haut sous sa robe. Elle ne portait pas de culotte, ça se serait vu avec un modèle aussi moulant.

Jack suivit ses mouvements du regard.

Il leva son verre vers elle. La braguette de son pantalon tendue.

"Mmm, c'est super", fit Jack d'une voix pâteuse en se fendant d'un sourire forcé. Son regard était embué.

Ylva se racla la gorge.

"Jack était un peu sceptique. Il y a beaucoup à faire en ce moment pour la société, et tu es la mieux placée pour savoir combien il prend son rôle de père au sérieux."

Parlait-elle elle aussi comme ça ? *Jack pense, Jack veut, Jack considère ?* Mon Dieu, elle devait être absolument insupportable. Et maintenant c'était le tour d'Ylva, une version plus jeune d'elle-même, les mains jointes sur le ventre et ce sourire ridicule aux lèvres, en train de vénérer le même homme. Aveuglée par l'amour et l'admiration. Et dépendante.

C'était comme ça que Jack préférait les femmes, Faye le comprenait à présent. Elle n'en haïssait que davantage Ylva. Avait-elle eu le moindre cas de conscience ? Toutes ces fois, sûrement innombrables, où elle avait couché avec Jack au bureau, chez eux, chez elle pendant que Faye attendait à la maison. Probablement. Mais elle était aveuglée par son amour pour Jack. Et regardait de haut sa femme pathétique, qui ne faisait que traîner à la maison, sans carrière, sans ambition. Ylva s'était certainement comparée à elle, s'était trouvée supérieure. Et avait considéré Faye indigne de quelqu'un comme Jack.

Faye vida son verre. Contempla d'un air maussade le fond de sa flûte étroite. Elle ne se sentait pas le culot d'aller elle-même se resservir au bar.

"Je pensais aller me reposer un moment, avant que tout commence", dit Ylva en se levant, jetant un dernier regard à Faye.

Quand elle eut quitté la pièce, le silence se fit. Au bout d'un moment, Jack se racla la gorge.

"Tu as vraiment une allure fantastique", dit-il tout bas.

Ses yeux ne quittaient pas son décolleté. Elle le laissa le regarder. Écarta ses cheveux pour lui exposer son cou et sa clavicule qui n'était plus cachée sous un capiton de graisse protecteur. Elle aurait menti en prétendant ne pas jouir de son regard, mais même si son corps s'obstinait à réagir, elle gardait le contrôle.

Une partie d'elle voulait lui montrer qu'elle n'avait plus besoin de lui. Mais elle ne devait pas se laisser aller à la tentation de lui montrer sa supériorité. D'une part parce qu'il fallait le faire retomber amoureux d'elle, ce qui n'arriverait jamais s'il ne pensait pas pouvoir la contrôler. D'autre part parce que – malgré tout le mal qu'il lui avait fait – Jack était malgré tout Jack. Sa parole signifiait encore quelque chose pour elle. Quand bien même elle tenterait de le nier.

"Merci", répondit-elle fraîchement.

Le regard de Jack se porta à nouveau sur son décolleté, et s'y attarda. Elle sortit son portable et fit semblant d'écrire un SMS.

"Tu sais que parfois je rêve de toi ?" dit-il en se levant du fauteuil pour aller au bar prendre la bouteille de *cava* et les servir tous les deux.

Il s'assit dans le canapé à côté d'elle, beaucoup trop près.

Le parfum de Jack la troubla un instant. C'était le même qu'à Barcelone. Elle retint son souffle, se convainquit qu'elle ne devait pas se laisser enivrer par les souvenirs, tout ce qu'elle avait cru vrai à l'époque s'était avéré être des mensonges. Elle allait devoir le repousser tout en préservant son intérêt pour elle. Un équilibre précaire. Jack aimait la chasse. C'était comme ça qu'elle l'avait eu la première fois, il y avait longtemps, dans une autre vie. Elle se tourna vers lui et regarda droit dans ses yeux bleus entièrement fixés sur elle.

Les hommes comme Jack veulent toujours avoir ce qui ne leur appartient pas. Voilà pourquoi il l'avait trompée. Voilà pourquoi elle savait qu'il tromperait Ylva, si ce n'était pas déjà fait. Voilà pourquoi, à jamais, il tromperait toujours les femmes qu'il avait dans sa vie.

Des pas retentirent derrière elle. Jack et elle se retournèrent en même temps et virent Julienne s'approcher. Elle portait une jolie robe rose. Son visage maquillé lui donnait l'air adulte. Faye ne savait pas trop ce qu'elle en pensait.

"Comme tu es belle, ma chérie, dit-elle malgré tout. Tu as l'air d'une princesse."

Julienne fit un tour sur elle-même.

"Jessica dit que je pourrais être un mannequin, dit-elle.

— Jessica ? répéta Faye en essayant de se souvenir des noms de ses camarades de classe.

— La maquilleuse, dit Jack en voyant sa confusion. Elle a tout à fait raison."

Il prit Julienne sur ses genoux et Faye connut un moment d'hésitation. Comme ça, avec Julienne entre eux sur le canapé, un bref instant, ils formèrent à nouveau une famille. Faye se sentit désorientée, perdue.

Elle saisit son verre et le porta à ses lèvres, tandis que Jack la regardait, affamé.

Des voix stridentes dans le jardin. Les copines commençaient à arriver. Des voitures de luxe se succédaient dans l'allée, déposant des fillettes de six ou sept ans en tenue de fête. Faye restait en retrait tandis que Jack et Ylva bavardaient avec les parents. Le tas de cadeaux grossissait sur la table. La plupart avec l'emballage blanc au logo noir du grand magasin NK. Le magicien monta sur scène, sous les cris d'enthousiasme des fillettes. Des serveurs apportèrent des amuse-gueules et des sodas aux gamines endimanchées installées autour de tables rondes, comme pour une vraie soirée de gala. Julienne applaudissait, heureuse. L'animateur vedette d'une célèbre émission pour enfants présentait les numéros.

Quand Sean et Ville firent leur entrée, en dernier, le cri de joie ne connut pas de limites. À cet instant, Faye comprit que l'occasion se présentait là de relever son *keylogger*. Les fillettes quittèrent leurs places pour se tasser au bord de la scène. Ylva et Jack semblaient entièrement absorbés par le chahut provoqué par l'arrivée de leurs idoles. Faye quitta discrètement la tente, entra dans la maison et monta à l'étage dans le bureau de Jack. Il avait toujours la même table qu'avant, qui avait jadis appartenu à Ingmar Bergman. Un instant, elle regretta la tour. Le calme majestueux, perché au-dessus de la ville, le souvenir d'un temps lointain. Elle s'ébroua et se reprit, concentrée. Le moment passé avec Jack et Julienne dans le canapé l'avait déstabilisée. Elle ne pouvait pas se le permettre.

Elle posa son sac à main contre le bureau et se pencha sur l'ordinateur. À côté de l'écran, deux photos encadrées. Un polaroïd noir et blanc d'Ylva, sans doute pris voilà plusieurs années. Le regard grave, les lèvres légèrement ouvertes, fixant l'objectif. Ou le baisant, comme aurait dit Chris. L'autre photo montrait Jack, Ylva et Julienne au restaurant. Ylva et Julienne portaient des robes assorties. On aurait dit une petite famille heureuse. Ils riaient tous les trois. Faye inspira à fond. Ce n'était qu'une illusion, une façade créée par Jack. Rien d'autre.

Elle bougea la souris, l'ordinateur se réveilla et elle entra l'ancien mot de passe de Jack. Retint son souffle. Mais non : il ne l'avait pas changé. Une photo surdimensionnée de Jack et Ylva apparut. Ils se serraient l'un contre l'autre sur un scooter des mers. Elle s'efforça de ne pas regarder la photo, introduisit la clé USB qu'elle tenait à la main, et suivit les instructions de Nima.

Quelques secondes plus tard, elle avait trouvé le fichier caché contenant toutes ses activités, et l'avait fait glisser dans la clé USB. Elle ouvrit alors le dossier "Mes documents" et transféra également les fichiers qu'il contenait, même si elle doutait qu'ils soient d'un quelconque intérêt.

Un raclement retentit dans le couloir. Elle se dépêcha d'éteindre l'ordinateur et chercha désespérément où se cacher mais, avant qu'elle ait le temps de rien faire, la porte s'ouvrit. Elle se dépêcha de faire volte-face.

Jack se tenait dans l'embrasure de la porte. L'expression de son visage oscillait entre surprise et méfiance.

Faye réfléchit rapidement. Elle sourit à Jack. Soumise. Contrite.

"Je… je voulais juste voir comment tu avais meublé la pièce où tu travailles. Tu sais que j'ai toujours beaucoup aimé ce bureau. Je crois que j'étais curieuse de savoir si tu l'avais gardé."

Il traita cette information. Sembla se décider à considérer qu'elle était le même être naïf et pathétique qu'elle avait toujours été.

"Et pourquoi ?

— Oh, c'est bête, dit-elle en regardant par terre. Pardon, je n'aurais pas dû entrer ici, c'est chez vous, ce n'est pas bien de faire ça. Mais j'étais juste un peu nostalgique…"

Elle fit quelques pas vers la porte mais, comme elle allait passer devant lui, il lui saisit le poignet. Elle faillit lâcher la clé USB qu'elle tenait dans la même main.

"Et pourquoi tu voulais savoir comment j'avais meublé mon bureau", demanda-t-il en souriant, tout en l'attirant contre lui.

Elle sentit à nouveau son parfum familier. Son sexe dur pressait contre sa cuisse et, à son corps défendant, elle sentit son excitation.

"Je te manque, hein ? C'est ça, ta « nostalgie » ? lui chuchota Jack à l'oreille.

— Jack, arrête", murmura-t-elle.

Mais il n'avait que faire de ses protestations. Ses yeux brûlaient. Il n'aimait pas qu'elle proteste. L'ancienne Faye n'avait jamais dit non, plutôt prié et supplié qu'il la touche, qu'il s'intéresse à elle.

Sa voix se fit moqueuse, mais il ne la lâcha pas :

"Alors comme ça, la petite Faye s'est fait opérer les seins pour faire son petit effet au bar ? Ça te manque de te faire baiser par un homme, un vrai ? C'est pour ça que tu viens ici supplier de te faire mettre ? J'ai bien entendu dire comment tu te comportes. Ces hommes que tu lèves les uns après les autres. Non, pas des hommes. Des garçons. Avec combien d'entre eux tu as couché depuis notre divorce, Faye ? Combien de bites étaient plus grosses que la mienne ? Je parierais que tu en as aussi baisé plusieurs en même temps."

Ses propres paroles le faisaient haleter, son sexe se fit encore plus dur contre sa hanche, se pressait contre elle. Le corps de Faye y répondit, et elle le laissa faire pour sauver sa clé USB. Elle ne protesta pas quand il ouvrit la fermeture éclair dans son dos et descendit sa robe jusqu'à la taille. Il arracha son soutien-gorge. Lui toucha les seins. Les malaxa, fort. Ils avaient bien cicatrisé, mais elle n'avait pas retrouvé de sensibilité au niveau des incisions, ce qui rendait la sensation de ses caresses étrange.

"La petite Faye veut qu'on la baise."

Jack la retourna. Saisit le bas de sa robe et le remonta d'un coup au-dessus des hanches. Déboutonna son pantalon. Il la poussa en avant, sur le bureau qui avait appartenu à Ingmar Bergman, et la pénétra. Elle gémit. Se sentit envahie.

"T'aimes ça, hein ? siffla-t-il. Te faire prendre par-derrière comme une secrétaire en chaleur. Maintenant, tu es PDG, mais tu aimes toujours te faire baiser comme une salope. Est-ce que c'est comme ça qu'ils font avec toi, Faye ? Ils te prennent comme ça ? Les jeunes mecs ? Ils te retournent et te baisent par-derrière ?"

Il haletait de plus en plus lourdement. D'un coup de pied il écarta encore ses jambes pour entrer jusqu'au fond, la plaqua contre le bureau de sa main droite violemment enroulée dans ses cheveux.

Ses mouvements se firent plus violents. Faye s'agrippait au bureau de la main qui ne tenait pas la clé USB. Elle gémissait comme une petite fille, elle savait qu'il aimait ça. La joue gauche contre le bureau, elle regardait en face le visage grave d'Ylva, en noir et blanc.

Il jouit. Faye sentit la douleur quand il s'enfonça plus profond encore. Il gémit une dernière fois, se retira, recula d'un pas et entreprit de reboutonner son pantalon. Elle resta quelques secondes dans la même position, avant de se redresser et de rabaisser sa robe.

"Tu as toujours été un coup de première classe, dit Jack. Ça m'a manqué."

Il lui sourit et montra ses seins encore exposés, rougissants, avec leurs gros mamelons gonflés.

"C'est très réussi, ça, j'aime bien."

Jack avait l'air sûr de lui. L'ordre était rétabli. Il l'avait couverte, avait repris ce qui lui appartenait, du moins pour un moment. Elle le lui laissa croire.

Sans lâcher la clé USB, elle renfila le haut de sa robe sur ses épaules. Puis tourna le dos à Jack et tint ses cheveux pour qu'il puisse lui remonter la fermeture éclair. Une seconde plus tard, il était parti.

Quand Faye revint sous le barnum, les fillettes en robes de stylistes étaient toutes debout en train de chanter pour Julienne. Sean et Ville dirigeaient la chorale.

Ylva lorgna dans sa direction et lui montra du doigt Julienne, qui avait une couronne de princesse scintillante sur la tête. Son regard était soupçonneux, mais résigné. Dans la chaleur de la tente, elle semblait se sentir mal, le teint verdâtre, ses cheveux blonds collés contre son crâne.

Quand toutes les fillettes lancèrent des hourras, Jack alla se placer près d'Ylva, l'embrassa sur la joue et la prit sous son bras. Ylva se détendit. Faye ne put retenir un petit sourire. Le sperme de Jack s'écoulait doucement d'elle à l'intérieur de sa cuisse.

FJÄLLBACKA – JADIS

Maman sanglotait dans la cuisine, mais je ne pouvais pas me lever de mon lit, pas empêcher les coups de papa de pleuvoir. Je préférais laisser l'obscurité absorber toute inquiétude, exclure toute peur.

L'automne approchait, et ce que papa faisait à maman allait empirer. Ce qu'il faisait à Sebastian, à moi. Les tempêtes semblaient ne jamais devoir finir, avec papa comme un animal furieux enfermé dans une cage avec ses proies. Nous nous tournions autour : un petit noyau isolé, dans une localité isolée.

Il m'arrivait de rêver que quelqu'un venait nous sauver. Car tout le monde était au courant. Même s'ils n'avaient aucune idée de la gravité de la situation, ils en savaient assez. Pourquoi personne ne venait donc nous chercher ? Nous libérer ? Mais tous, ils détournaient lâchement le regard, étaient aveugles aux bleus et aux plaies. Aucun enseignant n'a jamais rien dit. Aucun médecin du dispensaire n'a jamais commenté nos blessures, ni celles de maman. L'hiver dernier, maman avait dû être hospitalisée à huit reprises. Une épaule déboîtée. Une fracture du poignet. Une mâchoire fendue. Personne n'a remis en question ses histoires de mauvaise chute dans l'escalier de la cave, de porte de placard l'attaquant par surprise dans la cuisine. Tous ont fermé les yeux.

Comment allait se passer cet hiver ?

Les pleurs de maman se sont faits plus distincts quand la porte de ma chambre s'est ouverte puis refermée. Sebastian a rejoint mon lit sur la pointe des pieds et s'est glissé près de moi. Il s'est endormi blotti contre mon corps, comme un chien en quête de chaleur. Mais je ne trouvais rien de rassurant dans cette proximité. Personne n'avait besoin de me le dire : il n'y avait qu'en moi-même que je pouvais me sentir en sécurité. Ça, je l'avais découvert toute seule.

J'étais plus forte qu'eux. Plus forte surtout que Sebastian.

Sa respiration se mêlait au bruit de la mer démontée, au-dehors. Les derniers vacanciers de l'année étaient repartis. Aucun d'entre eux n'avait fait mine d'entendre les cris provenant de notre maison, une des rares où une famille vivait à l'année. Ils ne voulaient certainement pas gâcher leurs vacances. D'une certaine façon, je les comprenais. Mais je me demandais s'ils avaient parfois une pensée pour les enfants d'à côté, quand ils fermaient leurs résidences secondaires pour regagner leurs jolies villas de Göteborg. Probablement pas.

Après avoir déposé Julienne à l'école le lendemain, Faye s'enferma dans son bureau, déplia l'écran de son ordinateur et parcourut les fichiers texte. Il lui fallut dix minutes pour trouver le nouveau mot de passe de son compte Gmail : *venividivici3848*.

Elle n'avait parlé à personne de ce qui s'était passé dans le bureau de Jack. Il lui en avait coûté de jouer le rôle dégradant de Faye assoiffée de reconnaissance, mais elle n'avait pas eu d'autre choix. Il ne fallait pas que Jack se méfie, et cela avait permis d'éviter qu'il ne découvre la clé USB qui lui brûlait la main. Mais elle ne pouvait nier avoir joui de sentir Jack à nouveau en elle. Ça l'inquiétait. La dérangeait. Elle ne pouvait se permettre d'avoir une telle faille dans son armure.

Faye se connecta au compte Gmail de Jack, feuilleta les documents et trouva ce qu'elle cherchait. Elle récupéra tout, soigneusement, méthodiquement.

Tout ce dont elle avait besoin était là.

Elle consacra le reste de la matinée à passer en revue les fichiers texte, à suivre tout ce qu'il avait fait sur son ordinateur. Ses recherches de porno sous les rubriques *"young girl"*, *"teen"* et "petite", ses confidences entre mecs avec Henrik au sujet de la "pétasse" avec qui il avait couché au bureau et ses moqueries sur le poids d'une de ses employées. Tout ça servirait un jour.

Faye emporta son nouvel ordinateur et informa Kerstin qu'elle sortait. Elle s'installa au Starbucks de Stureplan et continua à prendre connaissance des documents. Compare allait être coté en Bourse le mardi de la semaine suivante. Cela lui donnait tout le temps d'établir un plan précis pour l'utilisation de tout ce qu'elle avait trouvé. Elle allait probablement tout mettre en branle vendredi. Dans quatre jours.

Son portable bipa. C'était un message de Jack : *Impossible d'arrêter de penser à toi, combien c'était bon la dernière fois. Tu veux qu'on se revoie ?*

Elle réfléchit à comment lui répondre. Les choses s'étaient mises à tourner plus vite qu'elle ne l'escomptait. Il fallait qu'elle maintienne son intérêt, jusqu'à ce qu'il soit temps de passer à l'étape suivante. Elle réfléchit encore un peu, puis saisit une courte réponse et cliqua sur *envoyer*.

Chris buvait un jus d'orange, attablée sur la coursive du spa Sturebadet. L'air était humide. Des retraités drapés dans des peignoirs blancs mangeaient des salades à deux cents couronnes, dans les bruits d'éclaboussures des bassins en contrebas.

Faye tira une chaise et s'assit en face d'elle.

"Pourquoi voulais-tu qu'on se voie ici ?"

Chris leva les yeux, surprise.

"Ah, salut. Je ne t'ai pas vue arriver. Je ne sais pas, le bruit m'apaise, d'une certaine façon. C'est comme être au chaud dans un grand utérus."

Faye examina son amie tout en pendant son manteau au dossier de sa chaise. Chris avait quelque chose d'absent dans le regard.

"Comment ça va ?

— Aujourd'hui, c'est un bon jour. Mais aussi, je ne suis pas allée à l'hôpital. Je dîne avec Johan ce soir.

— Comment il a réagi, quand tu lui as dit ?"

Chris baissa les yeux vers la table.

"Je ne lui ai pas dit. Je… je n'y arrive pas. Je ne peux pas le perdre."

Ses yeux étaient remplis de honte. Et de peur. Cela effraya Faye. Elle n'avait jamais vu Chris avoir honte de quoi que ce soit. Ne l'avait jamais vue montrer de la peur.

Elle prit la main de son amie.

"Chris, ma chérie, je comprends. Est-ce que ce serait plus facile si j'étais avec toi quand tu lui parleras ? Au cas où… juste au cas où."

Chris hocha lentement la tête.

"Tu veux bien ?

— Bien sûr, si c'est mieux pour toi.

— Je veux juste ne pas être pénible. Mais je me sens si faible, si désemparée. Le peu d'heures où j'arrive à être moi-même usent tellement mes forces que tout ce que j'arrive à faire, quand je ne suis pas avec Johan, c'est rester ici. Qui aurait dit que ce serait ici que je passerais mes derniers jours ? À Sturebadet ?"

Et là lui échappa un vrai sourire. Un lambeau de l'ancienne Chris, songea Faye en souriant à son tour.

L'école où enseignait Johan était un bâtiment en briques rouges, sur Valhallavägen. Quelques garçons et filles de l'âge de Julienne traînaient près de la grille. Ils tournèrent la tête en voyant Faye et Chris descendre du taxi et entrer dans la cour.

Elles s'engagèrent dans un long couloir bordé d'armoires turquoise. Personne en vue.

"Tu sais où il est ? demanda Faye.

— Non, mais ça ne devrait pas être la pause déjeuner, là ?"

Faye regarda l'heure. Midi. Au même instant, toutes les portes des classes s'ouvrirent d'un mouvement synchronisé et les élèves s'en déversèrent. Elle attrapa au vol un garçon boutonneux à casquette et lui demanda s'il savait où était Johan, le prof de suédois.

"Johan Sjölander", glissa Chris.

Il secoua la tête et disparut.

Elles se plaquèrent contre les armoires pour ne pas se faire piétiner par quelques garçons gueulards.

"Appelle-le."

Chris plaça son portable contre son oreille droite tout en se bouchant l'autre de sa main libre. Elle se détourna quand il répondit.

Le couloir commençait à se vider. Ça faisait quelque chose à Faye de se retrouver dans une école. Les différences de taille, les regards papillonnants, hésitants, les hiérarchies. Les tensions à fleur de peau, prêtes à exploser d'une seconde à l'autre. Matilda s'efforçait de traverser ce genre de couloirs sans se faire remarquer, mais ça n'avait jamais marché. Tous savaient qui elle était. Tous savaient ce qui s'était passé.

Chris lui tapa sur l'épaule.

"Il nous rejoint dehors.

— Qu'est-ce qu'il a dit ?

— Il semblait juste… étonné que je sois là. Et content."

Elle paraissait à la fois nerveuse et exaltée. Elles suivirent le flot des élèves, franchirent une porte vitrée, descendirent un escalier, ressortirent dans la cour et trouvèrent un banc libre.

"Comment ça va ? demanda Faye.

— J'ai le trac.

— Ça va bien se passer."

Chris hocha la tête, sans avoir l'air convaincue. Une porte s'ouvrit, d'où sortit un homme grand et mince, en jean et chemise à carreaux. Ses cheveux blonds étaient ébouriffés. En les apercevant, il se dirigea droit sur elles, un grand sourire aux lèvres. Il dégageait quelque chose d'ouvert, de bon, et plut d'emblée à Faye. Il n'avait rien en commun avec les autres hommes que Faye et Chris avaient l'habitude de rencontrer depuis des années. Ce qu'elle considérait comme un plus. Chris n'avait jamais été très douée pour choisir ses partenaires, mais Faye sentait que Johan, c'était autre chose.

"Chris, dit-il gaiement. Comme je suis content de te voir. Qu'est-ce que tu… *vous* faites là ?"

Chris se leva et le serra dans ses bras. Quand ils se furent séparés, il se tourna vers Faye.

"Tu dois être la fameuse Faye. Ravi d'enfin faire ta connaissance. Je commençais presque à croire que tu étais une amie imaginaire."

Elle serra sa main tendue. Il devait avoir pressenti que l'objet de leur visite n'était pas aussi plaisant qu'il l'avait d'abord cru, car son regard papillonna.

"Tout va bien ? demanda-t-il.

— Asseyons-nous, ça vaut sans doute mieux", dit Faye en faisant un geste vers le banc.

Chris atterrit entre eux deux. Elle inspira à fond, hésita, mais Faye lui donna un coup de coude. Chris la fusilla du regard, puis prit pourtant la main de Johan.

"Johan, il faut que je te dise quelque chose…, commença-t-elle, encouragée par Faye d'un hochement de tête. Je suis malade. J'ai un cancer. Le genre difficile à traiter."

Son débit était rapide, ses mots presque inaudibles. Mais on voyait sur son visage que Johan les avait entendus. Sa bouche s'ouvrit pour dire quelque chose, mais se referma. Il inspira à fond et hocha la tête.

"Je sais, dit-il lentement.

— Tu sais ? s'exclamèrent en chœur Faye et Chris.

— J'ai trouvé chez toi une convocation à une séance de chimio.

— Pourquoi n'avoir rien dit ?

— Parce que… je trouvais que c'était à toi de décider de m'en parler ou pas. J'ai supposé que tu le ferais, quand tu te sentirais prête."

Chris le prit dans ses bras.

"Et tu… tu ne veux pas me quitter ? Je comprendrais."

Ses yeux exprimaient un tel effroi que Faye en eut des sueurs froides.

Mais Johan rit en secouant la tête. Un rire fendu et ébréché, mais un rire.

"Mais mon Dieu, ma chérie. Il faudrait bien plus qu'un cancer pour que je te quitte. Je n'ai jamais été avec quelqu'un qui me rende plus heureux que toi.

— Mais je vais peut-être mourir. Il est plus probable que je meure que le contraire."

Johan hocha pensivement la tête.

"Oui, peut-être bien. Et si c'est le cas, ma sale trogne sera la dernière chose que tu verras."

Tout autour d'eux chahutaient des enfants pleins d'espoirs dans l'avenir, avec tant d'heures lumineuses et sombres devant eux. Des triomphes et des erreurs. Chris devait encore avoir beaucoup d'erreurs devant elle, elle avait toujours été championne du monde de cette discipline. Elle avait toujours affirmé que c'était grâce aux mauvaises décisions que la vie valait la peine d'être vécue.

Faye se détourna pour cacher ses larmes. Du coin de l'œil, elle vit Chris se pencher vers Johan pour l'informer de son état exact. Malgré l'horreur du sujet, c'était peut-être le plus beau dialogue que Faye ait jamais entendu. Et Chris souriait comme une enfant dès que Johan ouvrait la bouche. Un instant, Faye se demanda comment Jack aurait réagi si elle lui avait annoncé quelque chose de semblable. Jack n'aimait pas la maladie. Ni la faiblesse. Il aurait filé dès la première phrase.

Faye se leva pour les laisser tranquilles, mais Johan la pria de rester. Il se tourna vers Chris.

"Maintenant que tu as dit ce que tu avais à dire, à mon tour. J'hésite, et c'est aussi bien que Faye reste là, car tu vas peut-être me quitter après ça, et c'est moi qui aurai alors besoin de quelqu'un pour me soutenir."

Chris parut inquiète. Faye était furieuse. Ce n'était vraiment pas le bon moment pour avouer un faux pas, si c'était ce qu'il comptait faire. Elle était sur le point de partir en emmenant Chris.

Mais Johan fourra la main dans sa poche puis tomba à genoux devant Chris et lui prit la main. Il avait quelque chose de brillant entre les doigts, et le cœur de Faye se mit à battre la chamade. Elle lorgna vers Chris qui semblait interloquée. Sa colère retomba aussi vite qu'elle était montée et le corps de Faye se couvrit de chair de poule. Johan n'avait d'yeux que pour Chris, agenouillé sur le goudron de la cour de récréation. Quelques élèves semblaient avoir compris qu'il se passait quelque chose et, comme des chiens flairant un biscuit, ils s'arrêtaient par petits groupes.

Mais dans le monde de Johan, il était seul avec Chris. Il se racla la gorge et prit la parole :

"Chris, tu es la personne la plus fantastique que j'aie jamais rencontrée, la plus gentille et la plus intelligente que j'aie jamais approchée. Je t'aime terriblement. Depuis la première seconde où je t'ai vue. Si tu ne m'avais pas suivie jusqu'à Farsta, je serais revenu dès le lendemain me faire faire une crête de coq, ou que sais-je. Cette bague – il leva une alliance scintillante –, je l'ai achetée quatre jours après notre rencontre. Je l'ai sur moi depuis. Je ne voulais pas passer pour un fou en la sortant prématurément, mais pour moi, rien n'a jamais été trop tôt avec toi. Et aujourd'hui, j'ai au contraire trop attendu. Alors je me demande si tu voudrais bien la porter. Ce que je voudrais savoir, en fait, c'est… veux-tu te marier avec moi ?"

Les élèves tout autour se mirent à chahuter à hauts cris. Quelques-uns sifflèrent. Une fille cria d'une voix stridente :

"Allez, dites oui ! Johan, c'est le top ! Le meilleur prof !"

Chris mit les mains devant sa bouche, et Johan parut soudain inquiet. Chris déglutit puis tendit son annulaire, les larmes lui coulant sur les joues.

"Bien sûr, que je veux", chuchota-t-elle. Les élèves exultèrent.

Johan leur sourit en coin en levant le pouce, et reçut encore d'autres hourras et applaudissements avant qu'ils se dispersent. Il tâtonna un peu avant de parvenir à enfiler l'anneau sur le doigt tendu de Chris.

"Je t'aime", murmura-t-elle avant de le relever et de l'embrasser.

Faye trouva un snack dans Götgatsbacken, Le Petit Coin, commanda un café, déplia l'écran de son ordinateur et se connecta au wifi. Elle avait téléchargé un compte VPN qui masquerait son adresse IP et la rendrait indétectable. Elle inséra la clé USB où elle avait classé ses trouvailles sur le compte Gmail de Jack, et parcourut des yeux les documents. Elle les avait organisés de manière structurée et claire, un rêve pour un journaliste d'investigation affamé.

Faye avait choisi Magdalena Jonsson, de *Dagens Industri*. Faye la suivait depuis longtemps. Elle était pointue, précise, et écrivait bien.

Si vous êtes intéressée, il y en a davantage, écrivit-elle avant de cliquer sur *envoyer*.

Rien de plus simple. Elle s'apprêtait à partir quand sa boîte de réception bipa.

On peut se voir ?

Faye réfléchit. Elle savait que les journalistes tenaient plus que tout à la protection de leurs sources, c'était ce qu'ils avaient de plus sacré. Mais en même temps, ils étaient humains. Un mot échappé sous l'emprise de l'alcool, un portable volé, une conversation sur l'oreiller, et tout pouvait être dévoilé. Elle ne pouvait pas prendre un tel risque. Pas encore.

Non. Mais dites-moi si vous voulez la suite.

Elle eut aussitôt une réponse.

OK, merci ! Je dois demander à nos experts d'en contrôler l'authenticité, cela peut prendre quelques jours, mais c'est incroyable – si c'est vrai…

Ça l'est, répondit-elle avant de fermer son ordinateur et de quitter le café.

À la une de *Dagens Industri* :
"Jack Adelheim, le PDG de Compare, à ses employés : « Roulez les vieux et les faibles. »"
Sous le titre, une série d'images tirées de la vidéo que Faye avait envoyée à Magdalena Jonsson.
Faye but une gorgée de café devant l'îlot central de sa cuisine. La façon dont Jack Adelheim, PDG de la société Compare, tout récemment cotée en Bourse avec des résultats record, incitait ses employés à mentir aux personnes âgées pour leur prendre leur argent s'étalait en détail sur quatre pages. On y trouvait tout ce que Faye avait rassemblé et envoyé par mail à Magdalena Jonsson, assorti de titres fracassants. Le plus compromettant était un film tourné avec un téléphone portable au début de l'ascension de Compare, où l'on voyait Jack, lors d'un séminaire de vente en interne, ordonner en termes explicites à ses employés de vendre aux "croulants" tout ce qu'ils pouvaient, par tous les moyens. Seul le profit comptait. Seul le résultat. Le film durait dix minutes, dix minutes qui anéantissaient totalement l'honneur et la morale de Jack comme chef d'entreprise. Ce film était le brûlot que Faye espérait plus que tout trouver sur son compte Gmail. Le reste n'était que la cerise sur le gâteau. Le film à lui seul aurait suffi à couler Jack. Et à endommager Compare. Elle l'avait déjà visionné par le passé, et comptait que Jack soit assez arrogant pour l'avoir conservé.
Il ne restait plus qu'à voir quelle serait l'étendue des dégâts. Elle avait encore peur que cela ne suffise pas. Le monde était cynique. Les médias, le public, le monde des affaires étaient des animaux capricieux. Et l'intérêt personnel régissait tout. Tout ce qu'elle pouvait faire, c'était donner l'impulsion.
Faye poursuivit sa lecture. Avidement, passionnément, réjouie de la déconfiture de Jack. Avec une petite bouffée de joie dans la poitrine, en sachant que désormais Jack était le gibier, vulnérable.

À son grand soulagement, les médias étaient impitoyables. L'angle adopté par *DI* était clair et sans ambiguïté. Des hommes politiques, des conseillers régionaux et des proches des personnes âgées escroquées s'exprimaient dans l'article. Le chroniqueur de *DI* parlait du pire scandale des dix dernières années, et affirmait qu'il serait difficile pour Jack Adelheim de se maintenir à son poste. Faye continua à feuilleter frénétiquement. Arrivée à la fin de l'article, elle alla voir *Aftonbladet*, *Expressen* et *Dagens Nyheter*. Les sites de ces trois journaux titraient eux aussi sur le scandale et publiaient des extraits du film. *Aftonbladet* consacrait même son édito du matin à discuter de l'effet de ces révélations sur le cours de l'action Compare. Les médias se marquaient à la culotte pour recueillir les plus cinglants commentaires des personnalités qui pesaient le plus. Et le public reprenait en chœur. Comment osait Jack ? Comment osait Compare ?

Faye essaya d'imaginer son ex-mari. Que faisait-il ? Comment allait-il réagir ? Suivrait-il les injonctions des commentateurs en démissionnant pour sauver Compare et éviter que son action ne perde encore davantage de valeur ?

Peut-être. S'il se sentait suffisamment pris de panique, abattu. Avec son passé, il redoutait plus que tout l'opprobre. L'humide couverture de honte qui pesait sur son enfance le pousserait peut-être à tout lâcher et à fuir. Il ne fallait pas que cela arrive. Cela contrarierait tous ses plans. Il fallait qu'elle l'incite à se battre, à lutter jusqu'au bout pour se maintenir en place. Titiller son ego, lui dire que personne n'était mieux placé que lui pour sauver et guider Compare. Elle ne pensait pas rencontrer trop de difficultés. Elle savait exactement sur quels boutons appuyer.

Elle appela Kerstin, partie tôt au bureau.

"Tu as vu ?

— Je suis en train de lire. C'est incroyable. Ça a vraiment pris. Mieux que prévu.

— Je sais. Que… je dois faire quoi, à ton avis ?

— Profil bas. Il va venir vers toi.

— Tu crois ?

— Non, mon cœur, je le *sais*. Dans les moments de crise, nous cherchons les personnes capables de nous rassurer. Quand

Jack a besoin d'être rassuré, il se tourne vers toi. Il va venir te demander conseil. Il a toujours eu besoin de toi. Il n'a juste pas été assez malin pour le comprendre lui-même.

— Où en est le cours de son action ?"

Faye entendit Kerstin taper sur le clavier de son ordinateur.

"Elle est passée de quatre-vingt-dix-sept couronnes à quatre-vingt-deux depuis l'ouverture."

Elle toussa. C'était beaucoup, mais encore loin de son but. Si elle tombait sous les cinquante couronnes, elle ordonnerait à son courtier sur l'île de Man d'acheter toutes les actions qu'il pourrait trouver. Ce qui suffirait probablement à lui assurer la majorité des parts.

Jack et Henrik possédaient 40 % de Compare. Ils avaient eu besoin de beaucoup d'investisseurs au début, et ces derniers avaient pu acheter des actions de l'entreprise. Jack et Henrik avaient beaucoup insisté pour que leurs actionnaires partagent leur propre vision de l'entreprise. Mais à eux deux, ils n'étaient pas majoritaires, ce qui les rendait vulnérables. Ce qu'elle leur avait à maintes reprises fait remarquer. Sans succès.

"Il reste un bout de chemin, dit-elle.

— Ne t'inquiète pas. Ça va marcher. Ça peut prendre plusieurs jours, mais plus le mécontentement grandira au sujet de Jack, plus il gérera mal la situation, plus le cours de l'action chutera. Il faut juste que tu le pousses à s'accrocher.

— Je sais", dit Faye.

Un moment de silence.

"Tu viens quand au bureau ? demanda Kerstin.

— Probablement pas aujourd'hui, Chris a besoin de moi.

— Va la voir, dit Kerstin. Moi, ici, je tiens les positions."

La sonnette stridente de Chris retentit dans la cage d'escalier. Faye n'avait pas annoncé son arrivée. Elle le faisait rarement. La porte de Chris lui était toujours ouverte, elle avait d'ailleurs encore une clé. Elle attendit en tendant l'oreille. Au bout d'un moment, elle entendit des pas traînants à l'intérieur de l'appartement, la serrure cliqueta et la porte s'ouvrit.

Chris semblait fatiguée. Son visage était gris, ses yeux cernés de grosses poches noires. En voyant que c'était Faye, sa bouche forma un sourire las.

"Ah, c'est toi. Je pensais que c'était un cambrioleur.

— Et tu lui ouvrais ?

— J'avais besoin de quelqu'un sur qui me défouler, dit Chris en se penchant pour déverrouiller la porte à barreaux blanche.

— Pauvres cambrioleurs. Ils n'auraient eu aucune chance. Tu as mangé quelque chose ?

— Pas depuis hier. Je n'ai aucun appétit, même plus envie de bulles. Tu vois comme c'est grave. Je comptais demander à l'hôpital si on pouvait en avoir en intraveineuse."

Chris s'étendit sur le canapé tandis que Faye préparait du café et fouillait le réfrigérateur et le garde-manger à la recherche de quelque chose de comestible à faire avaler à Chris. Résultat : deux biscottes tartinées de caviar en tube. Chris en prit quelques bouchées avant de repousser l'assiette avec une grimace.

"C'est le caviar de Johan. Je n'aime déjà pas ça quand je suis en forme."

Elle s'essuya la langue avec une serviette.

"Pourquoi tu n'as rien dit ? Si j'avais su, je t'aurais donné autre chose."

Chris haussa les épaules.

"La chimio m'a flingué les papilles. Je me disais que même du caviar passerait. Mais apparemment, ce n'est pas le cas. J'ai essayé de convaincre Johan que c'était une nourriture du diable, mais il refuse de m'écouter.

— Que disent les médecins ? demanda prudemment Faye, en remportant les biscottes au caviar.

— On doit vraiment parler de ça ?

— Non. Mais je m'inquiète."

Chris poussa un profond soupir.

"Ça ne se présente pas bien, Faye. Pas bien du tout, en fait."

Faye sentit ses cheveux se dresser sur sa nuque.

"Qu'est-ce que tu veux dire ?

— Rien d'autre que ça. Le traitement n'a pas encore eu d'effet. Enfin, si ce n'est que j'ai une nausée permanente, que je vomis et commence à perdre mes cheveux. Mais bon, je suis mince, ça m'évite d'aller me faire suer à la gym.

— Je ne sais pas quoi dire."

Chris se défendit d'un geste de la main.

"On ne peut pas parler d'autre chose ? Sois comme d'habitude. Quoi de neuf ?

— Tu ne lis plus les journaux ?"

Chris secoua la tête avec lassitude. Faye retourna dans l'entrée chercher l'exemplaire de *Dagens Industri* qu'elle avait négligemment fourré dans son sac. Elle le posa sur le ventre de Chris.

Après avoir jeté un coup d'œil à Faye, Chris ouvrit le journal et feuilleta l'article proprement dit.

Faye mangea les restes de biscottes pendant que Chris lisait. Elle ne partageait pas l'avis de son amie sur le caviar en tube.

"C'est absolument incroyable, dit Chris en repliant le journal. Tu t'attendais à ce que ça fasse tout ce bruit ?

— Non, et le mieux, c'est que les deux journaux du soir et *DN* ont pris le train en marche. Plus les médias en ligne, Facebook, et l'ensemble des réseaux sociaux.

— Tu dois être folle de joie ?

— Je n'ose pas vendre la peau de l'ours.

— Tu es plus rabat-joie que moi, et moi, je suis à l'article de la mort. Mais il faut fêter ça. Je me demande si je pourrais l'avoir, cette perfusion de *cava* ?

— Pas besoin, Chris. On fêtera ça plus tard, quand ce sera fini. Quand tu seras guérie."

Faye se força à sourire.

"Et comment est la vie de jeune fiancée ?

— En fait, formidable. Enfin, aussi formidable qu'elle peut l'être quand on vomit trois fois par heure. Johan m'a servi le petit-déjeuner au lit tous les jours.

— Mais tu ne manges pas ?

— Non, mais il ne le sait pas. Et je n'ai pas le cœur de lui dire que si j'avais mangé j'aurais vomi dans la demi-heure son joli plateau.

— À quand, le mariage ?

— C'est bien le problème. Johan veut se marier d'ici un an, tout ça. Je ne sais pas ce qui se passe avec les jeunes, aujourd'hui, ils sont tellement conservateurs. Je ne crois pas que j'aurai la force."

Faye s'abstint de lui faire remarquer que Johan, qui avait juste cinq ans de moins que Chris, pouvait difficilement être catalogué comme jeune. Elle regarda son amie plutôt gravement.

"Il faut le lui dire, si tu ne le sens pas", dit-elle d'un ton plus dur qu'elle n'aurait voulu.

Elle ne souhaitait pas que Johan mette la pression à son amie. Chris avait le temps. Il fallait qu'elle ait le temps.

"Le problème, c'est que, sans ça, ça ne se fera peut-être pas. J'ai malheureusement quelques tumeurs que je n'ai pas invitées qui veulent être de la fête.

— Le traitement va t'aider. Il le faut.

— On verra bien", dit Chris en se détournant de Faye. Elle ne tarda pas à s'endormir.

Faye étendit une couverture sur elle et lui tapota le genou en la bordant. Puis elle sortit de l'appartement sur la pointe des pieds en refermant avec sa clé.

Faye descendit l'escalier, désolée. Chris avait toujours eu le rire si facile, mais aujourd'hui, elle paraissait presque résignée à mourir.

La rubrique économique du journal télévisé montra une courbe de la dégringolade du cours de l'action Compare au long de la journée. Des images du porche du siège de l'entreprise à Blasieholmen alternaient avec des scènes devant la grille de la villa de Lidingö. Mais personne n'avait réussi à mettre la main sur Jack.

"Où peut-il donc se cacher ? marmonna Kerstin, penchée en avant, assise à côté de Faye sur le canapé, plissant les yeux devant l'écran.

— Il est sûrement en réunion avec des consultants en relations publiques qui froncent les sourcils en lui expliquant comment communiquer sur tout ça, répondit-elle.

— Ça servira à quelque chose ?

— Probablement pas. Mais ces consultants vont pouvoir lui débiter plein de jolis billets de mille pour leurs conseils inutiles."

Elle se tourna vers Kerstin.

"Au fait, tu es bien allée voir Ragnar, aujourd'hui ? Comment ça s'est passé ?"

Kerstin secoua la tête.

"Tu sais que je ne veux pas parler de lui."

Faye hocha la tête et se plia à la volonté de Kerstin. Pour cette fois.

Chaque heure où Jack se dérobait augmentait la frustration des journalistes. Quand Julienne entra dans le séjour, Faye changea discrètement de chaîne. Elle s'apprêta à la coucher, mais Kerstin se proposa de le faire. Un lien particulier s'était tissé entre les deux femmes, et Julienne en était le ciment. Désormais, Kerstin n'utilisait son appartement que pour dormir, et Faye ne voulait pas qu'il en aille autrement.

Des rires parvenaient à présent de la chambre de Julienne, et Faye sourit. Elle avait Julienne et Kerstin dans sa vie, dorénavant, ne pouvait-elle pas s'en contenter ? Était-elle obligée d'écraser Jack ? Julienne avait toujours vénéré son papa, et les enfants avaient besoin de leurs deux parents. Même si Jack n'avait pas toujours de temps pour sa fille, même si Julienne pleurait parfois quand elle devait aller chez lui. Faye savait que c'était normal, chez les enfants du divorce. L'éternelle angoisse de la séparation.

Dans quelle mesure Jack aimait vraiment Julienne, elle l'ignorait, au fond. Il l'avait toujours traitée comme une princesse, mais il semblait parfois qu'elle n'était qu'un joli accessoire qu'il aimait exhiber. Et l'amour d'un père n'allait pas de soi, elle était mieux placée que personne pour le savoir.

Faye se permettait de brefs moments de doute, mais il n'y avait pas d'alternative. Jack l'avait enfoncée, dégradée, trahie. Avait fait une croix sur cette famille pour laquelle elle avait, elle, fait une croix sur tout le reste. Les hommes avaient eu du pouvoir sur elle tout au long de sa vie. Elle ne pouvait pas laisser Jack s'en sortir.

Elle décida de zapper le reste du journal, et alla à la cuisine se servir un verre de vin. À son retour dans le séjour, en prenant son iPad, elle trouva un message de Jack :

J'ai besoin de te voir.

Où ? répondit-elle.

Une minute passa avant un nouveau bip :

Là où nous nous sommes rencontrés la première fois.

La pluie tombait dru quand Faye referma la porte du taxi et, pliée en deux, courut à l'intérieur du N'See Bar. Autour d'une table, trois gars d'une vingtaine d'années étaient attablés devant des bières. Jack était tout au fond. Là où Chris et elle étaient assises, seize ans plus tôt.

Jack penchait la tête sur une bière à moitié bue.

Le barman la salua de la tête.

"Deux bières s'il vous plaît." Elle devinait que celle de Jack serait bientôt terminée.

Le barman lui tendit deux verres qu'elle porta jusqu'à la table de Jack.

Il leva les yeux et elle posa un des verres devant lui.

"Salut", dit-il avec un sourire triste.

Il paraissait vulnérable. Petit.

Ses cheveux sombres étaient rejetés en arrière, et une mèche humide pendait, égarée sur la joue. Il était pâle, la peau bouffie. Les yeux injectés de sang. Elle ne l'avait jamais vu aussi abattu. Faye dut réprimer son envie première de se jeter à son cou, de le consoler, de lui promettre que tout allait s'arranger.

"Comment vas-tu ?"

Il secoua lentement la tête.

"C'est… je n'ai jamais rien connu de pire."

Son dernier relent de sympathie disparut en voyant combien il se lamentait sur son propre sort. À force de se draper en victime, il ne laissait plus beaucoup de tissu. Il n'avait pas une seule pensée pour ce que cela avait dû être pour elle de tout perdre. Devenir une paria, sur la paille, larguée. Elle avait connu tout ce qu'il vivait à présent. Et plus encore. Il n'avait pas eu la moindre compassion pour elle, alors. Pourquoi en aurait-elle donc pour lui ?

Mais pour obtenir ce qu'elle voulait, elle était obligée de lui donner ce qu'il voulait. Elle prit sa voix la plus douce :

"Qu'est-ce que tu vas faire ?

— Je ne sais pas", lâcha-t-il à mi-voix.

Elle chercha quels mots employer. Il ne fallait pas qu'il démissionne, tout aurait alors été vain. Il ne ferait qu'allonger la liste des financiers cupides. Il y en avait plein à travers le monde. La sortie de Jack devait être plus spectaculaire que ça.

Il fallait qu'elle le convainque de rester. Elle voulait qu'il tombe de haut. Et par sa seule présence, elle semblait lui redonner de la combativité. Il la regarda avec une lueur nouvelle dans le regard. En bruit de fond, on entendait Carly Simon : *Coming Around Again.* Elle avait aimé cette chanson. Surtout les paroles *"So don't mind if I fall apart, there's more room in a broken heart"*. Même si son cœur lui paraissait plus petit depuis que Jack l'avait brisé. Comme s'il avait rétréci.

"Ce truc s'est passé il y a plus de dix ans, dit Jack. Tu parles d'un scoop ! J'étais jeune et ambitieux à l'époque. On fait le nécessaire, c'est ça le business. Tout ce qui compte, pour les gens, c'est le résultat. Pas un seul type pour se demander comment on y est parvenu. Mais aujourd'hui ? Ça doit être la jalousie. Les gens détestent ceux qui réussissent. Les gens détestent ceux comme toi ou moi, Faye. Parce que nous sommes plus malins qu'eux."

Faye ne répondit pas. D'un coup, ils étaient redevenus "nous". Et après lui avoir tant d'années seriné combien elle était idiote, voilà qu'il vantait son intelligence. La colère l'envahit et elle saisit sa bière. Jack continua sa tirade. Sa voix était geignarde, son cou rougissait. Elle n'avait encore jamais vu ça.

"Impossible de devenir riche dans ce foutu pays si on ne se sert pas. Nos méthodes étaient peut-être dures, mais pas illégales, putain ! Même des retraités devraient être capables de faire attention à leur argent, on parle d'adultes, là. Responsables. Dans ce foutu pays, c'est toujours la faute de quelqu'un d'autre, c'est à quelqu'un d'autre de nettoyer le merdier, d'aller se faire pendre. Alors on est livré aux chiens, alors que tout ce qu'on a fait, c'est de construire une entreprise qui a eu du succès, donné du boulot à un sacré paquet de personnes, et contribué au PNB de la Suède."

Il secoua la tête, frustré.

"Notre seule erreur, c'est d'avoir nous-mêmes gagné quelques couronnes, et ça leur crève les yeux, aux gens ! Saloperie de communistes ! Putain, je ne vais pas les laisser détruire tout ce que j'ai bâti."

Il éclusa la fin de la bière que Faye lui avait offerte et fit signe au barman de lui en apporter une autre. Faye le regardait, comme si c'était pour la première fois. Il se comportait comme un gamin geignard privé de son jouet favori. S'il se présentait dans les médias avec cette attitude, il ne ferait pas long feu.

Il fallait qu'elle le calme. Il fallait qu'il cuise lentement. Pas qu'il flambe comme une allumette.

"Jack, lui dit-elle doucement en posant sa main sur la sienne. Je suis d'accord avec tout ce que tu dis, mais il faut que tu mettes de l'eau dans ton vin. Explique que tu étais jeune, que tu as changé. Pourquoi n'irais-tu pas dans une de vos maisons de retraite travailler gratuitement pendant une journée ? Invite les médias. Retrouve la confiance des gens."

Elle imaginait Jack visitant une maison de retraite. Les journalistes perceraient à jour la manœuvre, évidemment, et tout serait bien pire. Il se ferait hacher menu.

Mais ça prendrait plus de temps.

"Oui, pourquoi pas."

Jack semblait pensif. Les plaques rouges sur son cou commençaient à s'atténuer.

"Songes-y, en tout cas. Et que dit le conseil d'administration ? Et Henrik ?

— C'est clair, ils sont inquiets. Mais je leur ai dit que ce serait balayé par le vent. Personne ne demande ma démission, il n'y a personne pour me remplacer."

Il s'étira. Toujours persuadé de sa supériorité et de son excellence. Elle réprima l'envie d'enfoncer ses talons Jimmy Choo dans ses mocassins Gucci. Moches, d'ailleurs, ces Gucci. Il était plus élégamment habillé quand il bénéficiait de son bon goût vestimentaire. Ylva semblait vouloir que Jack ressemble à un magnat du pétrole russe. Chaque année passée avec Ylva, il devenait plus tape-à-l'œil et fier d'afficher des marques.

"Non, bien sûr, dit suavement Faye. Heureusement qu'ils le comprennent."

Il croisa son regard.

"Je… je suis content que tu aies trouvé le temps de me voir. Je sais que je n'ai pas toujours été facile à vivre. Ce qui s'est passé avec Ylva… ce sont des choses qui arrivent, c'est tout, on n'a pas vraiment prise dessus…"

Il commençait à être un peu gris, avait une certaine difficulté à la regarder en face.

"Elle ne me comprend pas comme toi. Personne. Jamais. Je ne sais pas comment j'ai pu…"

Faye baissa les yeux vers leurs mains jointes.

"Je suis devenu adulte, Faye, j'ai mûri. C'est comme si je n'avais pas fini de grandir, à l'époque. Mais je comprends à présent quelle erreur j'ai faite. Ça n'avait pas d'importance, au fond. Je voulais juste avoir… tout."

Sa voix était penaude et suppliante. Il trébuchait très clairement sur les mots. Il caressait de son pouce le dessus de sa main, et Faye dut mobiliser tout son self-control pour ne pas la retirer. La colère lui sifflait aux oreilles. Pourquoi n'avait-elle pas vu plus tôt combien il était faible ? Avait-elle à ce point fermé les yeux ? Vu uniquement ce qu'elle voulait bien voir ? Comblé elle-même les manques ? Comme si Jack n'était qu'un immense coloriage magique. Inachevé.

"Ne pense pas à ça, dit-elle d'une voix brisée. C'est comme ça. L'important, c'est que tu te sortes de ce mauvais pas."

Il regarda alentour.

"Ça n'a pas changé depuis notre rencontre. Tu te souviens ?"

Son visage s'illumina.

"Bien sûr. J'étais assise à ta place, Chris ici."

Jack hocha la tête.

"Imagine qu'on ait su tout ce qui allait nous arriver. J'étais vraiment fou de toi. Putain, quelle époque ! Tout était…

— … sans complications", compléta-t-elle.

La colère lui faisait toujours siffler les oreilles. Excluait tout autre son que la voix sentimentale et poisseuse de Jack.

"Oui, c'est ça. Sans complications."

Le silence se fit un moment, avant qu'elle se racle la gorge.

"Qu'est-ce que tu vas faire ?

— Je vais me battre, dit Jack. Je vais me sortir de là."

Une dernière fois, il serra fort sa main.

"Merci.

— De rien", dit Faye. En espérant que Jack n'entendrait pas la résonance amère de sa voix.

Trois jours s'étaient écoulés, et l'action de Compare était désormais tombée à soixante-treize couronnes. Plusieurs leaders de la vie économique s'étaient prononcés pour déclarer la situation de Jack intenable. Les actionnaires vendaient leurs parts. L'intervention de Jack avait été annulée dans deux séminaires. Il avait donné une interview, pas dans *Dagens Industri* – le journal qui avait le premier fait état de la fameuse vidéo – mais dans *Svenska Dagbladet*. Il avait déclaré le grand cas qu'il faisait de la génération des anciens. Affirmé que tout ceci était un malentendu, que cette vidéo était sortie de son contexte, que c'était des années auparavant, qu'il s'agissait d'une erreur de communication, qu'on voulait saboter la réussite de son entreprise.

Des excuses, des excuses, des excuses.

L'opinion publique détestait ça. Et elle détestait Jack. La Fédération nationale des retraités estimait incompréhensible qu'il n'ait pas pris ses responsabilités en quittant l'entreprise.

Mais le conseil d'administration lui avait renouvelé sa confiance. Même s'ils redoutaient ce qui les attendait avec Jack comme PDG, ils avaient encore plus peur d'un avenir de l'entreprise sans Jack. Jack ÉTAIT Compare. Exactement ce sur quoi Faye avait compté, prévoyant que ce serait sa perte.

Pendant que Chris était en chimio, Faye téléphona à son banquier, sur l'île de Man, pour lui demander d'acheter pour dix millions de couronnes d'actions Compare. Le cours de l'action se stabilisa un peu, tous les investisseurs n'avaient visiblement pas perdu confiance dans l'entreprise. En achetant une petite part de gâteau, elle offrait à Jack une miette de tranquillité pour travailler. Le calme dans l'œil du cyclone. Avant le coup suivant.

FJÄLLBACKA – JADIS

J'ai fait semblant de dormir quand Sebastian est sorti de mon lit. Il a doucement roulé sur le côté pour poser les pieds sur le sol. Il a enfilé ses vêtements éparpillés par terre et j'ai continué à fermer les yeux.

Je l'ai entendu ouvrir le réfrigérateur, des placards, tirer une chaise de cuisine en la raclant un peu sur le parquet. Un brusque crash m'a fait sursauter et ouvrir les yeux. Il devait avoir laissé tomber un bol en porcelaine, j'imaginais le sol jonché de tessons et de yaourt. J'imaginais sa panique.

Je me suis redressée dans le lit, sachant ce qui allait se passer. Papa avait le sommeil léger. C'était samedi, il ne voulait pas être réveillé. La chambre à coucher de papa et maman était au rez-de-chaussée, à côté de celle de Sebastian. Ils s'étaient disputés jusque tard dans la nuit, papa devait être épuisé. J'étais restée éveillée à écouter les cris et les coups tandis que Sebastian dormait lourdement, son bras sur ma poitrine.

Papa est arrivé dans la cuisine en hurlant. J'ai remonté les genoux, les ai étreints, tandis que l'obscurité s'agitait en moi. Les cris stridents de Sebastian s'entendaient à travers le plancher, puis les suppliques de maman. Mais je savais que maman ne pourrait pas stopper papa. Il lui fallait un exutoire à sa colère, qu'il démolisse quelque chose, qu'il ait la satisfaction de voir quelque chose se disloquer.

Quand les cris ont cessé, je me suis recouchée en remontant la couette sur moi. Le côté où Sebastian avait dormi était encore chaud.

Faye borda Chris dans son lit et s'assit un moment sur son canapé. Elle ne voulait pas encore la laisser. Elle sortit son ordinateur et passa en revue les derniers mails du travail. La respiration lourde de son amie dans la chambre voisine l'empêchait de se concentrer, ça lui faisait si mal de l'entendre souffrir. Alors qu'elle avait lu la moitié de ses messages, son portable bourdonna. Un flash info de *Dagens Industri*. Le titre : "Jack Adelheim parle !"

Le pouls lui battant les tempes, Faye cliqua sur l'interview. Il était plus long qu'elle ne s'y attendait, flatteur et aussi vendeur que s'il était paru avec la mention "publicité". Jack parlait sans contradiction, et n'était décrit qu'en termes superlatifs. La journaliste lui servait sur un plateau des questions à son avantage.

Faye descendit jusqu'au nom de la journaliste. Maria Westerberg. Sur la photo qui accompagnait sa signature, elle apparaissait serrée contre Jack, à l'entrée d'un des hôtels de luxe de la capitale. Tous deux faisaient un grand sourire à l'objectif. Faye examina la photo de plus près. Jack et Maria étaient devant un mur lisse faisant miroir, et l'infographiste devait avoir raté un détail en insérant le cliché : la main de Jack était posée sur une fesse de Maria.

Faye pouffa. Elle n'avait pas l'intention de laisser Jack reprendre l'avantage juste parce qu'il avait séduit une journaliste. Elle saisit son portable et appela son ex-mari. Il lui répondit avec une énergie retrouvée et de l'enthousiasme dans la voix.

"Le cours est reparti à la hausse. Les gens achètent des actions Compare, glapit-il. Je savais que la tendance allait s'inverser."

Son ton était triomphal. Il avait un peu repris confiance en lui.

"Je suis contente pour toi, Jack. Même si je n'étais pas inquiète, chuchota-t-elle. Je suis fière de toi."

Elle leva les yeux au ciel en sortant du séjour de Chris. Johan allait bientôt arriver.

"Tu voudrais qu'on se retrouve pour fêter ça ?" dit-elle, satisfaite de sa prestation de comédienne. Elle avait besoin de plus de munitions pour neutraliser ce qu'il avait obtenu en couchant avec Maria Westerberg.

"Absolument, dit Jack. Je suis au bureau. Mais je peux filer, si tu as le temps."

Faye entra dans la salle de bains de Chris, ouvrit le placard où elle savait que son amie rangeait ses somnifères et y prit une plaque de Stilnox, Chris ne remarquerait rien s'il lui manquait quelques cachets.

"Tu es toujours là ? demanda Jack. Allô ? Ça a coupé ?

— Oui, oui, je suis là. C'est bien que ça marche. Retrouvons-nous au Grand Hôtel.

— Au bar ?

— Non. Dans la suite."

Faye avait envoyé un message à Kerstin, qui avait promis de s'occuper de Julienne. Elles allaient jouer à Minecraft, ce qu'elles faisaient désormais tous les soirs. Kerstin commençait à être virtuose dans ce domaine, et Faye l'avait même une fois surprise à y jouer au bureau.

Aucun prix n'est trop haut pour se venger de Jack, s'était convaincue Faye sur le chemin de l'hôtel. Et voilà qu'elle était couchée dans le grand lit double et regardait son ex-mari ivre de sa confiance retrouvée.

"Putain, j'en ai jamais assez, de toi", haletait Jack en baissant le regard vers Faye. Debout au bord du lit, il lui léchait les seins, les flairait, les mordait. Et elle jouissait – non pas du sexe, mais de savoir qu'il croyait profiter d'elle.

Elle ne ressentait pas la même faiblesse pour Jack, le même désir que quand il l'avait baisée chez lui, sur le bureau d'Ingmar Bergman. C'était alors le rêve de quelque chose qui n'avait jamais existé.

Quand il l'embrassait, son haleine fétide lui donnait la nausée. Il avait commencé à se teindre les cheveux pour masquer les mèches grises, si bien qu'ils ressemblaient de plus en plus à un bonnet. Elle le soupçonnait aussi d'utiliser du botox.

L'idée lui assécha aussitôt l'entrejambe. Jack se contenta de grogner, se lécha la main pour l'humecter jusqu'à ce qu'il jouisse. Faye simula sans conviction quelques gémissements, et il se laissa volontiers tromper. Il n'était pas le genre d'homme à se soucier de savoir si une femme avait atteint l'orgasme. À part pour flatter son ego. Elle resta au lit tandis qu'il se promenait nu dans la suite.

Elle se prit à comparer son corps avec ceux des hommes avec qui elle avait couché depuis qu'il l'avait quittée. Elle avait beau savoir qu'il fréquentait son club de gym cinq fois par semaine, même Jack Adelheim ne pouvait stopper les outrages du temps. Ses fesses n'étaient plus aussi fermes, et ne commençait-il pas à avoir de la poitrine ? C'était comme si elle venait de chausser des lunettes après avoir eu une mauvaise vue pendant bien trop d'années.

Était-ce l'image qu'il avait de son propre corps qu'il avait projeté sur elle ? Elle se surprit à regretter le corps ferme de Robin. Ou de Mike. Ou de Vincent. Ou de celui avec le tee-shirt Nirvana rencontré au Spybar et qu'elle avait suivi chez lui le week-end précédent. N'importe lequel de ceux qui avaient remplacé Jack.

Ce dernier gagna la salle de bains en sifflotant. Faye se leva d'un bond et enfila culotte et soutien-gorge. Elle attrapa son sac Boy noir de chez Chanel dans lequel se trouvait la poudre qu'elle avait obtenue en pilonnant trois cachets de Stilnox chez Chris. Tandis que Jack était sous la douche, elle commanda un double whisky pour lui et une demi-bouteille de *cava* pour elle. Dans la salle de bains, il chantait *Love Me Tender*. Elle versa la poudre dans son verre. Quand il eut terminé sa douche, elle se fit couler un bain.

"Mon Dieu, je suis crevé, dit-il en s'étirant sur le lit comme un chat repu.

— C'est la tension qui se relâche après tout ce qui s'est passé, prends-toi un whisky et repose-toi un moment", dit-elle en refermant la porte de la salle de bains derrière elle.

Elle se laissa glisser dans l'eau chaude et attendit. But deux verres de *cava*.

"Jack ?" appela-t-elle ensuite.

Pas de réponse. Elle se leva et ouvrit doucement la porte de la salle de bains. Jack dormait, la bouche ouverte, tout nu. Son pénis flasque en était presque ridicule. Il s'étalait sur sa cuisse comme une larve blanche. Faye pouffa. Jack ronfla très fort, la faisant sursauter. Mais il se contenta de se retourner et se laissa tomber sur l'oreiller.

Elle enfila un peignoir, sortit l'ordinateur de Jack, s'installa au bureau, ouvrit une session et se connecta à internet. De combien d'heures disposait-elle ? Elle avait attendu que se présente une telle occasion, l'avait préparée en laissant peu à peu Jack se rapprocher d'elle, en devenant elle-même quelqu'un qu'il convoiterait à nouveau. Elle voulait lui faire baisser la garde, qu'il la laisse entrer, lui fasse confiance. Ce soir, elle avait cette possibilité. Et elle comptait bien en tirer le profit maximum.

Elle parcourut ses derniers mails envoyés sans rien y découvrir d'intéressant, si ce n'est qu'il semblait entretenir une relation sexuelle avec une étudiante de Sup de Co.

Faye entra son nom sur Facebook et découvrit qu'elle avait vingt ans. Faye examina ses photos. Mignonne, blonde, mais l'air ennuyeuse. Intéressant pour la presse ? Non, ils ne publieraient jamais ça. Un portable vibra dans la chambre. Elle se leva d'un bond. Chercha à tâtons et trouva le téléphone à côté de Jack. Ce n'était pas celui qui avait reçu le SMS. Jack devait avoir deux appareils. Évidemment. Il utilisait probablement son téléphone secret pour ses femmes. Elle fouilla dans la poche de son manteau et mit la main sur un iPhone blanc.

Il fallait un mot de passe pour le déverrouiller. Ou une empreinte digitale. Faye saisit doucement l'index de Jack et le posa sur l'écran du téléphone. Une seconde plus tard, elle était entrée. Elle vérifia qu'elle n'avait pas remis le son par erreur.

Le message était d'Henrik.

Tu es où ?

Sans se soucier de répondre, elle alla regarder l'historique de ses messages. C'était fou : Jack était visiblement un chaud lapin, accro au sexe. Elle en resta bouche bée. Certains jours, il semblait avoir deux, trois rendez-vous sexuels. Elle ne concevait pas comment il trouvait le temps de s'occuper de son entreprise. Des femmes lui envoyaient des photos dénudées et des vidéos où elles se masturbaient sous la douche. Jack répondait avec des photos de son pénis. Elle se sentait étrangement indifférente, même si certains messages et photos dataient de plus de trois ans, et avaient donc visiblement été échangés alors qu'ils étaient mariés. Elle ne pouvait l'abhorrer davantage. Mais elle était déçue. Rien de ce qu'elle avait trouvé dans ce téléphone ne pouvait l'aider. Les journaux suédois ne publiaient jamais de scandales d'adultères, à moins que la sécurité nationale ne soit menacée. En Angleterre, en revanche, les photos de pénis de Jack auraient fait toutes les unes. À tout hasard, elle sortit son propre téléphone et filma tandis qu'elle faisait défiler les photos. Elle filma aussi les messages dans sa boîte de réception, en veillant à ce qu'on puisse bien voir à qui appartenait l'iPhone. Il y avait même quelques selfies parmi ses photos de bites.

Dans ses *Notes*, on ne trouvait que de courtes indications, cryptiques. Des lieux et heures de rendez-vous. Elle compara certaines d'entre elles avec les messages, mais constata que ça ne correspondait pas. De quel genre de rendez-vous s'agissait-il ? Probablement des rendez-vous d'affaires. Mais pourquoi alors ne pas les renseigner dans le calendrier ? Au moment où elle allait reposer le téléphone, elle remarqua l'icône *mémo vocal*. Sans en espérer grand-chose, elle l'ouvrit et découvrit environ trente-cinq fichiers son. En cliquant sur l'un d'eux, elle s'attendait à un contenu à caractère sexuel, mais eut la surprise d'entendre deux hommes parler. L'un d'eux était Jack, mais elle ne parvenait pas à identifier l'autre. Ils semblaient être assis dans une voiture à l'arrêt. La qualité du son était excellente. Ils parlaient de façon détendue, comme deux bons amis.

Jack couchait-il aussi avec des hommes ? Rien ne pouvait plus l'étonner.

Non, là, c'était autre chose. Pire que le clip vidéo qui avait provoqué le chaos dans le cours de l'action Compare. Elle aurait aimé éclater de rire, mais parvint à se contenir. Il ne fallait pas réveiller Jack avant d'avoir eu le temps de tout sauvegarder.

Pour ne pas laisser de traces électroniques, elle passa les fichiers son avec le haut-parleur tout en les enregistrant sur son propre téléphone. Elle contrôla la qualité du son : on entendait faiblement les ronflements de Jack à l'arrière-plan. Une heure plus tard, elle avait aussi fouillé son ordinateur sans rien trouver de plus. Mais elle était satisfaite.

Ça valait la peine de tirer ce coup étonnamment mauvais. Elle se demanda en silence si Jack avait toujours été un aussi piètre amant. Si ce n'était pas encore là un domaine où elle s'était menti à elle-même. Ou peut-être n'avait-elle tout simplement pas d'élément de comparaison ? Elle songea au garçon au tee-shirt Nirvana, et se sentit aussitôt mouiller. Il lui avait donné trois orgasmes. D'affilée.

Faye composa machinalement le code du porche de Chris. Son amie l'avait tellement pressée de venir que Faye s'était inquiétée.

Elle monta dans l'ascenseur en essayant de penser à tout sauf à Chris.

Elle avait envoyé les fichiers son à la même journaliste que les premières informations. Cette nouvelle révélation que le PDG de Compare avait eu connaissance de deux décès dus à des mauvais traitements dans ses maisons de retraite et même cherché à les dissimuler provoqua une onde de choc à travers toute la Suède, bien au-delà de l'étroite sphère financière.

Le cours de l'action Compare tomba comme une pierre. La presse économique comme les journaux du soir citaient abondamment hommes politiques, personnalités du monde des affaires et sources anonymes issues du conseil d'administration de Compare, tous réclamant le départ de Jack.

Aujourd'hui, l'action était descendue à soixante-trois couronnes.

L'ascenseur s'arrêta, et Faye se força à ouvrir la porte. Johan s'étant mis en congé pour pouvoir s'occuper à plein temps de Chris, les visites de Faye s'étaient faites plus sporadiques. Elle craignait de s'imposer, de les déranger dans ce qui allait être, elle le comprenait, les derniers moments que Chris et Johan passeraient ensemble. Et parfois, aussi, elle n'en avait pas le courage. Chaque fois qu'elle voyait Chris si malade, c'était comme si une partie d'elle-même mourait. S'agissant de Chris, elle n'était pas courageuse. Rien qu'une petite merdeuse qui aurait voulu fuir la vérité et la réalité.

Johan ouvrit la porte.

"Comment ça va ?" demanda Faye.

Il haussa les épaules.

"C'est… comment dire ?

— Tu ne veux pas aller te promener, en attendant ? Sortir un peu d'ici ?

— Pourquoi pas ? De toute façon, Chris voulait te parler seule à seule."

L'inquiétude lui serra le ventre.

En entrant dans la chambre de Chris, Faye dut se retenir de pousser un cri. Chris n'avait plus que la peau sur les os, ses côtes étaient saillantes, la peau de ses épaules se tendait sur les clavicules. Ses yeux avaient coulé au fond de leurs orbites, son teint était blafard, sec et gris.

Au-dehors, la vie continuait, les bus allaient et venaient, les gens se disputaient, s'aimaient, conduisaient des voitures, se mariaient et se séparaient mais, dans son appartement mansardé de Nybrogatan, Chris s'éteignait lentement.

Faye s'assit au chevet du lit et prit doucement la main de Chris.

"C'est fini pour moi, dit Chris.

— Ne dis pas ça.

— Si, il faut bien que quelqu'un le dise. Et Johan et toi avez mieux à faire de vos journées que veiller sur moi. Je vais mourir.

— Mais les médecins…

— Bah, ils ont abandonné les traitements."

Le cancer s'était généralisé, avaient-ils expliqué. Le corps de Chris était plein de tumeurs que le traitement ne faisait pas disparaître. Au contraire, elles continuaient à se multiplier.

Il n'y avait plus rien à faire, à part soulager sa douleur. Ils avaient proposé de l'hospitaliser dans une unité de soins palliatifs. Mais Chris avait refusé, expliqua-t-elle à Faye avec une toux rauque.

"Johan est au courant ? demanda-t-elle prudemment.

— Non, pas encore. Je ne peux pas… c'est pour ça que je t'ai demandé de venir. Je voudrais savoir si tu pourrais lui dire. Je n'ai même pas le courage de voir son visage devant moi. Je sais que c'est lâche, mais…

— Je m'en charge", coupa Faye. Elle ne pouvait supporter une seconde de plus de cette conversation.

Elle donna quelques tapes rassurantes sur la main de Chris, mais se précipita ensuite à la salle de bains. Incapable de maîtriser ses émotions, elle pleura en silence, recroquevillée sur le sol, le front contre le carrelage froid.

Elle ne sut pas elle-même combien de temps elle était restée là. Elle ne se releva qu'en entendant Johan ouvrir la porte d'entrée.

Faye et Johan se promenaient en silence dans Nybrogatan. Il fallait à Faye de l'air, de l'espace pour réussir à parler à Johan.

Ils tournèrent dans Karlavägen. Elle indiqua The Londoner.

"Je crois que nous allons tous les deux avoir besoin d'alcool."

Elle commanda deux doubles vodkas, et but déjà une grande gorgée de la sienne en marchant vers la table où attendait Johan. Il tambourinait des doigts sur la table. Son visage était fermé.

Maintenant, il fallait qu'elle tienne le coup, qu'elle soit forte.

"C'est… je ne sais pas comment te le dire, Johan. La chimio ne marche pas, les tumeurs se propagent. Les médecins ont abandonné le traitement."

Il hocha lentement la tête.

"Je sais.

— Tu sais ?

— Mon petit frère est médecin. Oncologue à Göteborg. Chris avait une copie de son dossier médical dans son sac. J'ai tout photographié avec mon portable et je lui ai envoyé. Il m'a aidé à l'interpréter. Je sais que c'est terrible d'avoir fouillé comme ça dans ses affaires et je sais qu'elle a le droit de me raconter ce qu'elle veut, quand elle veut. Mais je… je n'en pouvais plus de ne pas savoir… s'agissant de Chris, je n'ai pas pu m'empêcher. Elle me laisse en dehors, alors que ce n'est pas nécessaire."

Faye hocha la tête. Posa sa main sur la sienne. Elle comprenait exactement.

Il leva les yeux vers elle.

"Je veux me marier avec elle, malgré tout. J'ai réservé une église dans deux semaines. Ça devait être une surprise."

Faye se pencha en arrière. Tout d'un coup, ça la gênait. Elle pensait bien connaître Johan, désormais, elle l'aimait bien et il ne semblait pas être ce genre de personnes, mais elle n'y pouvait rien, sa propre amertume se mêlait au chagrin qu'elle éprouvait pour Chris.

"Si tu l'épouses pour son argent, dit-elle en se penchant vers lui, je te tuerai."

Il sursauta. Comme s'il ne savait pas si elle plaisantait ou non.

"Tu entends ? Je te tuerai, de mes propres mains."

Elle lui laissa entrevoir la noirceur qu'elle cachait toujours, la laissa un instant affleurer.

"Pourquoi devrais-je… ?"

Johan la regarda, choqué.

"Parce que Chris vaut plus de cent millions, et je sais ce que l'odeur de l'argent peut provoquer chez les gens. Je l'ai observé. Et j'ai vu ce que les hommes étaient capables de faire. Combien ils peuvent être dénués de scrupules. Je t'aime bien, Johan, tu sembles être quelqu'un de bien. Mais ma meilleure amie va mourir. Et je n'ai pas l'intention de permettre à qui que ce soit de la tromper ou de profiter d'elle sur son lit de mort. Alors, si tu as le moindre intérêt financier à te marier avec elle avant… avant qu'elle meure… alors je te suggère, dans ton propre intérêt, de renoncer à ce mariage et de te contenter de jouer le fiancé aimant en étant parfaitement convaincant jusqu'à ce que…"

Faye déglutit et but une gorgée de sa vodka.

"Mais si tes intentions sont honnêtes, je t'aiderai pour tous les arrangements pratiques. Et je te percerai à jour. Ne fais pas l'erreur de mal me juger."

Johan la regarda en face sans se laisser effrayer par sa noirceur. Cela calma l'inquiétude de Faye. Johan était franc du collier. Il n'avait pas peur d'elle.

Il fit tourner son verre. Puis finit par dire :

"Je t'aime bien. Et j'apprécie que tu veilles sur elle. J'aime Chris plus que toute autre personne que j'ai rencontrée. Je n'ai pas d'autre motivation. Je veux pouvoir l'appeler ma femme."

Ils se regardèrent.

"Bien, dit Faye en buvant une autre grande gorgée avant de s'essuyer les lèvres du revers de la main. Alors on va s'occuper d'organiser le mariage du siècle."

Ils trinquèrent. Mais le bruit des verres les fit tous deux sursauter. Un instant, on aurait dit un glas.

FJÄLLBACKA – JADIS

Le jour de l'enterrement de Sebastian, il n'y a pas eu cours. Pour la première fois, on m'avait laissée tranquille pendant un moment à l'école. Il s'était passé trop de choses, et en trop peu de temps. Le choc pesait comme une épaisse couverture sur la cour de récréation, les salles de classe, les armoires métalliques avec leurs graffitis absurdes et laids.

L'église était pleine à craquer. Sebastian, qui n'avait jamais eu de vrais amis, avait d'un coup rempli la nef. Plusieurs filles de son âge pleuraient et se mouchaient bruyamment dans leurs Kleenex. Je me demandais si elles n'avaient jamais ne serait-ce que parlé à Sebastian.

Maman avait choisi un cercueil blanc. Et des roses jaunes. Au fond, ces roses n'avaient aucun sens. Ça n'avait jamais intéressé Sebastian. Mais je supposais que tout ça c'était pour ceux qui restaient. Sebastian était de toute façon froid et mort dans son cercueil. Qu'est-ce que ça pouvait bien lui faire, désormais ?

C'était papa qui l'avait trouvé, pendu avec une ceinture à la tringle de son placard. Il avait appelé maman puis détaché Sebastian. Ôté la ceinture de son cou. L'avait secoué, lui avait crié au visage, pendant que maman prévenait les secours.

L'ambulance avait mis longtemps à arriver, mais je savais que ça n'avait plus d'importance. Sebastian avait les lèvres bleues et la peau blanche. Je savais qu'il était mort.

Assise au premier rang de l'église, je sentais tous les regards sur mon dos. Dans son costume, le bras de papa vibrait contre le mien. De rage. Car la mort était la seule chose qui échappait à son contrôle. La seule chose qu'il ne pouvait pas, par la terreur, réduire à l'obéissance et la soumission.

La mort ne se souciait pas de lui et ça le rendait fou, tandis qu'il regardait le cercueil blanc de Sebastian avec les roses jaunes que maman avait choisies.

Après, on n'a pas offert de café. Qui inviter ? Aucun de ceux qui avaient rempli l'église à craquer n'était notre ami. Rien que des vautours attirés par notre chagrin et qui voulaient s'y vautrer.

Maman et moi savions que papa aurait besoin de se défouler, une fois rentré à la maison. Nous sentions la rage en lui depuis deux semaines. Maman m'a dit d'aller dans ma chambre. J'ai d'abord obéi, en montant l'escalier. Mais tout en haut, je me suis arrêtée, assise sur la dernière marche. J'ai appuyé ma joue contre le balustre qui terminait la rampe, sentant la fraîcheur du bois blanc contre ma peau. De là où j'étais, j'avais vue sur la cuisine. S'ils s'étaient retournés, ils m'auraient vue, mais ils se contentaient de se tourner autour comme deux tigres en cage. Papa la tête en avant, les poings qui s'ouvraient et se fermaient. Maman, tête haute, sur ses gardes, attentive à ses moindres mouvements. Prête. Préparée.

Quand est arrivé le premier coup, elle ne l'a pas évité. Elle ne s'est pas aplatie. Le poing de papa l'a touchée juste au-dessus du menton, sa tête a été projetée en arrière avant de rebondir vers l'avant. Papa a frappé à nouveau. Un léger filet de sang a coulé de ses lèvres, aspergeant les carreaux blancs comme une peinture abstraite. Quelque chose a sauté de sa bouche et rebondi sur le sol avec un petit plop sonore. Une dent.

Elle est tombée à terre, mais il a continué à la frapper. Encore et encore.

J'ai compris que maman n'allait pas survivre longtemps cet automne, maintenant que Sebastian était mort.

Deux jours plus tard, l'action Compare atteignit un nouveau plancher. Faye était en train de déjeuner avec la pop star Viola Gad, qui venait de surprendre son mari au lit avec une fille de dix-huit ans, pour envisager une collaboration avec Revenge quand Kerstin lui envoya un message :

49,90 couronnes. Maintenant !

Faye posa ses couverts, demanda à Viola et à son manager de l'excuser et s'éclipsa en direction des toilettes.

Elle s'enferma et s'assit sur le couvercle de la cuvette. Tout ce pour quoi elle s'était battue était soudain à sa portée. Elle avait assez de capital pour acheter 51 % des actions, prendre le contrôle du conseil d'administration et veiller à faire virer Jack. Ça lui donnait le vertige. Elle aurait voulu pousser un grand cri. Elle appela son courtier britannique, Steven, et lui demanda d'acheter toutes les actions Compare qu'il pourrait. S'il avait besoin de davantage de fonds, elle pouvait lui transférer encore quelques millions.

"No problem, boss. It will be yours before nightfall", l'assura-t-il.

Après être restée là encore une minute, elle se secoua et rejoignit ses convives. Son pouls s'emballait. Mais quand elle se rassit en face de Viola Gad et de sa pizza aux œufs de lump de chez Brillo, elle ne laissa rien transparaître du chaos qui l'agitait.

Faye traversa Stureplan alors que la cohue du déjeuner était finie et que les gens retournaient travailler. L'air était étonnamment doux. Elle s'assit sur un banc en réfléchissant à quoi occuper le reste de la journée. Pendant le rachat de Compare proprement dit, elle ne pouvait pas faire grand-chose. Elle appela Chris, sans qu'elle réponde. Elle se reposait, probablement. Johan voulait s'occuper lui-même des préparatifs du mariage, mais avait promis de faire signe s'il avait besoin d'aide.

Ses pensées revinrent au rachat. Un homme aurait fêté son succès, célébré son dur travail sans la moindre honte, sans s'excuser. Elle décida de faire pareil : elle envoya un message à Robin, avec qui elle pensait en avoir fini, lui demandant de la rejoindre au Starbucks.

Comme il était dans les parages, ils convinrent d'un rendez-vous un quart d'heure plus tard. Aucune fausse fierté masculine. Il savait ce qu'elle voulait et prenait avec légèreté le fait qu'elle n'ait pas donné de nouvelles depuis longtemps.

Quand elle entra au Starbucks, il avait déjà commandé pour eux deux.

"Comme je suis content de te voir ! Je ne savais pas si tu voulais du lait dans ton café ? dit-il en montrant le mug.

— On ne va rien boire."

Il rit. Son beau visage était ouvert et gai et sa seule présence la fit se détendre. Il ne lui fallait pas d'explications, de jeux, de conversations compliquées, d'embrouilles. Il n'avait besoin que de musculation, de nourriture, d'eau et de sexe.

"Pas de café ?" Son sourire montrait qu'il avait compris ce qu'elle voulait dire.

"Non, je ne veux pas boire de café, je veux baiser.

— Ah bon ?" la taquina-t-il. Il se leva pourtant aussitôt. Comme un chiot obéissant.

"J'ai réservé une chambre au Nobis."

Il haussa les sourcils.

"On ne se refuse rien, aujourd'hui ? fit-il en prenant son blouson.

— Je viens d'acheter une société pour plusieurs millions. On ne peut rien me refuser aujourd'hui.

— Je t'aime bien, tu sais ?"

Robin lui tint la porte.

"Tant mieux. Ça va faciliter les choses que je vais tout de suite te demander de me faire.

— Aujourd'hui, je suis ton esclave.

— Tu es toujours mon esclave", dit Faye en souriant.

Robin ne protesta pas.

Faye et Johan étaient assis de part et d'autre du lit de Chris. Sa cage thoracique montait et descendait, son visage était gris cendre et sa peau se tendait sur son crâne. Elle était si petite, elle avait fondu si vite.

Johan indiqua la porte. Quand ils furent dans l'entrée, il s'adossa au mur :

"Je ne sais pas quoi faire. Elle ne peut plus marcher. Nous devons annuler le mariage.

— Pas question.

— Non ?

— Non, on fera ça ici. Dans la chambre, s'il le faut. Chris doit se marier.

— Mais comment… ?

— On fait venir un pasteur, une maquilleuse et une robe de mariée. Les invités, on s'en fout, à part les proches. De toute façon, Chris n'aime pas les gens."

Elle refoulait ses sentiments. Étouffait les tempêtes de chagrin qui faisaient rage en elle. Chris avait si longtemps été forte. Une grande sœur protectrice pour Faye depuis son arrivée à Stockholm. Il était temps pour Faye de la porter à son tour. C'est à ça que servent les sœurs. Elle allait avoir son mariage et son Johan.

"Demain, 14 heures ?" proposa-t-elle.

Johan déglutit plusieurs fois.

"J'appelle tous ceux qu'on veut faire venir, et le pasteur. La robe de mariée…

— Je passe la prendre en rentrant ce soir. Et je réserve la maquilleuse.

— Et la nourriture ?

— J'en fais mon affaire. Pour l'amour du ciel, faites en sorte d'être prêts à vous marier, Chris et toi. Je viens demain matin pour l'aider à se faire belle."

Le lendemain, Faye était devant la porte de Chris avec Kerstin. Elle inspira à fond et sonna. Johan ouvrit, les embrassa puis leur céda le passage.

"Tout est prêt, dit-il. Tout le monde s'est libéré, ils ont compris qu'on était obligés de procéder de cette façon si on voulait que ça se fasse.

— Comment tu te sens, toi, avec ça ?

— Que la noce soit petite ou grande, ça n'a aucune importance. Mais avant qu'elle… ne disparaisse, je veux me marier avec elle.

— Très bien. Alors on va s'en occuper."

Il les conduisit jusqu'à la grande chambre à coucher.

Chris était assise dans le lit, soutenue par quelques oreillers. Elle avait devant elle un plateau avec du café, du jus d'orange et du pain grillé.

"Comment va la plus belle mariée du monde ? demanda Faye en s'asseyant au bord du lit.

— Moi qui voulais être mince pour mon mariage, je suis servie !"

Faye ne parvint pas à sourire à sa plaisanterie.

Chris leva les yeux vers Kerstin et Johan.

"Vous pouvez nous laisser ? Juste un moment, pendant que je parle avec ma demoiselle d'honneur."

Quand ils eurent refermé la porte derrière eux, Faye prit doucement la main de Chris. Elle était si petite et frêle, guère plus grande que celle de Julienne.

"Je ne sais pas ce que j'aurais fait sans toi, dit doucement Chris.

— Penses-tu, un mariage, c'est toujours un plaisir à organiser, malgré les circonstances.

— Je ne parlais pas que de ça, je voulais dire en général. Toutes les années passées, tout ce que nous avons fait. Toute la merde qu'on a écopée ensemble. Bien sûr, tu as parfois été comme un furoncle au cul, avec Jack et le reste, mais la plupart du temps, tu as été la meilleure amie qu'on puisse souhaiter."

Les larmes se mirent à couler, Faye ne pouvait pas les retenir.

"Est-ce qu'on doit… vraiment parler de ça ? Tu vas te marier.

— Oh oui, on doit. Je n'ai plus beaucoup de temps. Et je veux dire ça tant que j'ai encore toute ma tête."

Faye hocha la sienne.

"Je n'aurais pu imaginer meilleure amie que toi dans cette vie, poursuivit Chris. Tu fais ressortir mes meilleurs côtés."

Faye essuya les larmes qui coulaient obstinément sur ses joues.

"Tu es cette faille qui laisse entrer la lumière, dit-elle, celle que chante Leonard Cohen. Je n'arrive pas à concevoir… je ne sais pas comment je vais m'en sortir sans toi.

— Oh, ça, je ne m'inquiète pas, dit Chris. Je suis juste triste de ne pas pouvoir en être.

— Ah oui, au fait, j'ai recouché avec Robin. Tu te souviens de lui ? Je l'avais rencontré quand tu m'avais forcée à sortir chez Riche, après avoir passé trop de temps à me lamenter sur mon sort."

Chris éclata de rire.

"Tu vois, tu te débrouilles mieux sans moi."

Elle se cala à nouveau en arrière, inspira plusieurs fois à fond. Le moindre mouvement semblait la fatiguer.

"Tu veux qu'on te laisse te reposer un moment ?" proposa doucement Faye.

Chris secoua la tête.

"Non, pas du tout. Je suis trop faible pour boire… mais c'est quand même le jour de mon mariage, que diable ! Tout en bas de la table de nuit, j'ai une bouteille de Jack Daniel's. Trinquons une dernière fois, juste toi et moi."

Faye se pencha, ouvrit la porte du placard. Tendit la bouteille à Chris.

"À nous, dit Chris en la levant. Et sans le début d'un commencement d'amertume que ça se finisse comme ça. Comment être amère après avoir eu une vie pareille ?"

Elle but quelques gorgées.

"À toi, Chris, dit Faye. La plus belle, la meilleure sœur qu'on puisse avoir."

Chris essuya quelques larmes.

"Il faut que je me prépare, mais dis-moi d'abord comment ça s'est passé avec Jack.

— Nous avons 51 %.

— Donc c'est fini ?"

Faye hocha la tête.

"C'est fini."

Chris prit le bras de Faye, sa poigne avait une force inattendue.

"Je t'aime tellement.

— Et moi aussi je t'aime."

Chris déglutit plusieurs fois.

"Je n'ai pas de parents et tu es tout pour moi, alors, même si ce n'est pas trop la tradition suédoise, je voulais savoir si tu… si tu voulais bien me faire l'honneur de me porter pour me remettre à Johan."

Faye prit Chris dans ses bras, et la serra aussi fort qu'elle l'osait.

"Bien sûr, je te porterai."

Faye regarda par la fenêtre, on devinait les allées et venues des passants dans la rue. La vie nocturne qui commençait.

Elle revint à son écran, essaya de ne plus penser à Chris en parcourant les derniers résultats. Il fallait que Jack sache vite qu'il était viré. Il était un fardeau pour l'entreprise, il fallait qu'il parte. Non qu'elle ait le moindre désir de sauver l'entreprise. Une partie d'elle-même aurait voulu laisser Compare courir à sa perte, mais il fallait penser aux salariés. Elle avait déjà trouvé un homme d'affaires habile à qui elle revendrait ses actions pour une somme raisonnable. À condition que le nom de l'entreprise change. Ainsi, Compare serait de toute façon rayé de la carte.

Malgré tous les scandales, Jack croyait avec l'obstination d'un fou qu'il allait pouvoir se cramponner à son siège. Il pensait toujours que Compare, c'était *lui*. S'il savait ce qui l'attendait.

Ce fut un soir, tard. En rentrant chez elle, Faye proposa à Kerstin de passer la voir. Elles terminaient presque toutes leurs soirées en partageant un ou deux verres de vin. Elles étaient sans doute secrètement alcooliques, mais s'étaient mutuellement persuadées qu'elles suivaient la diète méditerranéenne, qui prévoyait un verre quotidien de vin rouge. Kerstin lui avait raconté que sa grand-mère prenait tous les jours une grande cuillère de whisky pour son mauvais orteil. Depuis, elles plaisantaient tout le temps, en disant qu'il leur fallait un verre de rouge par jambe, pour leur santé.

"Je me demande comment Jack va réagir en apprenant qu'il a été viré", lança Faye depuis la cuisine, où elle sortait un peu de fromage et des crackers. Le fromage était une des denrées de base de son réfrigérateur.

Kerstin ne répondit pas. Faye l'entendait pourtant bouger dans le séjour. Elle disposa les fromages et les crackers sur un plateau, ajouta du raisin, puis la rejoignit.

Assise dans le canapé, Kerstin regardait droit devant elle, l'œil vide.

"Qu'est-ce qui s'est passé ?"

Faye posa le plateau. Elle s'assit à côté de Kerstin et la prit sous son bras. Sentit combien la femme fluette tremblait.

"Il… il…"

Kerstin n'arrivait pas à prononcer les mots, ses dents ne faisaient que s'entrechoquer. Faye lui caressa le dos, déchirée par l'angoisse : Kerstin était-elle malade ? Elle ne pouvait pas la perdre elle aussi, pas encore une, c'était juste impossible. La peur de perdre Chris lui coupait le souffle, alors que le pire était déjà là.

"Ra… Ragnar", bégaya Kerstin.

Faye se figea.

"Ragnar ?

— Il… Ça s'est inversé. Le centre de soins m'a appelée. Il… il va mieux. Ils pensent qu'il pourra bientôt rentrer chez lui si ça continue dans le bon sens."

Kerstin éclata de rire, un rire strident et cru.

"Le bon sens. Ils ont dit le *bon* sens. Ils ne peuvent pas savoir que pour moi c'est le mauvais sens. Comment pourraient-ils savoir que ce pantin à qui ils ont torché la merde et essuyé la bave est un salaud sadique qui fera de ma vie un enfer s'il peut rentrer à la maison ? Ah, si j'avais osé, si je l'avais étouffé, un coussin sur la figure, quand il était encore temps…"

Kerstin se balançait d'avant en arrière, les bras serrés autour du corps. À travers le fin tissu blanc de son chemisier transparaissaient les cicatrices de son dos.

La colère commença comme une chaleur qui monta par ses pieds, se répandit dans tout son corps pour exploser dans la tête de Faye.

Kerstin faisait partie de la famille, elle était pour Julienne et elle un roc, une ligne de vie, les bras qui rassurent. Personne ne devait menacer ça. Personne ne devait la menacer.

Tandis que Kerstin pleurait, Faye la serra contre sa poitrine. Les larmes qu'absorbait son sweat en cachemire sécheraient bientôt. L'obscurité se mouvait en Faye. Là, il n'y avait pas de larmes.

Le soleil brillait, le ciel était bleu clair, les gens riaient, parlaient, prenaient le café. Les bus et les métros roulaient comme d'habitude. Mais dans un lit au dernier étage de l'hôpital Karolinska, la meilleure amie de Faye, le corps perfusé de fluides vitaux, était en train de perdre le combat qu'elle était depuis le début condamnée à perdre.

Faye descendit de voiture devant l'hôpital : elle y revenait peu de temps après l'avoir quitté. Lors de sa visite, la veille au soir, Chris avait à peine la force de parler, sa voix était si ténue, ses yeux si las, son corps si faible. L'alliance qu'elle avait portée avec tant de fierté était beaucoup trop large pour son annulaire amaigri. À deux reprises, tandis que Faye était en train de lui dire combien elle l'aimait, elle était tombée à terre.

Faye avait pleuré sur le chemin du retour, car elle avait compris que ce serait bientôt fini. Et quand Johan l'avait appelée une heure plus tôt chez elle pour lui dire qu'il valait mieux qu'elle vienne tout de suite, elle avait accouru.

Elle resta un moment debout dans l'entrée. Comment dire adieu à sa meilleure amie ? Comment dire adieu à sa sœur ? Comment diable faisait-on ? Elle acheta des cigarettes et une tablette de chocolat, et s'assit sur un banc. Quelques infirmières en bleu déjeunaient. Parlaient de leurs enfants. Deux jeunes parents portaient précautionneusement un nouveau-né vers le parking. Ils s'arrêtaient tous les dix mètres, se penchaient sur la nacelle pour examiner le miracle en souriant.

Après deux cigarettes, Faye jeta le paquet, fourra le chocolat dans son sac et gagna l'ascenseur.

"Chris va mourir, murmura-t-elle quand les portes se refermèrent. Chris va mourir."

Le couloir était absolument silencieux et désert. Ses pas se répercutaient. Elle s'arrêta devant la chambre 8 et frappa avant d'entrer. Johan leva les yeux sans rien dire. Il tourna à nouveau le regard vers Chris, lui caressa les cheveux.

Faye fit le tour du lit pour le rejoindre.

"Il n'y en a plus pour très longtemps, dit-il. Elle n'est plus consciente, c'est une sorte de coma. C'est… elle ne s'en réveillera pas. Je ne sais pas quoi faire, comment pourrai-je jamais… ?"

Son visage se tordit. Faye avança une chaise et s'assit près de lui.

"Elle est si petite, si seule", chuchota-t-il en s'essuyant les yeux.

Faye ne savait pas quoi répondre. Elle posa sa main sur celles entrelacées de Johan et Chris.

"Elle ne souffre pas, en tout cas", reprit Johan. Ses mots venaient par à-coups. "Mais que feront-ils avec elle, quand elle ne sera plus là ? Je ne veux pas qu'on l'évacue comme une bête crevée et qu'elle reste seule dans un sous-sol."

Il se tut.

Faye se cala en arrière. Sa chaise grinça.

"Est-ce que je peux avoir quelques minutes seule avec elle ?" chuchota-t-elle.

Johan sursauta. Puis hocha la tête.

Il se leva. Posa la main sur son épaule et sortit lentement de la chambre. Précautionneusement, comme si elle avait peur de réveiller Chris, Faye s'assit sur la chaise qu'il avait libérée. L'assise était encore chaude.

Faye se pencha vers Chris, les lèvres frôlant son oreille.

"Ça fait tellement mal, Chris, dit-elle en luttant contre les larmes. Tellement mal de me dire que je vais vieillir sans toi. Ces rêves que nous avions, nous installer au bord de la Méditerranée, ouvrir un restaurant, rester dehors à jouer au backgammon, nous décolorer les cheveux jusqu'à ce qu'ils soient bleus… rien de tout ça n'aura lieu. J'ai l'impression, là, que jamais plus je ne pourrai être heureuse. Mais je te promets d'essayer. Je sais que, sinon, tu serais en colère contre moi…"

Elle se racla la gorge, remplit d'air ses poumons.

"Ce que je veux te dire, c'est que je ne t'oublierai jamais. Avoir pu être ton amie seize ans durant est la plus belle chose qui me soit arrivée. Je suis triste de ne jamais t'avoir dit la vérité sur qui je suis vraiment. Sur ce que je suis. J'avais peur que tu ne comprennes pas. J'aurais dû te faire confiance. J'aurais dû tout te dire. Mais je vais maintenant te le révéler, si jamais tu m'entendais…"

En chuchotant, elle raconta ses secrets à Chris. L'accident, Sebastian, maman et papa. Matilda et sa part d'ombre. Elle ne lui cacha rien.

Quand elle eut fini, elle caressa les cheveux de Chris et lui effleura la joue de ses lèvres. Ce fut son dernier adieu.

Elle alla chercher Johan. Puis ils restèrent en silence tandis que la vie quittait Chris. Sept heures plus tard, elle rendait son dernier souffle.

En quittant la chambre d'hôpital, y laissant Johan immobile, le front appuyé sur la main de son épouse morte en train de se refroidir, elle emporta un des gros bouquets qui la décoraient. Son chagrin s'était transformé en résolution. Elle s'assit au volant de sa voiture, chercha une adresse sur Google et se mit en route. À présent, ses yeux étaient secs : elle n'avait plus de larmes. Elle était vide, desséchée. Chris conservait ses secrets en lieu sûr.

Une fois sa voiture garée sur le parking, à l'abri d'un grand chêne, elle se dirigea vers l'entrée. La porte était ouverte. Elle regarda prudemment autour d'elle : le hall et le couloir étaient déserts. Elle entendit des voix dans une pièce au loin, des rires et des bruits de vaisselle. Le personnel semblait faire une pause-café.

Elle compta en silence les portes. La troisième à droite, lui avait dit Kerstin. Sans lui demander pourquoi elle voulait le savoir. Elle la gagna d'un pas rapide, l'ouvrit résolument mais sans bruit et entra. Elle n'avait pas peur. Elle était juste vide. Chris lui manquait aussi distinctement qu'un membre amputé.

Elle avait caché son visage derrière le bouquet, au cas où quelqu'un sortirait dans le couloir. Des roses jaunes. Tout à fait à propos : elle savait que les roses jaunes signifiaient la mort, ce qui avait dû échapper à la personne qui les avait envoyées.

Elle entendit une respiration profonde dans le lit. Elle se glissa à son chevet. Les persiennes étaient tirées, mais une faible lumière filtrait. Ragnar semblait chétif. Fragile. Mais Kerstin lui avait assez raconté tout ce qu'il lui avait fait subir pour qu'elle ne se laisse pas abuser. C'était un salaud. Un salaud qui ne méritait pas de vivre quand quelqu'un comme Chris était en train de refroidir sur un lit d'hôpital.

Faye tendit lentement la main vers un oreiller posé un peu plus bas sur le lit. Un éclat de rire dans le couloir la fit sursauter, mais il s'éteignit aussi vite. On n'entendait plus que la respiration de Ragnar et le tic-tac discret d'un vieux réveil.

Elle regarda autour d'elle, l'oreiller à la main. Une chambre nue. Impersonnelle. Pas de photos, pas d'effets personnels. Des murs décolorés par le soleil et un lino élimé au sol. L'odeur de vieux montait aux narines. Cette odeur rance, un peu sucrée qui s'accrochait aux personnes âgées quand elles tombaient malades.

Lentement, elle leva l'oreiller et le plaça sur le visage de Ragnar. Elle n'éprouva aucune hésitation. Aucune inquiétude. Il avait fait son temps sur terre. Il n'était qu'un bout de viande, un poids mort, un homme mauvais de plus qui laissait dans son sillage des larmes et des femmes couvertes de cicatrices.

Elle se pencha. Appuya de toutes ses forces l'oreiller en obturant la bouche et le nez. Ragnar gigota un peu quand l'air lui manqua. Mais ses mouvements étaient sans force. Faye n'eut presque aucun effort à faire.

Au bout d'un moment, il s'immobilisa. Plus de soubresauts. Faye maintint l'oreiller jusqu'à être absolument certaine que le mari de Kerstin était mort. Elle le reposa alors sur le lit, prit le bouquet de roses jaunes et se glissa prudemment dehors.

Ce n'est qu'en roulant vers le centre-ville que ses larmes se mirent à couler pour Chris.

FJÄLLBACKA – JADIS

Je regardais les rides sur le visage du policier. Son regard exprimait de la sympathie, mais il ne me voyait pas, pas vraiment en tout cas. Il voyait une ado dégingandée qui avait perdu son frère, et à présent probablement aussi sa mère. Je devinais qu'il aurait voulu poser sa main sur la mienne, là, à la table de la cuisine, et je lui étais reconnaissante de s'en être abstenu. Je n'avais jamais aimé que des inconnus me touchent.

J'avais appelé la police à cinq heures du matin et ils avaient emmené papa seulement une heure plus tard. La fatigue me donnait envie d'appuyer le front contre la table de la cuisine et de fermer les yeux.

"À quelle heure il n'y a plus eu de bruit ?"

Je me suis efforcée de rester éveillée, d'écouter sa question. D'y répondre comme il le fallait.

"Je ne sais pas, peut-être vers trois heures. Mais je ne suis pas sûre.

— Pourquoi t'es-tu levée si tôt ?"

J'ai haussé les épaules.

"Je suis matinale. Et je… j'avais compris qu'il s'était passé quelque chose… Maman ne serait pas partie si tôt de la maison."

Il a hoché la tête, la mine grave. À nouveau ce regard qui disait qu'il aurait voulu me consoler. J'espérais qu'il continuerait à s'en abstenir.

Je n'avais pas besoin de consolation. Ils avaient emmené papa.

"Nous continuons nos recherches, mais nous craignons qu'il soit arrivé quelque chose à ta maman. Certaines choses le suggèrent. Et si j'ai bien compris, ton père a des antécédents... violents."

J'ai dû lutter pour ne pas éclater de rire. Non que ce soit drôle, mais c'était tellement absurde. "Des antécédents violents." Une formulation si sèche, un résumé si concis d'années d'effroi entre ces murs. "Des antécédents violents." Oui, on pouvait aussi dire ça.

Mais je savais ce qu'ils voulaient, alors je me suis contentée de hocher la tête.

"Nous allons peut-être la retrouver, a dit le policier. Indemne."

Et c'est arrivé. Sa main sur la mienne. La sympathie. Chaude. Comme il en savait peu. Comme il comprenait peu. J'ai dû faire un effort extrême pour lui laisser ma main.

Les semaines passèrent. La nouvelle du renvoi de Jack parvint aux journaux. Grâce à l'engagement du nouveau propriétaire qui promettait une reprise en main et un audit éthique de l'entreprise, l'action Compare remonta à un niveau plus normal, tandis que Jack plongeait de plus en plus, paraissant complètement perdu dans l'existence. C'était comme si le temps s'était soudain décidé à entrer dans la vie de Jack : il avait vieilli, ses cheveux grisonnaient plus vite qu'il n'avait le temps de les teindre, ses gestes se faisaient plus lents, plus las.

Il essayait de préserver une façade intacte. Il restait malgré tout multimillionnaire. Il assurait dans la presse d'affaires qu'il serait bientôt de retour. Mais la nuit, il lui arrivait d'appeler Faye, visiblement ivre, pour parler du bon vieux temps. Des personnes qu'il avait trahies, de Chris, de tout ce qu'il avait sacrifié.

Faye le trouvait pathétique. Elle détestait la faiblesse, c'était lui qui le lui avait appris. L'effondrement de Jack ne faisait que lui faciliter la tâche pour l'écraser.

Il coupa les ponts avec Henrik, estimant que son ami l'avait trahi en se maintenant au conseil d'administration de Compare. Ni Henrik, ni Jack, ni aucun membre du conseil ne savait que c'était elle l'actionnaire majoritaire de Compare, car elle communiquait exclusivement par l'intermédiaire de ses avocats britanniques.

Le moment était venu de franchir la dernière étape. Ylva allait payer, à son tour.

Faye n'avait plus de larmes pour pleurer Chris. Étonnant comme tout revenait à la normale. Elle pensait à elle, la regrettait chaque jour, chaque heure, mais elle avait accepté sa disparition. Elle avait accepté le fait que rien ne pourrait jamais lui rendre Chris.

Son amie aurait peut-être tenté de stopper Faye, si elle avait su ce qu'elle préparait. Mais cela, elle ne le saurait jamais.

Jack attendait devant le porche quand Faye et Julienne arrivèrent avec leurs sacs de courses. Quand, dans l'après-midi, elle lui avait envoyé un message pour l'inviter, il avait presque aussitôt répondu oui.

"Bonjour mes chéries, dit Jack en prenant maladroitement Julienne sous son bras. Je croyais voir arriver deux anges.

— Flatteur, va", dit Faye, qu'il embrassa sur la joue.

L'odeur d'alcool ne se sentait que de près.

Il lui sourit bêtement.

"Qu'est-ce que tu as de bon, là ?"

Il montra les sacs.

"Je pensais faire ma bolognaise.

— Chouette !" s'exclama-t-il en prenant les sacs.

Il hissa le sac à dos de Julienne sur son épaule et tint la porte à Faye.

"Comment ça va, toi ?" demanda Faye après avoir refermé la porte de l'appartement.

Jack titubait un peu.

"Ça va bien.

— Et Ylva ? C'est pour bientôt, non ? Tu es impatient ?"

Faye savait qu'il détestait parler d'Ylva.

"Elle va bien, je suppose. Elle est allée voir ses parents, alors me voilà provisoirement célibataire. Ton SMS est tombé à point, on peut dire."

Elle commença à déballer les courses sur l'îlot central de la cuisine.

"Tu n'as pas répondu si tu étais impatient de voir ce bébé.

— Je pense que tu sais ce que je ressens. Bien sûr, je vais aimer cet enfant, mais je… je sais où est ma famille. Ma vraie famille."

Elle aurait voulu le frapper, mais elle inspira à fond et lui fit un sourire malicieux.

"Alors comme ça, l'herbe n'était pas plus verte dans le pré d'à côté ?

— Non, on peut le dire comme ça.

— Et qu'est-ce que tu vas faire, maintenant ? demanda-t-elle en commençant à faire revenir la viande hachée. Maintenant que tu n'as plus Compare ?"

Jack ouvrit le réfrigérateur, prit une carotte, la rinça et croqua dedans.

"Ça finira par s'arranger, les gens savent ce que je vaux. Au fait, cette campagne que vous faites…

— Oui ?

— Je ne crois pas que cette chanteuse pop soit si bien que ça pour Revenge. J'ai un peu regardé vos résultats, et on dirait que…"

Des éclairs lui passèrent devant les yeux, son corps se raidit. Mais pour qui se prenait-il ? Jack, sans rien remarquer, continua à pérorer et à lui prodiguer ses bons conseils.

"Tu as certainement raison", concéda-t-elle quand il se fut tu.

Respire, se dit-elle à elle-même. Ne montre rien. Souviens-toi du plan.

Quand ils furent à table, Faye fut frappée par l'irréalité de cette situation. Ils étaient assis à la cuisine, en bavardant comme elle en avait rêvé quand ils étaient mariés.

Tant d'années elle l'avait espéré, désiré.

"Ce plat m'a manqué, Faye, dit Jack après s'être resservi. Personne ne sait préparer la bolognaise comme toi."

Il plaisanta alors avec Julienne et la félicita pour les encouragements prodigués par son maître lors de la dernière réunion parents-profs. Il lui dit combien il était fier d'elle.

Pourquoi ne pouvions-nous pas vivre ainsi, Jack ? Pourquoi ne t'es-tu jamais contenté de nous ?

Julienne se mit à cligner des yeux vers neuf heures et demie. Elle commença par protester quand Jack la prit dans ses bras, mais le laissa ensuite la porter dans sa chambre. Quand il revint, il se mit à danser d'un pied sur l'autre entre le canapé et la télévision.

"Bon, alors je vais me rentrer, hein.

— Tu ne veux pas rester un peu ?

— Tu veux ?"

Faye haussa les épaules en se blottissant contre l'accoudoir du canapé.

"Ça m'est égal. Alors, si tu as d'autres projets…"

Il réagit à sa nonchalance avec l'enthousiasme d'un chiot.

"Je reste, dit-il en s'asseyant. Tu veux encore du vin ?

— Volontiers, dit-elle en poussant son verre sur la table basse. Mais il y a aussi une bouteille de whisky, si tu préfères.

— À la cuisine ?"

Elle hocha la tête. Jack se leva et elle l'entendit fouiller.

"Dans le placard, au-dessus du frigo !" lança-t-elle.

Une nouvelle porte s'ouvrit. Des bouteilles tintèrent.

"Ça, c'est vraiment du bon. Il te vient d'où ?

— Un cadeau de quelques investisseurs étrangers", mentit-elle.

En fait, c'était Robin qui l'avait oublié quand il avait dormi là, quelques semaines plus tôt. Cette nuit-là, ils avaient fait l'amour cinq fois. Son entrejambe chauffa à ce souvenir.

Quand Jack revint au canapé, il s'assit près d'elle, tira à lui les jambes de Faye pour poser ses pieds sur ses genoux. Il entreprit de lui masser la voûte plantaire. Elle ferma les yeux tandis que ses pieds se réchauffaient.

"Tu sais qu'on pourrait passer toutes les soirées comme ça", dit Jack au bout d'un moment.

Elle secoua la tête.

"Tu te lasserais au bout de deux semaines, Jack. Va faire couler la douche, au lieu de raconter toutes ces bêtises.

— La douche ?

— Oui, la douche. Si on doit coucher ensemble, je n'ai pas envie que tu pues le vieil alcool."

Les oreilles de Jack devinrent écarlates, et Faye dut réprimer un sourire en le voyant se précipiter à la salle de bains. Tandis qu'il se douchait, Faye plaça son ordinateur sur l'étagère en face du lit et enclencha la webcam.

Jack lui fit son grand sourire en entrant dans la chambre, mais Faye ne ressentit rien. Coucher avec lui n'était qu'un moyen. Une façon d'atteindre son but.

Après, ils restèrent étendus côte à côte dans le lit. Ses yeux scintillaient, pleins d'espoir.

"Qu'est-ce que tu dirais, si je quittais Ylva et que je venais vivre ici ?

— Impossible, Jack.

— Mais tu m'as pardonné, non ?

— Que je t'aie pardonné ne veut pas dire que je veux à nouveau vivre avec toi.

— Je peux entrer dans le capital de Revenge, t'aider à gérer tout ça. Ça commence à prendre de l'ampleur, tu es sûre d'y arriver ? Je veux dire, j'ai tellement plus d'expérience que toi à la tête d'une entreprise. Il y a une immense différence entre lancer une entreprise et l'administrer sur la durée. Tu as fait un boulot fantastique, mais maintenant, je crois qu'il serait temps de laisser le pro prendre le relais."

Ce petit bonhomme, qu'elle avait manipulé pour le faire virer de sa propre entreprise, pensait toujours pouvoir disposer d'elle à sa guise.

Faye se fit violence pour garder son calme. Concentrée sur son objectif.

"Je n'ai pas besoin d'investisseurs, dit-elle. Ne t'inquiète pas pour Revenge.

— Je veux juste vous protéger, Julienne et toi. M'occuper de vous."

Tu ferais mieux de songer à te protéger, songea-t-elle. Garder l'œil sur ce qui se passe dans ton dos. Dormir en ouvrant l'œil. Je t'ai déjà écrasé. Ne reste plus qu'Ylva.

"Il vaut mieux que tu t'en ailles, Jack, dit-elle.

— Tu es fâchée ?"

À nouveau cet air de chien battu, mais il avait perdu tout son charme.

"Pas du tout, mais j'ai une réunion tôt demain matin, et je ne veux pas que Julienne te trouve ici. Ce serait source de confusion pour elle, tu le sais pertinemment.

— Elle aussi, ça lui ferait du bien, qu'on redevienne une famille.

— Nous étions une famille, Jack. Ton problème, c'est que dès que tu as une famille, tu n'en veux plus. Retourne donc chez ta copine enceinte."

Elle lui tourna le dos. Il ramassa ses affaires et sortit sans se presser.

Jack parti, elle ramassa son ordinateur, repassa le film de la soirée, choisit une scène où Jack avait la tête entre ses jambes. Elle se faisait désormais faire l'épilation intégrale. Ses seins étaient magnifiques tandis qu'elle gémissait de jouissance. Elle prit quelques images fixes granuleuses où on ne pouvait pas l'identifier, ouvrit un compte Gmail anonyme et envoya trois photos à Ylva.

En écrivant juste : *Ton mari sait comment satisfaire une femme.*

Faye était dans son bureau quand Jack déboula. Son visage était cramoisi et suait abondamment. Il criait, si bien qu'on l'entendait dans tout l'étage : des têtes curieuses pointèrent derrière les écrans. Faye souriait intérieurement. Jack était tellement prévisible.

"Putain, qu'est-ce que tu as fait ?"

Il vociférait tant qu'il postillonnait. Elle ne prit pas peur. Cela faisait longtemps qu'elle n'avait plus peur de Jack. Ni d'aucun homme.

"Bordel, pourquoi tu m'as fait ça ?

— Je ne comprends pas de quoi tu veux parler", dit-elle, sachant bien que Jack ne serait pas dupe.

Mais cela faisait partie du jeu. Elle voulait qu'il sache. Cette partie de la charade était terminée. Faye faisait doucement pivoter son fauteuil d'un côté et de l'autre, derrière son beau bureau. C'était un meuble design d'Arne Jacobsen, valant presque cent mille couronnes. Le vieux bureau vermoulu d'Ingmar Bergman pouvait aller se rhabiller. Et Ingmar Bergman lui aussi, du même coup. Le génie mâle qui s'entourait toujours de femmes à manipuler et piétiner. Quel cliché masculin.

Jack se pencha au-dessus du bureau. Ses paumes moites laissaient des traces sur sa surface lisse. Elle ne recula pas, laissa au contraire son visage s'approcher du sien. Elle observa ses traits bouffis par l'alcool, usés, sentit son haleine chargée de vinasse et de whisky en se demandant ce qu'elle avait bien pu lui trouver. Il lisait des romans d'Ulf Lundell quand elle l'avait rencontré. Un auteur aussi ringard, ça aurait dû être un avertissement.

"Je comprends pas à quoi tu joues, Faye. Mais je vais t'écraser. Je vais tout te prendre. T'es qu'une pauvre pute pathétique, une tarée que j'ai ramassée dans le caniveau pour en faire quelqu'un. Tout le monde va savoir qui t'es et d'où tu sors. J'en sais plus que tu crois, salope ! Et je ferai tout ce qui est en mon pouvoir pour te retirer Julienne !"

Il lui postillonnait à la figure. Elle leva doucement la main et, du revers, essuya la salive sur son visage, tout en voyant du coin de l'œil deux solides vigiles s'approcher.

Alors, elle recula.

"Qu'est-ce que tu fais ? cria-t-elle. Jack, arrête ! Au secours ! S'il vous plaît ! Aidez-moi !"

Quand les vigiles firent irruption, elle se précipita vers eux en sanglotant bruyamment. Jack dévisagea les deux hommes en uniforme Securitas, des gaillards blonds d'une vingtaine d'années. Un instant, il parut sur le point de se jeter sur eux. Puis il inspira à fond, leva les mains en signe d'apaisement et leur décocha un large sourire.

"Attendez, là, c'est un malentendu. Il n'y a pas de lézard. Juste une petite divergence de vues. Je m'en vais tout seul, regardez, je sors…"

Il recula vers la porte. Faye s'était retranchée dans le bureau de son directeur marketing et suivait Jack d'un regard inquiet, tandis que quelques-uns de ses employés l'entouraient en faisant rempart de leur corps. Elle n'aurait pu espérer mieux.

Quand Faye rentra chez elle, après la scène de Jack au bureau, elle était épuisée. L'appartement était vide. Kerstin était passée chercher Julienne à l'école avant une de leurs interminables sorties au musée.

Kerstin avait exprimé son inquiétude pour Julienne, ces derniers temps. La petite fille ouverte et pétillante commençait à être de plus en plus renfermée. Les enseignants avaient signalé qu'elle restait désormais seule aux récréations. Mais Faye n'était pas aussi inquiète que Kerstin. Elle se reconnaissait en Julienne : elle aussi, elle avait été du genre loup solitaire.

Les lettres de son père se faisaient de plus en plus fréquentes. Faye continuait à ne pas les ouvrir. Elle s'estimait juste heureuse que personne n'ait encore fait le lien entre elle et lui. L'affaire avait fait du bruit, surtout parce qu'il avait été condamné alors que le corps de sa mère n'avait jamais été retrouvé. Le tribunal avait estimé qu'il y avait beaucoup d'autres éléments. Tous les dossiers médicaux qui documentaient les blessures de sa mère. Le sang. Le fait que tous les effets personnels de maman étaient restés sur place. Le jugement avait été unanime : réclusion à perpétuité.

Faye se versa un verre de vin, s'assit devant l'ordinateur et ouvrit ses mails. Vingt nouveaux messages d'Ylva. Elle les effaça tous, ce qu'elle avait à dire ne l'intéressait pas. Faye ouvrit le tiroir supérieur de son bureau et sortit la clé USB sur laquelle elle avait enregistré les fichiers récupérés par le *keylogger*. Ils lui avaient bien servi. Elle hésitait à la garder en souvenir, ou à la jeter, tout simplement.

Faye la fit tourner entre ses doigts, et réalisa qu'elle n'avait jamais regardé les autres fichiers qu'elle avait téléchargés à tout hasard – elle avait déjà trouvé assez d'éléments pour compromettre Jack. Elle inséra la clé USB dans son ordinateur et trempa ses lèvres dans son vin tandis que les fichiers s'affichaient dans le Finder. Elle les passa en revue, sans qu'aucun n'éveille sa curiosité. D'ennuyeux documents d'affaires, des contrats, des présentations PowerPoint. *Boring, boring, boring.* Le dernier dossier portait le titre "Ménage" et, malgré ce nom sans intérêt, elle cliqua dessus. Saisie d'effroi, elle comprit ce qu'il contenait, et le verre d'amarone lui échappa.

Elle regarda fixement les éclats à terre. La tache rouge qui s'étendait. Elle sut alors qu'il ne lui suffirait pas d'écraser Jack, il allait falloir le mettre à jamais hors d'état de nuire.

Faye attendit quelques jours. Puis elle appela Jack. Elle avait élaboré un nouveau plan. Elle pleura et le supplia de lui pardonner. Alors qu'en réalité elle aurait voulu le démolir, botter son corps à terre, cracher sur sa tombe.

Jack se laissa attendrir par la faiblesse qu'elle montrait. Jack n'était pas bien compliqué, il était toujours prêt à mordre à l'hameçon. Elle regrettait de ne pas l'avoir découvert plus tôt.

Elle avait beau avoir cru que ce ne serait plus jamais nécessaire, elle se laissa baiser par lui. C'était le plus dur. Essayer de faire semblant de jouir, quand tout son corps était empli de dégoût et de haine. Quand elle était entièrement pleine des images de tout ce qu'il lui avait fait.

Parfois, Jack pleurait dans son sommeil. Sur la table de nuit, son portable s'illuminait à intervalles réguliers et le nom d'Ylva s'affichait. Elle ne l'avait pas mis à la porte. Maintenant, c'était elle qui le suppliait. Elle, qui allait bientôt mettre au monde leur fille, pendant que Jack couchait avec une autre femme. Exactement comme il l'avait fait à la naissance de Julienne.

Faye s'était fait prescrire une réserve de Stilnox. Pendant que Jack dormait profondément, elle lui prit son ordinateur et effectua les recherches nécessaires. Parfois, cela semblait trop simple. Mais elle savait que ce serait loin de l'être. Et que le prix serait élevé. Peut-être même trop. Mais elle était qui elle était et, au vu des crimes de Jack, aucune vengeance ne serait trop brutale.

Tandis que la nuit tombait, à l'extérieur de sa chambre, elle se souvint des flocons de neige qui voltigeaient devant les vitres lisses du bureau, dans la tour. Se rappela le sentiment de planer librement. Le sentiment de liberté et en même temps d'emprisonnement. Parfois, la tour lui manquait. Mais jamais la cage dorée. Elle pensait parfois à Alice, qui y était restée. Volontairement. Mais il y avait des parties de la vie d'Alice que son mari Henrik ignorait. Comme le fait qu'Alice avait investi dans Revenge et était désormais aussi riche que lui. Ou qu'elle lui avait demandé le numéro de Robin, qu'elle retrouvait une fois par semaine, quand Henrik la croyait à sa séance de Pilates.

Faye le lui avait accordé. Quand on était enfermée dans une cage dorée, il fallait bien quelques distractions pour le supporter.

À l'aube, Faye regarda Jack se réveiller, la tête lourde de whisky et de somnifère.

"Je dois partir en voyage d'affaires la semaine prochaine, dit-elle. Est-ce que tu pourrais m'aider en prenant Julienne ?

— Bien sûr."

Il sourit. Prit ses regards pour de l'amour. Mais ils voulaient dire : *adieu.*

FJÄLLBACKA − JADIS

J'ai reposé le téléphone. Le jugement était tombé et j'étais libre. Pour la première fois. Je n'avais encore jamais goûté à ce sentiment, j'ignorais ce que ça faisait : l'impression que mon corps planait au-dessus du sol. Je ne m'étais jamais sentie aussi forte.

Je n'avais pas été autorisée à assister au procès, on m'estimait trop jeune. Mais j'avais imaginé papa, portant le même costume qu'à l'enterrement de Sebastian. Sa nuque en sueur, tirant sur le col de sa chemise, mal à l'aise, furieux, prisonnier comme il ne l'avait jamais été. Sa prison était ma liberté.

Une petite partie de moi avait craint qu'ils ne l'acquittent. Qu'ils ne voient pas la bête en lui, rien qu'un homme pathétique, tristement petit. Mais les preuves matérielles étaient écrasantes. Même sans le corps de maman.

Il avait été condamné, et allait purger une peine sévère.

Je savais que toute la localité exultait. Tout le monde avait suivi le procès. On s'était effaré, on avait ragoté, bredouillé dans les allées du supermarché, arrêté sa voiture sur la grand-place, descendu la vitre de la portière, on s'était récrié en parlant de cette pauvre fille. Je les connaissais si bien.

Mais je n'étais pas une pauvre fille. J'étais plus forte qu'eux tous. J'aurais préféré continuer à vivre à la maison, une fois papa arrêté, mais quelqu'un en avait décidé autrement. À leurs yeux, j'étais encore une enfant. À défaut de parents proches, à défaut d'amis, j'ai dû m'installer chez nos voisins, un couple âgé. Mais ils me laissaient aller et venir à ma guise, pourvu que je dîne et dorme sous leur toit.

Les derniers mois n'avaient été qu'une longue attente. À l'école, tout le monde me fichait la paix, désormais. Quand je traversais les couloirs, les élèves s'écartaient de part et d'autre, comme si j'étais Moïse franchissant la mer Rouge. Ils étaient fascinés par moi. Mais m'évitaient. Les gens aiment bien se frotter au deuil et à la tragédie, mais jusqu'à un certain point. Je l'avais depuis longtemps dépassé.

Mais à présent, j'étais enfin libre. Et lui, il allait pourrir en enfer.

La pluie tombait à verse. Ses yeux piquaient, sa tête explosait. Faye ne désirait qu'une chose : dormir. Elle composa deux fois le numéro de Julienne, puis celui de Jack. Pas de réponse. Le réceptionniste vint la prévenir que le taxi attendait. Elle le remercia, prit sa valise et appela la police. Au moment où elle se laissait tomber sur la banquette arrière, on lui répondit.

"Je vous écoute.

— Je veux signaler une disparition, dit-elle.

— D'accord, dit calmement la femme à l'autre bout du fil. Qui ?

— Ma fille de sept ans, dit Faye avec un grand sanglot.

— Quand avez-vous eu de ses nouvelles pour la dernière fois ?

— Hier soir. Je me trouve dans un hôtel de Västerås. Pour une réunion d'affaires. Mon ex-mari s'occupe de Julienne. J'ai appelé toute la matinée, mais personne ne répond.

— Donc vous n'êtes pas en ville ?

— Non. Mon Dieu, je ne sais pas quoi faire.

— Y a-t-il une raison de croire qu'ils seraient partis et se trouveraient actuellement dans une zone non couverte par le réseau ?

— Non. Ils devaient rester à la maison. Aujourd'hui peut-être aller au Skansen. Ça ne ressemble vraiment pas à Jack.

— Comment vous appelez-vous ?

— Faye Adelheim. L'appartement où ils étaient censés être est à Östermalm. C'est chez moi."

Elle lui donna l'adresse.

« D'habitude, nous attendons quelques heures avant de lancer un avis de recherche.

— Je vous en prie, je suis terriblement inquiète. »

La voix de son interlocutrice s'adoucit un peu.

« C'est un peu tôt, mais je vais demander à une patrouille de passer voir.

— Merci. Ce serait vraiment bien. Donnez-leur mon portable, pour qu'ils puissent me joindre une fois arrivés sur place. »

Une heure et demie plus tard, son taxi quitta Odengatan, suivit sur quelques mètres Birger Jarlsgatan avant de s'engager dans Karlavägen.

Deux voitures de police étaient garées devant l'immeuble. Un policier attendait devant. Elle paya, se jeta dehors et courut vers lui.

« Je suis Faye », dit-elle, essoufflée. Il la regarda gravement. « Je ne comprends pas : vous m'avez dit avoir trouvé Jack. Pourquoi êtes-vous encore là ? Et où est ma fille ?

— Pouvons-nous entrer pour en parler ? dit-il, le regard fuyant.

— Que voulez-vous dire ? Si vous avez parlé avec Jack, vous devez bien savoir où est Julienne ? »

Il composa le code et lui tint la porte.

« Encore une fois, il vaut mieux que vous me suiviez à l'intérieur. »

Faye lui emboîta le pas.

« S'il vous plaît, dites-moi ce qui se passe ? Jack est là-haut ? »

Le policier referma la grille de l'ascenseur.

« Oui, dit-il. Mais votre fille a disparu.

— Mais Jack doit bien savoir où elle est ? Elle a sept ans, elle ne peut quand même pas se volatiliser comme ça. Il en avait la responsabilité. Elle était avec lui. Que dit Jack ?

— Il dit qu'il ne se souvient de rien.

— Il ne se souvient de rien ? »

Elle entendit sa propre voix rebondir sur les parois de la cabine.

L'ascenseur s'arrêta, ils en sortirent. La porte de l'appartement était ouverte. Faye passa une main sur son visage.

"Nous avons trouvé quelque chose qui… il y a du sang dans votre entrée.

— Du sang ? Mais mon Dieu…"

Faye vacilla, le policier la retint. Lui fit franchir la porte. Un technicien en combinaison blanche était accroupi dans l'entrée, en train de passer un instrument sur le sol, où un sang sombre avait séché.

"Julienne ! cria-t-elle d'une voix stridente. Julienne !"

Jack était assis sur une chaise, dans la cuisine. Deux policiers lui parlaient calmement. En la voyant, Jack fit mine de se lever, mais en fut empêché par les policiers. Il se laissa retomber sur la chaise.

"Qu'est-ce qui s'est passé ? lança-t-elle. Où est-elle, Jack ? Où est Julienne ?

— Je ne sais pas, fit-il, confus. J'ai été réveillé quand on a sonné à la porte."

Le policier la tira par le bras.

"Nous allons avoir besoin d'un effet personnel de votre fille."

Faye le fixa, interloqué.

"Comment ça ? Pourquoi ?"

Il la mena doucement mais résolument à l'écart. De l'entrée parvenaient des pas et des voix. D'autres policiers arrivaient.

"Pour une identification, dit-il. Juste au cas où."

Elle se mit à haleter, mais hocha la tête.

"Comme quoi ?

— Sa brosse à dents. Ou une brosse à cheveux ?"

Faye hocha la tête. Fit un geste vers la salle de bains. Le policier sortit un sachet, enfila une paire de gants en latex et la précéda.

"C'est celle-là."

Il saisit la brosse à dents rose et la plaça précautionneusement dans le sachet. Faye le conduisit dans la chambre de Julienne, où il prit sa brosse à cheveux.

"Ça devrait suffire", dit-il en la regardant gravement.

Il commençait à faire nuit. Faye se leva quand la policière entra dans la petite pièce où on lui avait demandé d'attendre. Elle était grande et blonde. Ses cheveux étaient attachés en queue de cheval et son regard aimable mais résolu.

"Vous savez quelque chose ?"

La policière secoua la tête.

"Asseyez-vous, dit-elle en indiquant de la tête un canapé. Je m'appelle Yvonne Ingvarsson, je suis inspecteur de police."

Faye s'assit en croisant les jambes.

"Je dois vous poser des questions, et je veux que vous y répondiez aussi précisément que possible.

— Bien entendu.

— Nous n'avons toujours pas trouvé Julienne, mais certaines choses nous inquiètent. Nous inquiètent beaucoup."

Faye ferma les yeux et déglutit.

"Est-elle… croyez-vous qu'il lui soit arrivé quelque chose ?

— Franchement, nous ne savons pas. Mais le sang dans votre entrée est bien du sang humain. Le laboratoire le compare avec l'ADN de la brosse à dents et de la brosse à cheveux.

— Mon Dieu… je…

— Votre ex-mari, Jack, n'a rien pu expliquer. Son récit ne tient pas debout, tout simplement. Il affirme qu'il ne se souvient pas de ce qu'il a fait hier.

— Mais il est impossible qu'il ait pu faire du mal à Julienne. Vous vous trompez. Quelqu'un a dû l'enlever, d'une façon ou d'une autre. Il l'aime et n'a aucune raison de…

— Qui serait-ce, sinon ?"

Elle se tut. La policière se pencha en avant et posa la main sur son genou.

"D'après son téléphone portable et le GPS de sa voiture, il s'est rendu ailleurs. Pendant la nuit.

— Quoi ?

— Il a roulé jusqu'à Jönköping. Et nous avons trouvé des traces de sang dans le coffre de la voiture. Nous allons le comparer à celui prélevé dans votre entrée.

— Arrêtez… s'il vous plaît arrêtez… je ne veux pas savoir."

Faye secoua la tête.

"Vous devez être forte, Faye. Je sais que c'est dur, mais nous avons besoin de votre aide pour retrouver Julienne."

Elle hocha lentement la tête, finit par croiser le regard de la policière.

"Nos collègues de Jönköping inspectent les endroits où Jack s'est rendu cette nuit. Nous avons analysé le contenu des disques durs de vos deux ordinateurs, et je voudrais savoir si vous pouvez m'expliquer ce que c'est que ça."

Yvonne chercha un moment dans le classeur qu'elle avait sur les genoux, puis sortit un papier. C'était le mail que Faye avait envoyé à Ylva. Faye ouvrit la bouche pour répondre, mais Yvonne la devança.

"C'est vous, là, sur cette photo ?"

Elle mit le papier entre les mains de Faye. Elle y jeta un regard rapide. Hocha la tête.

"Oui, c'est moi.

— Vous avez envoyé ceci à la compagne de Jack, Ylva Lehndorf ?"

Faye hocha à nouveau la tête.

"Pourquoi ?

— Parce que c'est elle qui m'a pris Jack. Je voulais juste…

— Entretenez-vous, Jack et vous, une relation… actuellement ?

— Que voulez-vous dire ?

— Avez-vous couché ensemble depuis votre séparation ?

— Oui. Mais pas après qu'il a découvert que j'avais envoyé ça à Ylva. Après ça… il me haïssait.

— Selon Jack, votre relation a continué.

— C'est absurde. Il est venu à mon bureau faire un esclandre voilà seulement quelques semaines. Les vigiles ont dû le jeter dehors. Mais notre dispute nous concernait tous les deux, et personne d'autre. Pas Julienne. Je sais qu'il ne lui aurait jamais fait de mal."

Elle secoua la tête.

"Savez-vous ce que nous avons aussi découvert ? Que par l'intermédiaire d'un fonds d'investissement étranger, vous avez acquis la majorité des actions de Compare. La société fondée par Jack. Qui l'a mis à la porte. Jack en avait-il connaissance ?"

Faye se mit à tambouriner nerveusement des doigts sur la table. Le regard d'Yvonne Ingvarsson était sibyllin.

"Aucun soupçon ne pèse sur vous, reprit Yvonne. Mais nous avons besoin de savoir pour comprendre ce qui s'est passé."

Faye hocha lentement la tête.

"Jack m'a quittée pour Ylva. Je les ai surpris dans notre chambre… Tout ce que je voulais, c'était qu'ils souffrent comme j'ai souffert. J'ai été humiliée, j'ai tout perdu. Bien sûr, j'ai voulu me venger. Et j'ai fait tout ce que j'ai pu pour écraser Jack. À bon droit. Et il me haïssait, à bon droit. Mais ça n'a rien à voir avec Julienne, alors je ne comprends pas où elle pourrait être, ni pourquoi vous le soupçonnez de lui avoir fait du mal."

Elle tordait ses mains sur ses genoux.

Yvonne ne répondit pas à sa question. La dévisageant, elle demanda :

"Et ces marques sur votre visage ? D'où viennent-elles ? Est-ce Jack ?"

Faye leva la main vers sa joue, mais la douleur la fit sursauter. Puis elle hocha la tête, à contrecœur.

"Jack devait s'occuper de notre fille pendant que je me rendais à un rendez-vous d'affaires à Västerås. Mais j'hésitais, je ne le faisais que pour Julienne. Jack était… était tellement fâché… Il m'a envoyé des SMS terribles, ces derniers temps. Après avoir bu, il m'a menacée. Ça ne lui ressemble pas. Il était fâché en arrivant, et c'est là qu'il m'a frappée. Mais par la suite, il s'est calmé. Nous avons parlé, et tout était arrangé quand je suis partie. Il n'aurait jamais levé la main sur Julienne, il était juste tellement fâché contre moi, j'ai dû dire quelque chose qui l'a provoqué. Je ne lui aurais jamais confié Julienne si j'avais cru que…"

La voix de Faye se brisa.

On frappa à la porte. Un policier entra et se présenta. Il demanda à parler à sa collègue, et Yvonne ressortit avec lui dans le couloir. Elle revint quelques minutes plus tard. Elle apportait un gobelet de café qu'elle plaça sur la table basse devant Faye.

"Continuez, dit-elle.

— Vous avez du nouveau à propos de Julienne ? Vous l'avez retrouvée ?

— Non.

— Vous ne pouvez pas me dire ? Il s'agit de ma fille !"

La policière regarda Faye, les yeux vides de toute expression.

"Nous ne pensons pas que Julienne ait pu survivre après avoir perdu la quantité de sang retrouvée dans l'entrée de votre appartement.

— Mais qu'est-ce que vous voulez dire ? cria Faye. Ma petite fille ne peut pas être morte !"

Yvonne Ingvarsson posa une main sur l'épaule de Faye, mais demeura silencieuse. Le non-dit résonnait dans la pièce.

Au lieu de dormir chez elle, Faye utilisa son jeu de clés de l'appartement de Kerstin et s'y installa. La disparition de Julienne faisait les gros titres des journaux. La police avait repéré la présence de la voiture de Jack dans une zone boisée au nord de Jönköping. Il y avait près de là un port de plaisance. Le lendemain, la police retrouva de petites quantités de sang à bord de l'un des bateaux. Mais pas de corps.

Dans les journaux, Faye lut que la police travaillait sur l'hypothèse que "l'ex-mari et millionnaire", comme ils appelaient Jack, avait coulé le corps de Julienne dans le Vättern. Des plongeurs tentaient de repêcher le corps, mais la zone était trop vaste. On ne retrouvait pas Julienne.

Une semaine plus tard, alors que toutes les preuves accusaient Jack et que les journaux du soir, grâce à des sources policières, avaient appris qu'on avait trouvé du sang non seulement dans l'appartement, mais également dans la voiture et à bord d'un bateau, la police publia le nom de Jack. Les journalistes s'agglutinaient en grappes autour de la villa de Jack et Ylva, à Lidingö.

Yvonne Ingvarsson vint voir Faye pour lui expliquer qu'ils n'avaient pas perdu tout espoir de retrouver Julienne vivante, mais que tout semblait indiquer qu'elle était morte. On proposa à Faye un soutien psychologique, et un prêtre à qui parler. Elle refusa tout. Elle s'enferma dans l'appartement de Kerstin et vit la foule des journalistes s'amenuiser de jour en jour devant son immeuble. Les plaies et les bleus sur son visage commençaient à cicatriser, elle s'en occupait avec soin. Elle ne voulait pas garder d'affreuses cicatrices. Les coups portés contre elle faisaient partie des chefs d'accusation de Jack.

Jack n'avait fait aucun aveu. Mais les preuves contre lui ne faisaient que se renforcer. Les enquêteurs avaient trouvé ses recherches les plus macabres sur Google, l'historique de son ordinateur. Et les SMS menaçants envoyés à Faye avaient été reconstitués à partir du téléphone de Jack, même s'ils avaient été effacés. Faye avait pu les montrer également sur le sien. Tout cela avait été rapporté dans les journaux du soir.

Les trouvailles effectuées dans l'ordinateur de Jack avaient resserré davantage la corde autour de son cou. Il s'était renseigné sur la profondeur de divers lacs suédois, avait téléchargé des cartes de la zone où l'on avait localisé sa voiture, près de Vättern.

Dès le mois suivant la disparition de Julienne, Faye mit l'appartement en vente, et informa les actionnaires de Revenge qu'elle avait l'intention de quitter la Suède dans les plus brefs délais. Elle garda 10 % de ses parts, en donna cinq à Kerstin, en plus de celles qu'elle avait reçues auparavant, et proposa aux investisseuses de racheter le reste. Yvonne Ingvarsson essaya de la convaincre de rester au moins jusqu'à la fin du procès de Jack, mais Faye n'en avait pas le courage.

"Ma vie est détruite, peu importe sa peine. Je lui ai pris son entreprise, j'ai détruit son couple avec Ylva. Et il a riposté en tuant notre unique enfant. Plus rien ne me retient ici.

— Je comprends, dit Yvonne. Il faut essayer d'être forte. La douleur ne va jamais disparaître, mais avec le temps, elle deviendra plus facile à gérer."

Sur le seuil, elle donna une accolade à Faye, avant de fermer son manteau et de se diriger vers l'escalier.

"Où allez-vous vous installer ?

— Je ne sais pas vraiment. Loin, en tout cas. Là où personne ne me reconnaîtra."

Quand Yvonne lui envoya un message lui annonçant que les résultats des tests ADN étaient enfin tombés, et que le sang retrouvé dans l'entrée de l'appartement, le coffre à bagages et le bateau correspondaient à la brosse à dents et la brosse à cheveux de Julienne, Faye répondit d'un simple : *Merci*. Elle n'avait rien à ajouter.

Sept mois déjà s'étaient écoulés depuis que Faye avait quitté la Suède. Elle embrassait du regard les collines verdoyantes qui surplombaient la Méditerranée. Dans le porte-boissons, un café frappé. Le procès contre Jack était achevé, le délibéré était attendu d'une minute à l'autre. Les médias et la population l'avaient déjà condamné. Jack Adelheim était l'homme le plus haï de Suède. Ylva avait évidemment déjà vidé son sac dans *Expressen*, la fille de Jack dans les bras et toute une collection de noms d'oiseaux à la bouche. Apparemment, il lui avait fait subir des violences psychologiques durant toute leur relation. Ylva avait ainsi recueilli la sympathie de tout un chacun. Faye rit toute seule en lisant cela.

Faye s'était enfin fait retirer ces seins en plastique honnis, et avait pris une dizaine de kilos. Mais elle avait continué à faire du sport. Elle ne s'était jamais sentie mieux dans sa peau.

Elle regarda à nouveau l'écran, tout en trempant voluptueusement quelques *cantucci* dans un petit verre de vin doux. La Suède tout entière avait suivi ce procès spectaculaire : de la terrasse où elle se trouvait, Faye sentait le pays retenir son souffle.

Elle ne s'inquiétait pas. Elle avait bien fait son travail.

Le présentateur d'*Aftonbladet* feuilletait quelques documents, tandis qu'un journaliste d'investigation expérimenté plissait le front en expliquant gravement qu'il ne faisait aucun doute que Jack allait être condamné.

Faye ne se fendit pas même d'un sourire. Elle savait déjà qu'elle avait gagné. Toutes ces suites judiciaires n'étaient qu'une formalité. Elle, elle avait fini.

Julienne appela depuis l'intérieur de la maison.

Faye descendit ses lunettes de soleil sur le bout de son nez et plissa les yeux.

"Qu'est-ce qu'il y a, chérie ?

— On peut aller à la plage ?

— Dans un petit moment. Maman doit d'abord finir de regarder ça."

Julienne se montra sur le seuil de la porte. Ses pieds nus retentirent sur la terrasse quand elle accourut vers elle. Belle et bronzée, ses cheveux blonds au vent.

"Jack Adelheim reconnu coupable du meurtre de sa fille de sept ans."

Faye se dépêcha de refermer son ordinateur et Julienne lui grimpa sur les genoux.

"Qu'est-ce que tu regardes ?

— Oh, rien. Alors, on y va, à la plage ?

— Tu crois que Kerstin veut venir ?

— Il faut lui demander."

Faye ferma les yeux tandis que Julienne filait. Ses pensées revinrent à ces journées décisives, plus de six mois plus tôt.

Elle n'avait pas peur de la douleur physique. Ce n'était rien par rapport à la douleur qu'elle avait ressentie en trouvant les photos de Julienne dans le dossier "Ménage". Sa fille bien-aimée. Terrorisée. Confuse. Nue.

Le choc avait laissé place à une fureur qui avait failli l'engloutir, mais elle était malgré tout parvenue à la contenir en elle. Elle savait qu'elle allait en avoir besoin. Sa fureur se déverserait sur Jack comme une avalanche, et il ne resterait plus rien de lui après.

Tromper Jack en lui instillant un faux sentiment de confiance n'avait pas été très difficile, accomplir tout ce qu'il fallait faire ne l'avait pas été non plus. Il lui suffisait de fermer les yeux pour revoir le corps nu de Julienne. Exposé. Outragé. Par celui qui aurait dû la protéger.

Elle avait pris quelques cachets antidouleur et s'était prélevé un bon litre de sang. C'était le double de ce qu'on donnait lors d'une collecte, mais elle avait lu qu'avec la quantité de sang que contenait le corps humain, elle pouvait en sacrifier un litre.

Kerstin avait d'abord protesté quand Faye lui avait exposé son plan, mais après avoir vu les photos, elle avait concédé qu'aucune peine ne serait assez sévère pour un homme comme Jack.

Faye avait la tête qui tournait, le vertige, mais tenait debout. Ce n'était pas le moment de s'évanouir.

Kerstin et Julienne devaient partir en premier. Se procurer de faux passeports et une façon sûre de quitter le pays avait coûté cher, mais tout s'achetait, avec de l'argent. Et de l'argent, Faye en avait beaucoup.

Elle s'était rendue à Västerås, à l'hôtel où Kerstin l'attendait. Lui avait donné son téléphone portable. Dans la soirée, Kerstin devait commencer à appeler le numéro de Jack. Puis Faye avait regagné l'appartement.

Quand on avait sonné à sa porte, Faye avait inspiré à fond et était allée ouvrir à Jack. Le moment était venu de l'anéantir. Il avait demandé où était Julienne : il devait bien la garder, non ? Elle lui avait expliqué qu'elle n'allait pas tarder à rentrer. Trois whiskies plus tard, elle avait réussi à l'attirer dans la chambre en lui promettant du sexe, mais, exactement comme elle l'espérait, il s'était effondré après avoir à peine commencé à gauchement farfouiller dans sa culotte.

Elle s'était regardée dans le grand miroir de sa chambre. On entendait la respiration lourde de Jack étendu sur le lit. Elle lui avait administré une double dose, rien ne pourrait le réveiller. Quand il émergerait, sa mémoire serait floue.

Elle avait inspiré à fond. Laissé sa noirceur déferler sans tous les obstacles qu'elle avait placés pour la contenir, depuis tant d'années. Elle avait vu des visages dans l'eau. Entendu les cris stridents monter vers le ciel et faire fuir les mouettes avec de grands battements d'ailes effrayés. Vu le sang se mêler à l'eau salée. Des doigts blancs chercher à griffer quoi que ce soit, qui que ce soit.

Elle avait revu Julienne. Son visage apeuré.

De toutes ses forces, Faye s'était cogné le front contre le montant du lit en acier.

Elle avait examiné d'un œil critique le résultat dans le miroir. La blessure suffirait-elle ? Elle pensait que oui. Le front était écorché et le sang palpitait sous la peau, elle aurait de gros bleus.

Faye était allée chercher la petite poupée d'entraînement au secourisme qu'elle avait achetée, et l'avait placée dans l'entrée. Elle avait alors versé sur la poupée le sang que Kerstin l'avait aidée à se prélever, de manière à ce qu'il coule sur la tête et le haut de l'abdomen. Elle espérait que la quantité de sang suffirait. Elle n'avait pas pu s'en tirer davantage, si elle voulait pouvoir tenir debout. L'odeur lui donnait des haut-le-cœur, et elle éprouvait toujours de la fatigue et des vertiges, mais elle s'était forcée à continuer. Elle avait laissé la poupée tremper dans le sang tandis qu'elle faisait les derniers préparatifs, espérant qu'il sécherait un peu en marquant la forme de la poupée.

Elle avait enfilé des gants, et sorti délicatement de son sac un sachet zippé avec une brosse à dents et une brosse à cheveux roses. Toutes deux décorées de l'image d'Elsa, de *La Reine des Neiges*. Elle avait laissé Julienne les sortir elle-même de leur emballage et les mettre dans le sac plastique, pour qu'on ne trouve dessus que ses empreintes digitales.

Faye avait commencé à brosser ses cheveux. Julienne et elle avaient la même nuance de blond, la même longueur de cheveux. Elle tirait franchement, pour que quelques cheveux se détachent avec leurs racines. Après l'avoir délicatement reposée, elle avait sorti la brosse à dents. Elle s'était soigneusement brossé les dents et la bouche, en appuyant fort pour que la brosse ébouriffée ait l'air bien utilisée. Elle avait posé la brosse dans le verre à dents, à côté de la sienne. Puis était allée dans la chambre de Julienne placer la brosse à cheveux à côté de son bureau.

La chose faite, elle avait lavé le verre de whisky dans lequel elle avait écrasé le somnifère, et l'avait rempli à nouveau. Avec le verre et le reste de la bouteille, elle avait gagné la chambre, où Jack ronflait encore bruyamment. Faye avait posé le verre sur la table de chevet, et laissé la bouteille renversée par terre près du lit. Ça puait vraiment le whisky.

Elle n'avait dès lors plus rien à faire dans l'appartement.

Faye avait veillé à emporter le téléphone de Jack en se rendant à sa voiture. Elle s'était dépêchée de charger la poupée dans le coffre. Elle laisserait des traces de sang. Exactement comme elle l'avait escompté.

Le reste n'était que logistique. Aller et retour jusqu'au lac Vättern avec la voiture de Jack. Un peu de sang étalé sur un des bateaux amarrés sans cadenas à un ponton. Elle avait ensuite lavé et jeté la poupée à l'eau. On trouverait plein de déchets bizarres au fond du lac, personne ne ferait le rapprochement avec Julienne.

En rentrant vers Stockholm, Faye savait que le GPS de la voiture de Jack, tout comme son téléphone portable, laisserait des traces tout le long du chemin. Le navigateur de la voiture avec plus de détails que le portable, mais les deux se corroboreraient. Avec les recherches sur Google qu'elle avait faites depuis l'ordinateur de Jack, ça devrait suffire. Espérait-elle. Car le diable se cachait dans les détails.

Faye se gara sur le bord de mer. Un vent chaud souffla dans sa robe, tandis que Kerstin aidait Julienne à descendre de voiture. Elles trouvèrent trois chaises longues libres, qu'elles payèrent. Julienne se précipita aussitôt vers l'eau. Faye et Kerstin restèrent là, sans la quitter des yeux.

"Il a été condamné. On estime qu'il va écoper de la perpétuité.

— J'ai entendu ça, dit Kerstin.

— On y est arrivées.

— Oui. Mais je n'ai jamais été inquiète, tu sais.

— Non ?"

Kerstin secoua la tête.

Une femme s'approchait. Quand elle les aperçut, elle s'arrêta et leur fit un signe de la main.

"Il reste encore une place ? demanda-t-elle en souriant.

— Oui, mais tu vas peut-être devoir te serrer avec Julienne, répondit Faye.

— Avec plaisir."

Elle s'installa sur la serviette turquoise de Julienne étendue sur la chaise longue, et chaussa des lunettes de soleil.

"Tu passes dîner, ce soir ?" proposa Faye.

La femme se contenta de hocher la tête. Puis elle tourna le visage vers le soleil.

Les trois femmes restèrent là ensemble, en silence. Quand Faye ferma les yeux, bercée par le ressac et les cris joyeux de Julienne, elle revit Sebastian. Sa mort l'avait conduite à ce qu'elle était aujourd'hui. D'une curieuse manière, elle lui en était reconnaissante.

Elle tourna la tête et regarda la femme étendue à côté d'elle. Doucement, elle tendit la main et caressa la joue de sa mère.

REMERCIEMENTS

On n'écrit pas un livre seul. Même si beaucoup l'imaginent. Beaucoup de personne y participent, y contribuent, et rendent aussi ce travail moins solitaire. Avant je veux remercier mon mari Simon, dont l'amour et le soutien ne font jamais défaut. Mes merveilleux enfants sont aussi une énorme motivation : Wille, Meja, Charlie et Polly. Merci d'exister et d'être les plus beaux enfants du monde. Merci aussi à ma maman Gunnel Läckberg et mes beaux-parents Anette et Christer Sköld, vous qui de tant de façons contribuez à me faire trouver le temps et la force d'écrire. Il faudrait en remercier bien d'autres : vous tous qui intervenez quand le quotidien m'échappe – je vous suis éternellement reconnaissante.

Un énorme merci à Christina Saliba, qui tous les jours travaille dur à mes côtés, même si ce n'est pas à écrire des livres. Tu es ma sœur, même si nous n'avons pas de lien de sang. Merci aussi à Lina Hellqvist, qui prend une part inestimable dans notre travail quotidien.

Je ne serais pas l'écrivain que je suis sans ma merveilleuse éditrice Karin Linge Nordh et mon tout aussi merveilleux correcteur John Häggblom. Je n'ai pas de mots pour vous remercier. Il faudrait bien entendu en remercier tant d'autres chez Forum, en particulier Sara Lindegren, alors MERCI à vous tous !

Même chose pour Nordin Agency : Joakim Hansson, Johanna Lindborg, Anna Frankl et tous les autres, vous faites un travail incroyable pour la promotion de mes livres dans le monde.

Certaines des personnes très importantes dans l'écriture d'un livre sont celles qui fournissent une documentation sur des domaines ignorés par l'auteur. Comme Emmanuel Ergul, qui a contribué avec d'inestimables informations sur des questions financières. Et comme d'habitude, Anders Torewi a lu et proposé des éléments concernant Fjällbacka.

Merci à Pascal Engman, collègue follement doué dont l'apport a été important quand j'ai eu besoin de développer les personnages de ce livre. Comme d'habitude, ma collègue Denise Rudberg est toujours là quand j'ai besoin d'un coup de pouce dans l'écriture. Ou dans la vie.

Enfin toutes mes sœurs, mes amis, tous ceux qui nous entourent et aiment notre famille. Vous êtes tant que je ne saurais vous compter, craignant aussi d'en oublier. Mais vous vous reconnaissez. Je vous aime.

Et merci papa pour m'avoir donné l'amour des livres.

CAMILLA LÄCKBERG,
Stockholm, janvier 2019.

OUVRAGE RÉALISÉ
PAR L'ATELIER GRAPHIQUE ACTES SUD
ACHEVÉ D'IMPRIMER
SUR ROTO-PAGE
EN FÉVRIER 2019
PAR L'IMPRIMERIE FLOCH
À MAYENNE
POUR LE COMPTE DES ÉDITIONS
ACTES SUD
LE MÉJAN
PLACE NINA-BERBEROVA
13200 ARLES